Tous Continents

Collection dirigée par
Anne-Marie Villeneuve

Du même auteur

Samuel de la chasse-galerie, Médiaspaul, 2006, nouvelle édition coll. Titan, Québec Amérique, 2011.
Noires Nouvelles, recueil de nouvelles, Les Intouchables, 2008.
L'Ancienne Famille, Novella, Les Six Brumes, coll. NOVA, 2007.

SÉRIE SOIXANTE-SIX

Soixante-Six – Les larmes de la sirène, Les Intouchables, 2010.
Soixante-Six – Le cercueil de cristal, Les Intouchables, 2009.
Soixante-Six – Les tours du château, Les Intouchables, 2009.

SÉRIE ARIELLE QUEEN

Arielle Queen – Saga Volsunga, Les Intouchables, 2010.
Arielle Queen – Le règne de la lune noire, Les Intouchables, 2009.
Arielle Queen – Le voyage des huit, Les Intouchables, 2009.
Arielle Queen – Le dix-huitième chant, Les Intouchables, 2008.
Arielle Queen – Bunker 55, Les Intouchables, 2008.
Arielle Queen – La nuit des reines, Les Intouchables, 2007.
Arielle Queen – La riposte des elfes noirs, Les Intouchables, 2007.
Arielle Queen – Premier voyage vers l'Helheim, Les Intouchables, 2007.
Arielle Queen – La société secrète des alters, Les Intouchables, 2007.

TOME 1 – Mort imminente

Catalogage avant publication de Bibliothèque et Archives nationales du Québec et Bibliothèque et Archives Canada

Lévesque, Michel J.
Wendy Wagner
(Tous continents)
Sommaire : t. 1. Mort imminente.
Pour les jeunes.
ISBN 978-2-7644-0984-8 (v. 1)
I. Titre. II. Titre : Mort imminente. III. Collection : Tous continents.
PS8623.E946W46 2011   jC843'.6   C2011-940912-7
PS9623.E946W46 2011

Conseil des Arts   Canada Council
du Canada   for the Arts

SODEC
Québec

Nous reconnaissons l'aide financière du gouvernement du Canada par l'entremise du Fonds du livre du Canada pour nos activités d'édition.

Gouvernement du Québec – Programme de crédit d'impôt pour l'édition de livres – Gestion SODEC.

Les Éditions Québec Amérique bénéficient du programme de subvention globale du Conseil des Arts du Canada. Elles tiennent également à remercier la SODEC pour son appui financier.

Québec Amérique
329, rue de la Commune Ouest, 3e étage
Montréal (Québec) Canada H2Y 2E1
Téléphone : 514 499-3000, télécopieur : 514 499-3010

Dépôt légal : 3e trimestre 2011
Bibliothèque nationale du Québec
Bibliothèque nationale du Canada

Projet dirigé par Stéphanie Durand
Révision linguistique : Élyse-Andrée Héroux et Chantale Landry
Conception graphique : Nathalie Caron
Montage : André Vallée – Atelier typo Jane
En couverture : Photomontage réalisé à partir d'une photographie tirée de Photocase

Imprimé au Canada

PAR L'AUTEUR D'*ARIELLE QUEEN*

Michel J. Lévesque

WENDY WAGNER

TOME 1 – Mort imminente

Québec Amérique

Pour Mariève et Simone, les deux plus grands amours de ma vie.

Cette histoire d'amour, je l'ai écrite pour vous, en pensant à vous, en vous chérissant.

If it is real, it will be revealed. If it is fake, we'll find the mistake.

> Devise du Laboratoire scientifique
> sur la vie après la mort,
> Université de l'Arizona.

On vous enseigne qu'il y a une limite à la musique. Mais mon vieux, il n'y a pas de limite à l'art.

> Charlie Parker

PROLOGUE

Au royaume des cieux

*« Un démon, c'est un ange qui a eu des malheurs;
un ange émigré. »*

Antoine de Rivarol

Dantay, Samuel et Asfaël naquirent tous les trois le même jour, dans le royaume des cieux, et furent placés sous observation dès leur naissance. On leur prédisait un bel avenir au sein de l'Armée céleste. Selon le Plan de Dieu, ils deviendraient des anges fort habiles et disciplinés, ainsi que de grands meneurs d'hommes. Dès qu'ils eurent atteint l'âge de raison, les trois angelots furent recrutés par l'ordre des Puissances. Aussi fiers et déterminés que les légionnaires adultes, ils manifestèrent rapidement leur envie de participer aux combats contre les forces du mal.

— Vous êtes nés pour être de vrais champions, leur avait dit l'ange régent au premier jour de leur formation. C'est un grand honneur, mais aussi une grande responsabilité. En êtes-vous conscients?

— Oui, monsieur, avaient répondu les trois jeunes anges.

— Êtes-vous prêts à faire les sacrifices nécessaires?

— Oui, monsieur.

Le régent les observa un instant.

— L'existence de l'Éden doit à tout prix demeurer secrète, mes garçons, leur annonça-t-il. Jamais l'Adversaire et ses anges rebelles ne doivent découvrir l'existence du véritable royaume terrestre, vous comprenez? S'il arrivait que pareil malheur se produise, Satan et ses déchus quitteraient alors la Jehenn et envahiraient le jardin des hommes, afin de se l'approprier.

Les trois angelots avaient appris très tôt dans leur jeunesse que le royaume des cieux n'était pas l'unique univers régi par Dieu. Sous la voûte céleste coexistaient deux royaumes terrestres : l'Éden et la Jehenn. L'Éden, la Terre originelle, existait depuis le tout début de la Création, contrairement à la Jehenn, qui avait été créée au lendemain de la victoire des forces célestes sur celles de Satan. Lorsque Dieu et son armée remportèrent la guerre contre l'Adversaire et ses déchus, le Grand Créateur ordonna à ses puissants Archanges de détruire l'enfer. Leur domaine ayant été anéanti, et n'ayant plus accès aux cieux depuis leur bannissement, Satan et son armée se réfugièrent sur la Terre – ou plutôt, sur ce qu'ils croyaient être la Terre. Selon certains calendriers humains, cet exil forcé aurait eu lieu le 6 juin de l'année 1932. Anticipant la défaite de l'Adversaire, Dieu créa une réplique exacte de la Terre. Ce monde jumeau, baptisé la Jehenn, servit donc à accueillir Satan et ses troupes en déroute, ce qui permit d'éviter l'invasion du véritable jardin terrestre. Les anges rebelles n'avaient pas la moindre idée que l'Éden, la vraie création de Dieu, où vivaient les descendants des premiers hommes, avait été sauvegardé grâce à ce stratagème.

— Êtes-vous disposés à tout sacrifier pour protéger le secret de l'Éden ? demanda le régent à ses trois jeunes recrues. Aurez-vous suffisamment de courage pour défendre la volonté de Dieu, même si cela va à l'encontre de vos propres convictions ?

Dantay, Samuel et Asfaël répondirent sans hésiter, comme les bons soldats qu'ils s'apprêtaient à devenir :

— Oui, monsieur !

— Bien, fit-il en leur adressant un large sourire. Dites-moi, jeunes anges, je suis curieux : que pensez-vous des créatures humaines ?

Les trois anges hochèrent la tête et répétèrent la tirade qu'on leur avait enseignée :

— Ils ont été créés pour copuler et servir. Jamais nous ne devons leur accorder notre confiance. Ils peuvent corrompre notre esprit guerrier et nous affaiblir devant l'adversité. Les hommes sont des êtres faibles et mesquins, mais…

Les jeunes anges s'arrêtèrent.

— Continuez, leur ordonna le régent.

— Les hommes sont des êtres faibles et mesquins, répétèrent ensemble Dantay, Samuel et Asfaël, mais Dieu les aime.

— Dieu les aime ! Excellent ! Je vois que vous avez très bien appris votre leçon. Et qu'en est-il de l'amour ?

— Ressentir de l'amour envers les créatures de Dieu est interdit, monsieur, sous peine d'être sévèrement châtié, puis exilé.

L'ange parut satisfait des réponses.

— Vous ferez d'excellents soldats de l'ordre des Puissances, affirma le régent en passant une main noueuse dans les cheveux des jeunes apprentis.

Ce fut la seule occasion où l'ange régent se montra aimable avec eux. Au cours de la décennie suivante, Dantay, Samuel et Asfaël n'eurent droit qu'à de sévères remontrances de la part de leur mentor. Tous les trois étaient pourtant les meilleures recrues de leur légion. Ils n'aimaient pas se voir réprimandés de la sorte devant les autres, mais jamais ils n'auraient osé se plaindre ou déplorer l'injustice ; cela n'aurait démontré que faiblesse. Les autres champions affirmaient que si le régent se montrait si dur avec eux, c'était justement parce qu'ils étaient les plus valeureux et que l'ange souhaitait développer leurs talents particuliers, afin d'en faire de futurs chiliarques, des commandants de mille soldats célestes.

Leur formation terminée, on leur accorda enfin le titre d'« ange Puissance ». Ils venaient d'être admis dans le sixième ordre des anges et savaient qu'il n'y avait aucune place chez les célestes pour les sentiments frivoles. Les Archanges leur attribuèrent également une mission, celle de protéger une jeune femme du nom de Wendy Wagner. Comme beaucoup d'autres, Dantay, Samuel et Asfaël furent envoyés dans l'Éden sans se douter de la lourdeur de la tâche qui les y attendait.

Le destin des trois anges fit l'objet de plusieurs légendes, toutes divergentes les unes des autres. Selon certains récits, Samuel demeura fidèle à son engagement, tandis que Dantay et Asfaël succombèrent à l'amour, ce qui les obligea tous deux à rejoindre le clan des déchus. Asfaël prit le nom de Joseph et tenta de se soustraire au regard de Dieu. On raconte qu'il parvint à se faire oublier pour un temps, ce qui ne fut pas le cas de Dantay. Lorsque la femme dont il était tombé amoureux mourut, ce dernier entra dans une terrible colère et commit une faute irréparable : il tira une flèche en direction du ciel tout en maudissant son dieu. Inconsolable, rejeté par ses frères et par son maître, Dantay vagabonda sur la Terre. Ces années d'errance, il ne les employa qu'à une seule chose : faire le mal.

PARTIE 1

L'Éden, le jardin terrestre

> « *Wendy lui demanda où il vivait.* "*Deuxième étoile à droite, répondit Peter, ensuite tout droit jusqu'au matin.* " »
>
> J.M. Barrie (*Peter Pan*)

1.

Son nom en entier était Gwendolyn Mavis Wagner. Tout le monde l'appelait simplement Wendy. Habitante d'Havilah, une ville de l'État du Maine, en Amérique du Nord, elle avait dix-huit ans et était orpheline. Elle avait bien eu un père et une mère – des parents « biologiques » –, mais après leur arrestation, on ne les autorisa plus jamais à entrer en contact avec elle. De toute façon, si on en croyait les documents officiels, ils n'avaient jamais démontré le moindre intérêt pour Wendy, et ce, depuis le tout début de leur incarcération. Ils n'avaient jamais cherché à la rencontrer, ni même à savoir ce qu'elle était devenue, et c'était mieux comme ça, se disait la jeune femme. Elle s'était fait une raison. Elle n'était pas du genre à s'apitoyer sur son sort – du moins l'espérait-elle. Sa vie avait été difficile, certes, mais ce n'était pas une raison pour s'en plaindre. Wendy aurait préféré vivre plus confortablement – et surtout, plus longtemps –, mais la vie étant ce qu'elle est, se répétait-elle, autant en tirer le maximum.

Près d'un an auparavant, elle quittait sa famille d'accueil, les Montambault. Des gens bien, mais un peu bizarres. Ils auraient voulu avoir des enfants, mais n'y étaient jamais parvenus. Les Montambault étaient un peu vieux jeu, ce qui se remarquait surtout dans leur apparence : la femme se nommait Rita et ne sortait jamais sans ses tricots de laine et ses épais bas de nylon, même en été. Albert, son mari, fumait la pipe et portait en permanence un nœud papillon. Wendy le soupçonnait même de le garder pour dormir. Leur jeune protégée les aimait bien, sans plus. Ils n'avaient jamais de réelles conversations et le soir, après le dîner, Wendy montait à sa chambre et faisait ses devoirs. Albert relisait alors ses vieux romans de Steinbeck, et Rita regardait la télé.

Après le départ de Wendy, ils n'eurent plus la moindre obligation envers la jeune femme. Leur boulot était terminé. Wendy vivait seule désormais, et elle devait prendre soin d'elle-même. Grâce au programme Vie indépendante, les autorités du Maine allaient lui donner un coup de main jusqu'à ce qu'elle atteigne l'âge de vingt et un ans. Une liste de logements disponibles et d'employeurs potentiels lui fut fournie, ce qui lui permit de dénicher un petit appartement dans un quartier plutôt tranquille et sécuritaire, ainsi que du boulot occasionnel. Une fois par mois, de l'argent lui était envoyé afin qu'elle puisse s'acheter des vêtements. Si elle avait besoin de trucs supplémentaires, Wendy pouvait en faire la demande et espérer que cette requête « spéciale » soit acceptée.

C'était sa dernière année à l'école secondaire. L'automne suivant, elle devait commencer ses études universitaires. Là encore, le département des services sociaux aurait pu l'aider financièrement. Si Wendy avait rempli un autre de leurs formulaires, ils lui auraient certainement accordé une bourse, mais elle n'était pas allée jusque-là. Wendy souffrait d'un cancer de stade 4. Son médecin ne pensait pas qu'elle tiendrait jusqu'à la fin de l'été. Longtemps, elle crut que la maladie était responsable de toutes les choses étranges qui se produisaient dans sa vie, comme cet après-midi du mois d'avril où une panthère noire l'avait attaquée dans un couloir de l'école. La bête avait bondi sur Wendy, ses griffes acérées sorties et son énorme mâchoire ouverte. La jeune femme eut à peine le temps de crier que la panthère avait déjà disparu. Cette dernière s'était volatilisée comme ça, d'un seul coup. Heureusement que je me trouvais seule, songea-t-elle plus tard, sinon j'aurais passé pour une véritable folle ! C'était la maladie qui provoquait ce genre d'hallucinations, Wendy en avait la certitude. En même temps, tout cela lui paraissait si réel…

Elle devait apprendre plus tard que cette panthère était en réalité un ange déchu du nom de Dantay Sterling. Si elle n'était pas tombée entre ses griffes, dans ce couloir de l'école, c'était grâce à Joseph et Samuel, ses deux anges gardiens.

« Ce n'est pas vraiment que j'ai peur de mourir. Mais j'ai tellement peur de m'ennuyer quand je serai mort. »

Pierre Lazareff

2.

Très tôt ce matin-là, en ce joli mois de mai, Jamie Cameron, la travailleuse sociale de Wendy, se présenta à l'appartement de sa protégée. Jamie était une petite femme jolie, sans plus, aux formes rondes et aux cheveux courts. Ses traits étaient amicaux, et son sourire, perpétuel. Elle cogna à la porte, mais n'obtint aucune réponse. Inquiète, elle joua avec la poignée et constata qu'elle n'était pas verrouillée. Elle cogna de nouveau, tout en ouvrant lentement la porte de l'appartement. Après avoir jeté un coup d'œil à l'intérieur, elle décida d'entrer.

— Wendy?

Toujours pas de réponse. Il n'y avait personne. Le seul bruit provenait d'un téléviseur allumé. Une voix d'homme énumérait les principales nouvelles de la journée.

— Wendy, tu es là? demanda Jamie alors qu'elle traversait la petite cuisine pour se rendre au salon.

C'est là qu'elle trouva Wendy. La jeune femme était assise, immobile, sur son vieux canapé, un meuble que Jamie et elle avaient acheté dans un centre d'entraide pour gens défavorisés. En fait, tout le mobilier de Wendy provenait de cet endroit : table, lit, chaises, commode, électroménagers. La vaisselle et les casseroles lui avaient été offertes gratuitement par le même organisme. Wendy retournait parfois là-bas pour acheter de menus articles dont elle avait besoin et qu'elle n'arrivait pas à se payer dans les magasins ordinaires.

— Tu aurais pu me répondre, non ? lui fit remarquer Jamie, qui se tenait à l'entrée du salon.

Wendy hocha simplement la tête, tout en continuant de fixer la télé avec un air détaché.

— Comment vas-tu, ce matin ?

— Mourante, comme toujours, souffla Wendy.

Jamie s'avança dans la pièce.

— J'ai le dossier sur tes parents que tu m'as demandé. Ça n'a pas été facile de rassembler toutes ces informations, tu sais.

Elle déposa une enveloppe brune sur la table du salon, juste devant Wendy. Cette dernière baissa les yeux une seconde, pour regarder l'enveloppe, puis retourna au journal télévisé. Réaction étonnante, songea Jamie. Wendy souhaitait consulter ce dossier depuis longtemps, alors pourquoi se montrait-elle si indifférente aujourd'hui ?

— Je peux m'asseoir ?

Wendy fit signe que oui. Jamie s'installa donc à ses côtés, sur le canapé, et se servit ensuite de la télécommande pour éteindre le poste de télévision.

— Parle-moi, Wendy. Qu'est-ce qui se passe ?

Cette fois, Wendy se tourna vers elle. La travailleuse sociale vit que les yeux de la jeune femme étaient humides et rougis. Elle avait pleuré, et peu s'en faudrait pour qu'elle recommence.

— J'essaie de me montrer forte, répondit Wendy. Parce que toute ma vie, il a fallu que je le sois. Je n'ai jamais eu de famille, Jamie. J'ai grandi seule. Aucun adulte ne m'a aimé. Je n'ai pas le souvenir que mes parents m'aient embrassée ou même caressée. J'ai été privée de tout cela, de toute cette chaleur.

— Wendy…

— Comment se sent-on lorsque notre mère nous prend dans ses bras, lorsque notre père nous dit qu'il nous aime et qu'il sera toujours là pour nous ? Moi, je ne le sais pas. J'avais un rêve, celui de me marier et d'avoir des enfants. Je voulais fonder ma propre famille. Mais ce ne sera plus possible maintenant. J'ai vécu seule et je mourrai seule, sans laisser de trace.

— Tu as toujours été forte, Wendy, c'était nécessaire pour surmonter les épreuves auxquelles tu as dû faire face. Mais aujourd'hui, tu as le droit d'être vulnérable, tu en as même le devoir. Et tu n'es pas seule, contrairement à ce que tu crois. Pense à Juliette, Sophia et Patrick.

Wendy acquiesça :

— Ce sont mes amis, Jamie. De précieux amis. Mais je n'ai pas de famille. Et j'ai peur. J'ai tellement peur…

Jamie déposa une main amicale sur l'épaule de la jeune femme.

— Comment te sens-tu depuis les derniers jours ? demanda-t-elle en faisant référence à la maladie de Wendy.

— C'est ce qui est le pire, je crois : je me sens mieux. Et je reprends espoir. Mais il ne le faut pas, je suis condamnée.

— Ne dis pas ça…

— Bien sûr que je dois le dire, rétorqua Wendy. Sinon, comment pourrai-je l'accepter ?

Jamie ne trouva rien à répondre. La jeune Wagner faisait montre de courage, c'était certain. La travailleuse sociale observa sa protégée pendant quelques instants, touchée de compassion, puis dit la seule chose qui lui vint à l'esprit :

— J'aimerais tellement pouvoir t'aider, ma chérie.

Wendy lui sourit.

— Je sais.

Jamie serra la jeune femme dans ses bras, puis lui demanda si elle se sentait assez forte pour aller à l'école aujourd'hui. Il était entendu que tant qu'elle se sentirait capable de le faire, elle pourrait continuer à suivre ses cours.

— C'est ma seule distraction, Jamie. Je m'y rendrais en rampant s'il le fallait.

— D'accord, alors prends ton petit-déjeuner. J'ai une autre personne à voir dans le bâtiment d'à côté. Je reviens te chercher ensuite pour te conduire à l'école. Ça te fera économiser un ticket de bus.

Elles échangèrent un dernier sourire avant que Jamie ne disparaisse dans la cuisine. Dès que celle-ci eut quitté l'appartement, Wendy attrapa sur la table le dossier portant la mention « C. WAGNER – V. MAVIS », que sa travailleuse sociale venait de lui apporter, et commença à le feuilleter.

Elle fit tout d'abord l'inventaire des photos : on en trouvait quelques-unes de sa mère, plusieurs de son père. Il y avait également des coupures de journaux, où l'on apprenait que Charles Wagner et Veronica Mavis avaient formé un couple de criminels pas très futés, qui s'étaient fait prendre longtemps auparavant pour braquage de banque. À cette époque, Wendy était âgée d'à peine deux ans. Charles et Veronica avaient tué une caissière avant de quitter la banque, et deux policiers pendant leur fuite. Ce jour-là, Wendy se trouvait chez une copine de sa mère, qui jouait les baby-sitters. Elle fut prise en charge par les services sociaux dès l'arrestation de ses parents, et demeura sous la protection de l'État jusqu'à ce qu'on la confie à sa première famille d'accueil. Charles Wagner se suicida peu de temps après son arrestation. Il avait trente-quatre ans. Lorsqu'on lui annonça la nouvelle, la mère de Wendy devint complètement folle et fut transférée dans un institut psychiatrique. On la détenait toujours là-bas. Wendy était allée lui rendre visite, quelques années plus tôt.

Depuis, elle n'y était jamais retournée. Ce n'est pas une femme qu'elle avait vue là-bas, mais un fantôme. Cigarette au bec, cernée, l'air hagard, Veronica Mavis n'avait pas daigné lever la tête pour regarder sa fille, pas même une seule fois. La pauvre femme n'avait fait qu'une chose pendant toute la durée de la visite : elle avait fixé le sol, sans bouger, comme si son esprit était absent, comme si elle s'était désincarnée. Cette expression sur son visage, Wendy s'en souvenait encore. Ce vide dans les yeux de sa mère lui avait donné froid dans le dos. Après sa visite, la jeune femme demeura convaincue que sa mère ignorait qui elle était, et les médecins de l'époque lui confirmèrent que c'était probablement le cas. Ils ajoutèrent que sa mère ne parlait pratiquement plus. Lorsqu'elle le faisait, ses propos étaient souvent incohérents. La nuit, dans son lit, elle répétait sans cesse les mêmes paroles : « Reviens-lui, Bird, reviens-lui… Nica espère ton retour. »

— Je suis l'enfant de deux criminels, déclara Wendy à voix haute. L'un s'est suicidé, l'autre est devenue folle. Pas étonnant que mon destin soit aussi tordu.

Avant que Wendy ne referme le dossier, un dernier détail attira son attention. Un truc bizarre concernant son père. À la toute dernière page, un court paragraphe dactylographié évoquait l'une des passions de Charles Wagner. Wendy avait de la difficulté à croire que son père, durant sa brève existence, s'était passionné pour autre chose que lui-même. Cependant, à la lecture de ce passage, elle dut admettre qu'elle l'avait peut-être jugé un peu trop sévèrement.

« Reviens-lui, Bird, reviens-lui… Nica espère ton retour. »

Nica, c'était le surnom de sa mère. Et Bird, celui de son père. En tout cas, c'est ce qu'indiquait le dossier. Mes parents, je ne les connais pas, conclut la jeune femme avec tristesse. Je ne sais rien d'eux, à part ce qui est écrit dans ce dossier. Ce sont des… inconnus.

Elle pensa à tout ce qu'elle souhaitait connaître, tout ce qu'elle souhaitait apprendre. Tant de choses lui restaient à découvrir… elle qui avait si peu de temps.

— Une morte en sursis… murmura-t-elle d'un air impassible, alors que chaque fibre de son être criait à l'injustice.

Cette fois, elle retint ses larmes, mais la douleur n'en fut que plus accablante.

« La vie est l'ensemble des fonctions qui résistent à la mort. »

Xavier Bichat

3.

Tel que promis, Jamie revint chercher Wendy pour la conduire à l'école.

— Tu as mangé ? demanda la travailleuse sociale quand elles se trouvèrent à l'intérieur de la voiture.

Elles avaient quitté la rue Fish, sur laquelle se trouvait l'appartement de Wendy, et roulaient maintenant sur l'avenue principale.

— J'ai essayé, répondit Wendy, mais je n'ai pas d'appétit.

Jamie se contenta de soupirer. Le reste du chemin se fit en silence. Lorsque la voiture se gara dans le stationnement de l'école, Wendy repéra sans tarder Juliette et Patrick, qui attendaient tout près de l'arrêt d'autobus. Sans doute étaient-ils inquiets de ne pas la voir arriver. Wendy s'empressa de remercier Jamie et d'ouvrir la portière.

— S'il y a quoi que ce soit, tu me téléphones, d'accord ? lui fit promettre la travailleuse sociale, alors que Wendy s'apprêtait à quitter son siège.

Wendy s'y engagea en silence, d'un signe de tête, puis sortit du véhicule. Elle s'éloigna d'un pas rapide et se dirigea vers ses deux amis, qui paraissaient soulagés de la voir enfin.

— Nous avions peur que tu ne viennes pas aujourd'hui, lui avoua Patrick.

Juliette ne parla pas, mais ouvrit les bras pour y accueillir son amie. Les deux jeunes femmes s'étreignirent chaleureusement.

— Pas question de rater un jour d'école, déclara Wendy en s'efforçant de sourire.

Car c'est tout ce qu'il me reste, ajouta-t-elle mentalement.

Juliette Foster et Patrick Müller étaient les deux meilleurs amis de Wendy. Juliette, c'était la romantique, la petite fleur, tandis que Patrick, c'était un dur, un dur au cœur tendre, qui était fou amoureux de Wendy. Il n'était pas capitaine de l'équipe de football. Il n'était même pas ce qu'on appelle un « bon joueur ». Il était plutôt moyen comme bloqueur, mais il aimait ce sport et l'entraînement lui permettait de conserver la forme. Patrick était grand, costaud et plutôt mignon. Toutefois, Wendy ne partageait pas ses sentiments. Elle l'aimait beaucoup, elle l'aimait bien, mais pas comme il l'aurait souhaité. Plusieurs filles d'Havilah auraient sacrifié père et mère pour être à la place de Wendy. Cette dernière n'éprouvait pourtant rien d'autre pour Patrick qu'une profonde amitié :

pas d'étincelles dans le cœur, pas de faiblesse dans les genoux, pas de papillons ou de nœud dans l'estomac. Wendy considérait ces éléments comme indispensables. Patrick Müller aurait tout donné pour que la magie naisse entre eux deux, et Wendy aussi aurait voulu ressentir une attirance pour son ami, mais il n'y avait rien.

Elle tenta à plusieurs reprises de se persuader que Patrick était fait pour elle, sans succès. Voyons, Wendy, se disait-elle, c'est un garçon comme Patrick qu'il te faut! Beau, gentil et intelligent! La jeune femme se laissa même convaincre de l'embrasser une fois, mais l'expérience fut désastreuse. Cela ne fit que confirmer ce qu'elle ressentait déjà pour lui : un amour fraternel, rien de plus, et bien sûr, Wendy s'était sentie obligée de le lui dire. Pauvre Patrick. Et pauvre Juliette aussi, qui n'avait d'yeux que pour lui. La meilleure amie de Wendy était amoureuse du garçon. Cependant, ce dernier ne la voyait pas. Juliette avait tout tenté pour se faire remarquer de Patrick Müller. En vain. Le garçon ne l'aimait pas d'amour; il éprouvait pour Juliette ce qu'éprouvait Wendy pour lui. La vie est si mal faite parfois! se disait la jeune femme.

Wendy avait-elle déjà été amoureuse? Elle le croyait, même si ça n'avait été que très brièvement. Ce sentiment, elle l'avait ressenti pour un parfait étranger, un jeune homme dont elle avait oublié le nom, mais qu'elle avait surnommé « le mystérieux inconnu de Rochdale ». C'est dans cette ville anglaise que Wendy avait rencontré le garçon. Rochdale était située au nord-est de l'Angleterre, dans le comté du Grand Manchester. Deux ans plus tôt, Juliette et Wendy s'y étaient rendues avec leur école, dans le cadre d'un voyage tourisme-études. Les parents de Juliette avaient défrayé une partie du voyage pour

Wendy, celle qui n'était pas assumée par les services sociaux. Un sacré voyage, le premier et le dernier de sa vie. C'est donc pendant ce voyage qu'elle avait fait la connaissance du mystérieux inconnu. Le plus étrange, c'est qu'à peine deux jours plus tard, Wendy ne se rappelait ni son nom, ni son visage, ni la façon dont il était vêtu. Ce dont elle se souvenait, par contre, c'était son odeur exquise et le goût fruité de ses lèvres. Elle était tombée sur lui un soir, par hasard, alors qu'elle tournait un coin de rue. La jeune femme se trouvait alors dans un quartier résidentiel, où s'alignaient de petites maisons en briques rouges. C'était au coin de la rue Mavis et d'une autre dont Wendy avait oublié le nom. Elle se souvenait de la rue Mavis (prononcé *May-vis*), car c'était le nom de jeune fille de sa mère.

Le jeune homme n'avait pas dit un mot. Il avait fixé Wendy pendant quelques instants, puis s'était approché d'elle. Elle ne bougeait pas, elle était figée. Figée par la surprise et non par la peur. Elle ne craignait pas cet homme, bien au contraire : elle se sentait en confiance et en sécurité auprès de lui, comme si elle l'avait toujours connu. Mieux encore : Wendy le désirait, comme une femme désire un homme, et savait qu'il ressentait la même attirance pour elle. En silence, ils avaient échangé un regard où se mêlaient à la fois timidité et envie. Wendy avait oublié la couleur de ses yeux, mais se souvenait qu'ils étaient magnifiques. Le jeune homme s'était penché vers elle, tout doucement, puis l'avait embrassée avec tendresse. Wendy avait failli fondre sur place. En fait, cet homme éprouvait beaucoup plus que du désir pour la jeune femme. Il était amoureux d'elle, Wendy l'avait compris juste à la manière dont il l'avait embrassée. Elle avait répondu à son baiser et tous les deux s'étaient enlacés, l'espace d'une seconde. Lorsque

Wendy avait rouvert les yeux, le jeune homme avait disparu. En plus de ce magnifique baiser, il lui avait légué une pensée : « *Je suis là depuis toujours, Wendy Wagner…* »

La jeune femme ne sut jamais ce que cela signifiait exactement, car les deux seules personnes ayant réellement partagé son existence « depuis toujours » étaient Juliette et Patrick.

— Vous n'étiez pas obligés de m'attendre, leur fit remarquer Wendy tandis que tous les trois marchaient vers l'entrée principale de l'école. Les cours du matin sont sur le point de commencer, non ?

Juliette et Patrick échangèrent un regard indécis. Visiblement, ils hésitaient à lui répondre.

— Je peux encore me débrouiller toute seule, vous savez, poursuivit Wendy sur un ton de reproche.

— Ne trouves-tu pas normal que nous nous inquiétions pour toi ? rétorqua aussitôt Patrick.

— La fin de l'année scolaire approche, observa Wendy. Bientôt, vous n'aurez plus à vous inquiéter de quoi que ce soit, à part de trouver un nouveau colocataire pour l'an prochain.

Juliette et Patrick terminaient eux aussi leurs études secondaires à Havilah. Le trio s'était inscrit à l'Université du Maine et avait même prévu prendre un appartement. Mais ça, c'était avant que les médecins ne découvrent la maladie de Wendy.

Ce fut le docteur Ramsay, un oncologue, qui lui annonça la mauvaise nouvelle. Elle était allée trop souvent au soleil sans protection, selon lui, et Wendy dut admettre que c'était bien possible. Les familles d'accueil recevaient de l'argent pour vêtir et nourrir les enfants dont ils avaient la charge, mais pas pour leur acheter de la crème solaire et encore moins pour la leur étendre sur le corps. Résultat : Wendy avait développé un mélanome, un cancer de la peau, ce qui était plutôt rare pour une jeune femme de cet âge. Ça ne s'arrêtait pas là : le mélanome s'était répandu.

— Les cellules cancéreuses se sont développées ailleurs, lui expliqua le docteur Ramsay, plus profondément dans votre peau. Elles ont pénétré dans vos vaisseaux sanguins et se sont attaquées à d'autres organes. Le cancer, ou plutôt son « prolongement », est présent dans vos glandes lymphatiques.

Ramsay précisa ensuite que ces glandes faisaient partie du système immunitaire. Wendy en conclut que ça n'augurait rien de bon.

— Les cellules cancéreuses croissent sans cesse, poursuivit Ramsay. Nous avons découvert des métastases dans vos poumons et votre foie. Le cancer s'est aussi développé dans votre cerveau. Les tumeurs sont trop nombreuses. Il est impossible d'opérer et de les retirer toutes.

Comme le cancer de Wendy était à un stade très avancé, le docteur Ramsay lui donnait deux mois à vivre, peut-être trois, si elle avait de la chance.

— C'est ce qu'on appelle un cancer généralisé ? lui demanda-t-elle alors.

Ramsay ne répondit pas tout de suite.

— Dans cette partie du globe, le cancer de la peau s'attaque généralement à des gens âgés de quarante ans et plus, déclara-t-il sur un ton sentencieux, comme s'il s'adressait à des collègues médecins. Pour être honnête, j'ai rarement vu un cancer aussi agressif chez une personne aussi jeune.

Wendy jeta un coup d'œil derrière elle, pour s'assurer qu'il ne parlait pas à quelqu'un d'autre. Non, c'était bien à elle, la cancéreuse, qu'il avait adressé ces paroles. Elles lui revenaient constamment en mémoire : « Rarement vu un cancer aussi agressif chez une personne aussi jeune. »

Wendy étant à la fois habitée par des sentiments de détresse, d'impuissance et de colère, sa première réaction fut de refuser tous les traitements que Ramsay proposa : chimiothérapie, radiothérapie, traitements à l'interféron, à l'interleukine 2, etc. Ainsi donc, elle espérait conserver un semblant de vigueur jusqu'à sa mort, sans parler de ses magnifiques cheveux blonds, qu'elle craignait de perdre. Le problème, c'est qu'en refusant les traitements, elle risquait de devenir folle, à cause de la tumeur au cerveau. Elle avait déjà des maux de tête, des étourdissements et des nausées, et Ramsay affirma qu'à ces symptômes s'ajouteraient des troubles de la vue, des pertes de mémoire, peut-être des crises d'épilepsie et des hallucinations. Beau programme, se dit Wendy. Le médecin était d'ailleurs surpris qu'à ce stade-ci de la maladie, la confusion mentale – ce furent ses propres mots – ne se soit pas encore manifestée chez la patiente. Confuse, Wendy était certaine de l'avoir été toute sa vie. Une chose de réglée, donc. Et pour ce qui était des hallucinations, depuis l'histoire de la panthère, on pouvait dire qu'elles avaient déjà commencé.

— Comment meurt-on quand on a une tumeur au cerveau ? demanda Wendy à son médecin.

— Ce n'est pas la tumeur qui vous tuera en premier, mademoiselle Wagner. À cause du cancer, certains organes seront altérés ou cesseront de fonctionner. On peut mourir d'insuffisance respiratoire ou par empoisonnement. On peut même mourir de faim, si notre système digestif ne répond plus.

Wendy croyait pourtant que tous les oncologues étaient des types sympas. Compatissants, à tout le moins. Mais apparemment, ce jour-là, Ramsay faisait uniquement son boulot : annoncer à un patient qu'il allait bientôt mourir du cancer. Ce n'était plus que du travail pour lui. Depuis quand était-il détaché à ce point ? Combien de patients Ramsay avait-il condamnés durant la dernière année ? Et combien au cours de cette seule semaine ? Un, deux, dix ?

Il ne cessait de consulter sa montre ; il avait hâte que la journée se termine. Qu'est-ce qui l'attendait après le boulot ? Une partie de golf avec ses amis, ou peut-être un dîner avec sa maîtresse ? Le fait que ses honoraires soient défrayés par le département des services sociaux expliquait sûrement sa mauvaise humeur. Le prix de la consultation était sans doute moindre dans le cas de Wendy. Celle-ci ne le lui demanda pas, et de toute façon, elle n'en avait rien à faire.

— Ce sera souffrant ?

Ramsay fit oui de la tête, puis ajouta :

— Mais il existe diverses façons d'atténuer la douleur.

De retour chez elle, ce soir-là, la jeune femme fondit en larmes. Étendue sur son lit, le visage enfoui dans son oreiller, elle pleura pendant plus d'une heure en répétant cette unique phrase : « Je ne veux pas mourir… Je ne veux pas mourir… Je ne veux pas mourir… » Alors qu'elle était sur le point de s'endormir, une voix étrangère lui dit ceci : « *Cette loi révolte ta justice, mais ce n'est pas à moi de t'expliquer le monde. Non, ce n'est pas à moi…* »

— Trouver un nouveau colocataire pour l'an prochain ? répéta Juliette, encore sous le choc.

Wendy fut brusquement extirpée de ses souvenirs par la voix de son amie, qui ne pouvait s'empêcher d'exprimer son indignation :

— Tu ne peux pas être sérieuse, Wendy. Tu ne peux pas parler comme ça…

Elle était profondément troublée par les propos de sa meilleure amie.

— Juliette a raison, renchérit Patrick. C'est toi qui insistes toujours pour que nous vivions le moment présent. Ton nom est sur le bail, et il y restera, tu m'entends ?

Wendy fit la sourde oreille et continua de marcher en direction de l'école. Juliette et Patrick la forcèrent néanmoins à s'immobiliser devant les portes vitrées de l'entrée principale. Derrière, on distinguait la vaste salle des casiers. Normalement bourdonnante d'activité, cette dernière était maintenant vide et silencieuse. Elle avait été désertée par les étudiants quelques secondes plus tôt, après que le carillon eut annoncé le début des classes.

— Je combats la mort, déclara Wendy à ses amis après s'être retournée. Personne n'a encore jamais gagné contre elle. Faites-vous à l'idée : je ne serai pas toujours là.

— Tu es là maintenant, aujourd'hui, répliqua Juliette, les larmes aux yeux.

— Et nous ne te laisserons pas partir, affirma Patrick à son tour.

Wendy secoua la tête tristement.

— Le moment du départ ne peut plus être repoussé. J'ai l'impression qu'on m'attend… ailleurs, conclut-elle avant de pousser l'une des portes.

« À vivre au milieu des fantômes, on devient fantôme soi-même et le monde des démons n'est plus celui des étrangers mais le nôtre, surgi non de la nuit mais de nos entrailles. »

Antoine Audouard

4.

Depuis les débuts de sa maladie, Wendy faisait de nombreux rêves étranges. L'un d'eux revenait assez fréquemment et mettait chaque fois en scène les deux mêmes hommes : Joseph et Samuel. Âgés d'une vingtaine d'années, ils étaient bien rasés et bien coiffés, et portaient d'élégants costumes trois-pièces, de couleur sombre, sans cravate. Le premier bouton de leur chemise était toujours défait, ce qui leur donnait un air plutôt décontracté malgré leur expression austère. Tous les deux étaient très chics, comme des fils de riches. Pas de doute que les filles se retournaient sur leur passage. Le premier avait une épaisse chevelure blonde, une peau laiteuse, sans défauts, et ses traits étaient magnifiques : ils inspiraient la sagesse et la confiance. Son nom était Samuel, et il correspondait en tout point à l'image que l'on se fait habituellement d'un jeune homme sérieux. Wendy ne connaissait pas son nom de famille. Il paraissait beaucoup plus aimable que le second homme, celui qui s'appelait Joseph Heywood.

Joseph était grand, et très beau garçon. Ses cheveux, mi-longs, étaient brun foncé, quoiqu'un reflet cuivré illuminât certaines de ses boucles, et il avait un regard perçant, aussi noir que sinistre. C'était le mystérieux du duo : il était distant et peu bavard. Si Samuel tenait le rôle du bon garçon, Joseph jouait assurément celui du jeune voyou. Tous les deux étaient à l'opposé l'un de l'autre. À moins qu'ils se complètent parfaitement, songea Wendy, comme le blanc et le noir, le Yin et le Yang, le bien et le mal.

La jeune femme sentait parfois de la confusion dans le regard que Joseph posait sur elle. Une bataille se livrait à l'intérieur du garçon, durant laquelle s'opposaient violence et sérénité. Il inspirait la force, mais aussi le danger, et il était d'une beauté fascinante, du genre qu'on ne voit pas souvent, à la fois brute et sophistiquée. Ses traits ne laissaient transparaître aucune émotion ; il semblait capable de tout. Wendy n'arrivait pas à soutenir son regard pendant plus de quelques secondes. Lorsqu'elle se trouvait en sa présence, elle avait la désagréable impression que le jeune homme pouvait lire en elle, et cela l'empêchait de réfléchir et d'agir correctement. La seule chose dont elle se rendait compte, c'était que sa respiration s'accélérait. Elle ressentait une faiblesse dans les genoux et des papillons dans l'estomac. Parfois, c'était un nœud qui lui serrait les tripes. Y avait-il des étincelles dans son cœur ? La réponse était oui, étincelles il y avait, et pas les moindres. Et il y avait de la magie aussi. Joseph représentait tout ce qu'elle avait toujours voulu chez un garçon. Physiquement, du moins.

Wendy se trouvait bien ridicule de ressentir autant de désir pour quelqu'un qui n'existait pas. Était-elle désespérée au point de s'accrocher à des chimères ? Juliette et Patrick se seraient moqués d'elle s'ils avaient découvert la vérité, et ils auraient eu raison de le faire. Heureusement qu'il ne lui restait que peu de temps à vivre. Elle songea que c'était peut-être pour cette raison que Samuel et Joseph venaient la visiter de plus en plus souvent dans ses rêves. Parfois, Wendy se disait que les deux garçons étaient là pour la guider ; ils attendaient qu'elle exhale son dernier souffle avant de lui montrer la voie vers l'autre monde. Encore fallait-il qu'il y ait vraiment un « autre monde ».

Une nuit, Wendy ouvrit les yeux et vit qu'ils étaient tous les deux de retour dans sa chambre. La jeune femme conclut alors qu'elle était en train de rêver, comme à l'ordinaire. Ses deux visiteurs la fixaient en silence, sans bouger, bien alignés l'un à côté de l'autre. Celui qui s'appelait Samuel s'avança et parla le premier. Wendy réalisa à ce moment que c'était la première fois que l'un des deux hommes s'adressait directement à elle. Ils l'avaient visitée plusieurs fois durant les dernières semaines, mais cette nuit-là, ils lui parlaient réellement. Auparavant, lorsqu'elle se trouvait en leur présence, elle sentait qu'il existait un lien puissant entre eux trois ; ils pouvaient communiquer, échanger des idées, mais sans utiliser la parole. La communication était plutôt d'ordre extra-sensoriel : Wendy ressentait et comprenait des choses simplement en se concentrant ou en les observant. L'échange d'informations s'effectuait grâce à la pensée, mais aussi par des gestes, comme des hochements de tête, ou encore des expressions du visage, comme des regards et des sourires. Ils utilisaient un langage différent de la parole, ce qui, la plupart du temps, laissait davantage Wendy sur des impressions que sur des certitudes. En d'autres termes, elle ne les connaissait pas vraiment, mais supposait que leurs intentions n'étaient pas mauvaises. L'aurait-elle juré ? Non.

— Comment vas-tu, Wendy Wagner?

Samuel s'était exprimé d'une voix chaude et posée. Wendy avait bien vu ses lèvres remuer. Auparavant, il bougeait la tête, sans ouvrir la bouche. Même si c'était la première fois que la jeune femme entendait sa voix, elle eut l'impression qu'elle l'avait déjà entendue.

— Je vais bientôt mourir, confia-t-elle aux deux jeunes hommes.

— La mort te fait-elle peur? demanda Samuel.

— Et pas à vous? répondit Wendy, d'une voix chevrotante. À moins que vous ne soyez déjà morts. C'est pour ça que vous êtes ici, hein? Parce que je vais mourir? Vous êtes venus me chercher?

Wendy n'eut droit qu'au silence, et dut réprimer un soupir.

— Qui êtes-vous? demanda-t-elle, en espérant cette fois obtenir une réponse.

Samuel sourit, puis répondit :

— Pour certains, nous sommes des malaks. Pour d'autres, des angaros ou encore des angiras. On utilise parfois le terme « daimôn » pour nous désigner, quoique je n'apprécie pas particulièrement cette appellation.

— Nous sommes des anges, précisa alors Joseph sur un ton neutre. L'un est bon, l'autre est mauvais.

« J'ai continué à penser qu'il devait nécessairement y avoir quelque chose d'autre. Je pouvais l'entendre parfois, mais je ne pouvais pas le jouer. »

Charlie Parker

5.

« L'un est bon. L'autre est mauvais. » C'est à la suite de ces paroles prononcées par Joseph que Wendy envisagea pour la première fois de se raviser quant à l'origine de ses visiteurs nocturnes. Peut-être que tous les deux étaient bien réels, après tout, et qu'ils se trouvaient vraiment dans cette pièce avec elle. Était-il possible que la jeune femme se soit trompée et que ces hommes ne soient ni des fantômes, ni des produits de son imagination, mais bien des êtres faits de chair et de sang ? Non, puisque les anges sont des êtres spirituels, immatériels, incorporels.

— Tu as bien dit… des anges ?

— C'est bien ce qu'il a dit, répondit Samuel à la place de Joseph.

— Comme dans « anges gardiens » ? Les types avec les grandes ailes blanches, qui travaillent pour Dieu et qui protègent les humains ?

Samuel acquiesça de nouveau, contrairement à Joseph qui resta de marbre. Un bon et un mauvais… se répéta Wendy. Le mauvais, c'est certainement Joseph !

La jeune femme quitta alors son lit et s'approcha des deux garçons. Son premier réflexe fut de se diriger vers Joseph, mais elle s'arrêta en pleine progression. Elle aurait voulu le toucher, mais le jeune homme – ou le jeune ange – l'intimidait beaucoup trop. Wendy Wagner, intimidée ? Oui, il lui arrivait effectivement de l'être. Devant certains garçons, du moins, ceux qui l'intéressaient, et ceux qui étaient mignons, comme Joseph. Un grand jeune homme, solide et viril. Il avait un air sauvage et brutal, mais dégageait aussi une certaine vulnérabilité. Un tendre dans un corps robuste de guerrier. Wendy était une belle fille, enfin, c'est ce qu'on ne cessait de lui répéter : elle était grande, mince et blonde, et avait des yeux bleu clair, résultat de son héritage nordique. Elle avait toujours eu du succès avec les garçons. Plusieurs soutenaient qu'elle attirait les regards. Ceux-là ne remarquaient sûrement pas ses défauts, contrairement à Wendy qui ne voyait que ça : elle trouvait son nez trop long et ses oreilles trop décollés, et aurait volontiers échangé ses cuisses et ses mollets de grenouille pour des jambes plus fermes et plus charnues. Mais elle avait tout de même du charme, paraissait-il. C'était peut-être parce qu'elle donnait l'impression d'avoir une très grande confiance en elle. Pourtant, rien n'était plus faux. C'était une image qu'elle s'était forgée avec les années, en passant de famille d'accueil en famille d'accueil. Elle s'efforçait de démontrer aux autres que rien ne l'atteignait. Toutefois, lorsqu'elle se retrouvait en position de vulnérabilité, le masque tombait, comme ce fut le cas ce soir-là.

Devant Joseph, elle perdit toute contenance. Elle n'arrivait pas à lui adresser la moindre parole, et si par miracle elle y parvenait, alors là ce serait encore pire, se disait-elle : elle se mettrait certainement à déverser un flot de bêtises qui la feraient passer pour une fille stupide, une étourdie. Wendy aurait voulu toucher Joseph ; sa timidité l'en empêcha. Elle dirigea plutôt sa main vers Samuel et la déposa sur son avant-bras. Il lui fallait s'assurer qu'elle ne rêvait pas. Wendy serra le bras du garçon. Dans sa main, elle sentait bien le tissu de ses vêtements, par-dessus la chair et l'os de son bras. Il était réel, elle en avait maintenant la conviction. Samuel et Joseph étaient réels, d'accord, mais étaient-ils vraiment des anges, comme ils l'avaient prétendu ? Cela restait à prouver.

— Vous pouvez voler ?

— Quoi ? fit Joseph, surpris par la question.

Wendy tourna les yeux vers le soi-disant jeune ange. Ses genoux tremblaient de nervosité, mais en même temps, elle était en colère. En colère de se montrer si faible en présence de Joseph. Elle s'imaginait lui répondre quelque chose comme : « Oui, voler ! Voler comme les oiseaux, tu sais : cui-cui-cui ! » Mais déjà, dans sa tête, elle bégayait, alors elle renonça à aller plus loin. Toute tentative de répartie se conclurait assurément par un désastre. Elle préféra s'adresser de nouveau à Samuel :

— Les anges savent voler, non ?

Samuel se mit à rire.

— C'est vraiment ce qui t'importe ?

Wendy haussa les épaules avec le sourire, même si la réponse de Samuel ne lui convenait pas.

— De quelle façon, alors, comptez-vous me prouver que vous êtes bien ce que vous prétendez être ?

Samuel s'avança alors vers Wendy et prit la main de la jeune femme dans la sienne, en lui souriant à nouveau.

— Nous n'avons rien à prouver. Tu sais déjà, Wendy.

Avait-il raison ? Wendy était-elle déjà convaincue que ces deux hommes étaient bien des anges ? Peut-être. Tout ce que la jeune femme savait des anges, c'était ce que Rita Montambault, la figure supposément maternelle de sa dernière famille d'accueil, lui en avait dit : « Dans la Bible, les anges ont un rôle fondamental ! », s'était un jour indignée Rita en voyant que Wendy était revenue de la bibliothèque avec un livre intitulé *Humains, écoutez-nous*, et en sous-titre : *Les anges sont là et nous demandent de vous guider*. L'auteure se nommait Ava Sydney, une prétendue médium. « Ce sont les guerriers de Dieu ! avait poursuivi Rita sur le même ton scandalisé. Ce sont des figures bibliques, des intermédiaires entre les dieux et les hommes, mais qui ont été récupérés par tous ces charlatans des théories nouvel âge, férus d'ésotérisme. C'est honteux ! » Rita Montambault était une fervente chrétienne, qui rejetait systématiquement tout ce qui ne venait pas de l'Église catholique et du Saint-Siège.

— Pourquoi me visiter ainsi ? Que voulez-vous ?

— Toi, répondit simplement Joseph.

Le regard de Wendy croisa celui de Joseph. Elle était hypnotisée par ses yeux noirs, insondables. Un regard sublime, envoûtant, mais tellement froid qu'il vous glaçait le sang. Un mauvais ange, ne put s'empêcher de penser Wendy. Joseph Heywood est un mauvais ange.

Samuel reprit alors la parole, tirant Wendy de ses pensées.

— Tu as l'impression de rêver, n'est-ce pas ?

— Oui… répondit machinalement Wendy, toujours sous le charme de Joseph.

— Même les rêves sont réels, poursuivit Samuel. Les humains rêvent tous d'un paradis. Les anges déchus aussi. Le bien ne gagne pas toujours. Les humains l'ont oublié, mais pas les anges.

La dernière réplique de Samuel fit soupirer Wendy. Elle n'appréciait pas les gens qui parlaient en paraboles. Cela lui avait néanmoins permis de reprendre ses esprits et de se défaire de l'emprise que Joseph exerçait sur elle depuis le début de leur entretien. Wendy n'était pas seulement exaspérée par tous ces mystères, elle était aussi très fatiguée. Il se faisait tard, et elle avait école le lendemain ; surtout, elle était impatiente de savoir ce que lui voulaient ces deux « anges ». Et le fait que Joseph exerce une telle domination sur elle ne contribua en rien à apaiser son impatience. Depuis le début de sa maladie, Wendy éprouvait de plus en plus de difficulté à garder son calme, à rester zen. Tout ce qui prenait du temps l'agaçait, comme tout ce qui la bousculait. Ce genre de réaction était de plus en plus fréquente chez Wendy et pouvait se manifester à brûle-pourpoint, même lorsqu'elle devait faire face à des situations qui, en temps normal, l'auraient laissée complètement indifférente.

— Joseph Heywood… souffla-t-elle brusquement, sans trop savoir pourquoi.

Ce nom, Heywood, il lui rappelait quelque chose. Quelque chose d'important.

— C'est un nom beaucoup trop humain pour être celui d'un ange, ajouta la jeune femme.

C'est à ce moment que la lumière s'éteignit et que la pièce fut plongée dans le noir complet. Wendy éprouva alors une sensation de lourdeur et d'engourdissement, qui s'empara non seulement de ses paupières, mais aussi de son corps. Sans qu'on lui ait demandé son avis, quelqu'un ou quelque chose l'obligeait à fermer les yeux. Elle comprit vite que cette force étrange et inconnue tentait de la replonger dans le sommeil.

— Qu'est-ce qui m'arrive? demanda-t-elle, s'adressant au néant. Qu'est-ce que vous me faites? Pourquoi partir maintenant?

Rien. Aucune réponse. Avait-elle vexé Joseph en affirmant que son nom était trop humain? Wendy ne sentait plus sa présence, ni celle de Samuel. Ils avaient quitté la pièce. Disparus, volatilisés. De son côté, Wendy n'arrivait plus à résister: l'extrême fatigue qui l'accablait depuis les derniers instants prenait le dessus sur tout autre type de sensation et l'empêchait même de réfléchir. Très vite, elle s'endormit, sans avoir le temps d'émettre la moindre protestation. « *Souviens-toi de l'homme de Mâcon*, murmura la voix inconnue qui l'accompagnait parfois dans son sommeil. *Au dernier instant, tout dépendra de lui et de toi.* »

« L'expression "mort naturelle" est charmante. Elle laisse supposer qu'il existe une mort surnaturelle, voire une mort contre nature. »

Gabriel Matzneff

6.

Malgré la maladie, Wendy parvenait à se lever chaque matin et à se rendre à l'école. Pour elle, et pour plusieurs autres, cela demeurait un véritable mystère. À ce stade-ci du cancer, elle aurait normalement dû être alitée aux soins intensifs de l'hôpital. La plupart des gens qui souffraient d'un cancer aussi agressif que le sien demeuraient dans un état de faiblesse permanent. Où puisait-elle toute cette énergie, toute cette vigueur, qui lui permettait de vaquer à ses occupations quotidiennes ? Même le docteur Ramsay était surpris de son état. C'est d'ailleurs lui qui l'avait autorisée à quitter l'hôpital. En repensant aux deux anges, la jeune femme se dit que cette mystérieuse force tonifiante n'émanait peut-être pas d'elle-même, mais de ses nouveaux compagnons.

Elle n'était pas loin de la vérité.

Quoi qu'il en soit, le pronostic du docteur Ramsay n'avait rien de très réjouissant : Wendy allait bientôt mourir. Ce qui l'attristait le plus, c'était de quitter ce monde sans avoir connu de grande histoire d'amour, dans le genre de celles qui vous empêchent de dormir et de manger, qui vous rendent distraits et gauches, et qui vous font passer pour de véritables idiots. Il était trop tard pour Wendy, d'accord, mais pas pour ses amies; il était toujours temps pour elles d'y croire. Wendy essayait de les convaincre qu'elles ne devaient pas désespérer et qu'il fallait continuer à le chercher, ce grand amour.

— Il existe peut-être, lui dit Sophia, la sœur de Juliette, alors que toutes les trois étaient attablées à la cafétéria de l'école, mais qui te dit que nous le trouverons, hein?

Wendy leur servait toujours la même réponse :

— Si vous le cherchez, vous le trouverez.

— Cesse de nous faire la morale, la réprimanda Juliette. À Rochdale, tu as eu la chance de tomber sur ton mystérieux inconnu. Pourquoi l'as-tu laissé filer, celui-là, hein?

Juliette avait raison. Ce soir-là, Wendy avait probablement trouvé l'amour de sa vie, son « âme sœur », comme l'appellent certains. En tout cas, c'est le sentiment que Wendy avait conservé de leur brève rencontre. Pourquoi l'avait-elle laissé partir, alors? Tu ne l'as pas laissé partir, se rappela Wendy. Il a disparu, tu te souviens? Pouf! Évaporé!

Sophia répéta qu'elle ne trouverait jamais son prince et Wendy, cette fois, n'eut pas envie de la contredire. Quant à Juliette, elle questionna son amie au sujet de Patrick, comme elle le faisait tous les matins. Elle voulut savoir si Patrick lui avait enfin demandé de l'accompagner au bal des finissants.

— Non, Juliette, répondit Wendy, légèrement exaspérée. Il ne m'a rien proposé du tout.

— Et toi, fit Sophia à l'intention de sa sœur, qu'est-ce que tu attends pour l'inviter, le beau Patrick ?

— Il n'acceptera jamais d'être mon cavalier, dit Juliette.

— Tu n'en sais rien. Essaie et tu verras !

— C'est avec Wendy qu'il veut y aller. Il nous casse les oreilles avec ça depuis le primaire.

Wendy se mit à rire.

— Juliette, le bal est prévu pour le 30 juin. Je serai morte et enterrée bien avant cette date.

— Ne dis pas ça ! s'exclama aussitôt Juliette, indignée par les propos de son amie et aussitôt secondée par sa sœur.

Évidemment, la perspective de mourir affectait Wendy, contrairement à ce qu'elle essayait de faire croire à ses amies. L'idée même de la mort l'affligeait. Pourquoi naître et vivre si c'était pour mourir quelques années plus tard ? Si elle blaguait à propos de la mort et feignait de ne pas prendre son état au sérieux, c'était simplement pour ne pas s'effondrer. Un mécanisme de défense, dans la plus pure tradition. Dans les faits, Wendy était terrifiée. La tristesse et la révolte remplaçaient parfois la peur, mais de ces trois émotions, elle n'aurait su dire laquelle était la plus forte.

Juliette et Sophia la fixèrent en silence, les bras croisés.

— Et toi, Juliette, tu n'es pas mieux que moi, ajouta Wendy : une morte en sursis. Tu ne vis plus depuis que tu es tombée amoureuse de Patrick. Quand vas-tu te décider à rencontrer d'autres garçons ? Il n'y a pas que Patrick Müller sur cette planète, non ? Alors ?

Juliette conserva le silence, et c'est ainsi que se termina leur discussion. Wendy n'avait pas été tendre dans ses propos, mais elle savait que Juliette lui avait déjà pardonné. Les sœurs Foster étaient des perles, de vraies amies. Wendy était heureuse de pouvoir compter sur leur présence. Patrick était un bon ami, lui aussi. Toutefois, rien ne pouvait remplacer une amitié sincère entre filles.

Entre filles, c'est à la vie à la mort, et peut-être même au-delà.

Bien sûr, Patrick savait que le cancer était en train de tuer son amie. Juliette et lui furent les premiers à qui la jeune femme se confia après sa rencontre avec le docteur Ramsay. Leur réaction se rapprocha de celle de Wendy : le silence au début, puis la tristesse, et finalement la colère. Contre la maladie, pour commencer, et ensuite contre Wendy, parce qu'elle refusait les traitements.

— Tu as baissé les bras, l'avait sermonnée un jour Patrick. Tu as abandonné… Tu *nous* as abandonnés. Ça ne te ressemble pas, Wendy. Juliette et moi voulons que tu reviennes sur ta décision !

Wendy secoua la tête. Elle n'en pouvait plus de répéter les mêmes justifications :

— Tu sais combien coûtent les traitements de chimio ? Et de toute façon, c'est du poison qu'on t'injecte dans les veines, Patrick, et pas le plus doux : c'est assez fort pour te faire perdre tes cheveux, et je t'épargne les autres effets secondaires, qui se rapprochent de ceux causés par le cancer lui-même. Ça me rendrait drôlement malade, et peut-être même que ça m'achèverait.

— Ne parle pas comme ça, Wendy ! rétorqua Patrick.

— Il me reste quelques semaines à vivre, peut-être moins. Il est hors de question que je les passe dans un hôpital, branchée à un cathéter, à vomir mes tripes.

Cette fois, le garçon ne répondit rien. Il fixa Wendy en silence, les sourcils froncés et les yeux rougis. Il était triste. Et Wendy aussi. La jeune femme réalisa alors qu'il allait lui manquer, cet idiot. Il était faux de dire qu'elle avait baissé les bras ou qu'elle avait abandonné. Seulement, elle ne voulait pas vivre ses derniers jours comme une malade qu'on essaie de réconforter et dont on a pitié. Ses derniers moments, elle voulait les passer en compagnie de Patrick, Juliette et Sophia, ses meilleurs amis.

Lorsqu'il lui arrivait d'avoir des pensées morbides, Wendy songeait surtout au dénouement final, à ce qu'elle appelait « la fin de toute chose ». Ce qui l'angoissait, c'était de fermer les yeux pour de bon, et de ne plus jamais se réveiller. De ne plus jamais « exister ». Était-ce possible, ne plus exister ? Que se passait-il quand on mourait ? Notre cœur cessait de battre, notre sang cessait de circuler, notre cerveau s'éteignait, notre peau refroidissait. Et qu'arrivait-il à notre esprit ? L'ensemble des souvenirs et des expériences qui faisaient ce que nous étions s'évanouissaient-ils tout simplement dans l'air ? Wendy ne pouvait accepter de passer de la vie, si remplie, à la mort, si vide. Elle ne comprenait pas, et refusait cette « non-vie », cet arrêt de l'existence. Elle tenait à rester éveillée et souhaitait avoir conscience des choses, même si c'était un châtiment atroce. Wendy voulait demeurer propriétaire de ses souvenirs, de ses idées, de ses regrets et de ses remords. Si elle détestait autant la mort, si elle la haïssait plus qu'elle ne la craignait, c'était parce que celle-ci allait la priver de sa personne et, par-dessus tout, de l'amour si profond qu'elle éprouvait pour ses amis. La vie ne lui avait pas donné beaucoup, mais le peu que Wendy avait réussi à lui soutirer, la mort comptait le lui enlever. Et ça, la jeune femme ne pouvait le supporter.

Elle allait mourir, plus rien ne pouvait empêcher ce fait de se produire. Néanmoins, elle préférait que cette mort survienne à l'école, près de Juliette et de Patrick, plutôt qu'à l'hôpital ou dans son petit appartement coquet, mais vide. Vide et silencieux, et habité seulement par elle, et peut-être aussi par Samuel et Joseph, les deux anges qui la visitaient en rêve.

> *« Pourquoi donc n'est-il pas possible qu'après la mort nous gardions l'apparence parfaite des vivants, si les vivants peuvent dans le sommeil se faire semblables aux lugubres morts ? »*
>
> Léonard de Vinci

7.

La nuit, quand elle ne recevait pas la visite de fantômes, Wendy devenait la proie d'horribles cauchemars. Le pire d'entre tous, elle l'avait baptisé « le cauchemar de l'hôtel Lebensborn ». Ce rêve, elle le jugeait aussi troublant, sinon plus, que celui des deux anges. Il revint d'ailleurs la hanter ce soir-là, après son retour de l'école. Épuisée et somnolente, elle s'était affalée sur le canapé, avant de sombrer définitivement dans le sommeil, devant le téléviseur allumé.

Le rêve débutait toujours de la même façon : Wendy ouvrait les yeux et réalisait qu'elle ne se trouvait plus dans son appartement, mais plutôt dans un dortoir, qui ressemblait à celui d'un ancien collège ou d'un monastère. Il y faisait toujours sombre. La vaste salle était de forme rectangulaire et dominée par un plafond haut et voûté. Ses murs étaient faits de grosses pierres, et les seules sources de lumière provenaient de deux bougies allumées, posées à chaque extrémité du dortoir. Il n'y avait personne d'autre que Wendy dans cette pièce. Étendue sur un petit lit de fer, elle grelottait de froid. Une mince couverture de laine la recouvrait des pieds jusqu'aux épaules, mais ce n'était pas suffisant. Sous la couverture, la jeune femme ne portait qu'une simple chemise de nuit en dentelle, raidie par le froid, et elle était parcourue d'un douloureux frisson chaque fois que sa peau entrait en contact avec le tissu du vêtement. Malgré cette inertie forcée, Wendy avait le sentiment de s'être introduite sans permission dans ce rêve. Les rêves et les cauchemars meublaient habituellement ses nuits. Ici, c'était l'inverse : c'était elle qui meublait cet espace, qui occupait cette réalité à laquelle elle n'appartenait pas. Wendy était l'intruse, l'indésirable qui s'insinuait indûment dans cet autre univers. Jamais auparavant la jeune femme ne s'était sentie aussi étrangère en un lieu, et cette sensation était des plus désagréables.

Une fois ses yeux habitués à la pénombre, Wendy scruta la pièce à la recherche de quelque chose de familier – un objet ou une disposition particulière qui l'aurait ramenée à sa propre réalité –, mais elle ne trouva rien. Tout, ici, lui était inconnu. Se répétant que cet endroit n'était pas réel et qu'elle ne risquait rien, à part peut-être d'attraper un bon rhume, elle se décida enfin à repousser les couvertures et à se lever. Engourdie par le froid, elle croisa les bras sur sa poitrine pour se réchauffer, puis avança, pieds nus, sur le marbre noir et blanc du plancher. Vers quelle extrémité du dortoir allait-elle se diriger ? Vers la droite ou la gauche ? Elle choisissait toujours la droite. Par superstition, sans doute. Comme elle choisissait toujours le 9 lorsqu'on lui demandait de désigner un chiffre. Pour elle, la droite et le chiffre 9 étaient porteurs de chance.

Elle se déplaça sur la pointe des pieds, non par souci de discrétion, mais parce que le marbre du plancher était aussi froid que de la glace. C'est ainsi, gelée et tremblante, qu'elle atteignit la bougie de droite. Apparemment, elle était toujours seule dans la pièce, avec le silence pour unique compagnon. La bougie se dressait sur un petit chandelier, qui avait été déposé sur une table en bois, à l'angle de la pièce. La flamme n'éclairait pas que le dortoir, elle permettait également de discerner l'entrée d'un passage étroit. Il s'agissait sans doute d'un couloir, donnant accès à une autre pièce. Soudain, la flamme de la bougie vacilla, illuminant la porte cadenassée du passage. Au-dessus de la porte, il y avait un écriteau où étaient inscrits les mots HÔTEL LEBENSBORN. C'est à ce moment que Wendy aperçut les deux larges silhouettes qui se dessinaient de chaque côté de la porte. Des silhouettes d'hommes. Elle faisait donc erreur : elle n'était pas seule dans cet endroit. Postés en faction devant la porte du passage, les deux hommes étaient armés et vêtus d'uniformes gris-vert. Des gardes, de toute évidence. Cela signifiait-il que Wendy était leur prisonnière ? Elle n'eut pas le temps d'approfondir la question. Une voix masculine retentit derrière elle, la faisant sursauter.

— Wendy ? Qu'est-ce que tu fais debout ?

Les deux gardes près de la porte ne bougeaient pas. Quant à Wendy, elle devait vite se ressaisir. En temps normal, la surprise l'aurait pétrifiée sur place, mais elle était dans un rêve. Intriguée, elle souhaita connaître l'identité de celui qui s'était adressé à elle. Sa voix lui paraissait familière. Peut-être pouvait-il l'aider à s'échapper d'ici ?

— Tu sais que tu ne dois pas te lever, insista la voix.

Wendy se retourna, lentement, et vit alors de qui il s'agissait. C'était Patrick, son ami Patrick… mais pas tout à fait.

C'était bien lui, mais il avait quelque chose de différent. Dans le regard, peut-être, ou dans l'attitude.

— Écoute, je…

— Tais-toi, Wendy! Tu vas les alerter. Retourne dans ton lit!

— Attends, Patrick… Où sommes-nous? Quel est cet endroit?

Son ami s'approcha d'elle, puis l'agrippa par le bras.

— Dépêche-toi, retourne dans ton lit!

À son air, Wendy voyait bien qu'il ne rigolait pas. Qu'il soit sérieux ou pas, la jeune femme n'avait pas l'intention de se laisser traiter ainsi. Elle s'arracha à la poigne de Patrick et fit un pas en arrière.

— Tu me fais mal, Patrick!

— Te faire mal? J'essaie de te sauver la vie, Wendy!

Le garçon l'observa pendant un bref moment, puis baissa les yeux. Un autre homme venait d'entrer dans la pièce. Sans doute avait-il été alerté par les deux gardes surveillant la porte. L'homme était grand et chauve, et portait un uniforme sombre. Visiblement en colère, il se dirigea droit sur Wendy et Patrick.

— Derrière moi! ordonna aussitôt Patrick à la jeune femme.

Wendy obéit sans tarder et se réfugia derrière le garçon. Le grand homme chauve s'immobilisa devant Patrick, et ses traits colériques furent remplacés par un sourire étrange, un sourire pervers et malicieux, à vous donner froid dans le dos.

— Que faites-vous ici, Müller ? demanda l'homme.

Patrick hésita quelques secondes, puis répondit :

— Je m'assurais que mon épouse se portait bien.

L'homme chauve éclata de rire. Un rire bref, mais puissant. Après avoir repris son sérieux, il commanda à Patrick de s'écarter.

— Non, attendez, Carnivean… tenta le garçon.

Le chauve n'entendait cependant plus à rire.

— C'est un ordre ! hurla-t-il d'une voix grave et profonde.

L'homme appelé Carnivean éloigna Patrick d'une poussée, puis se jeta sur Wendy et emprisonna son poignet dans une main. De l'autre, il gifla si fort la jeune femme que des larmes lui montèrent aux yeux. Mais elle ne pleura pas. Elle fixa ses yeux humides à ceux du grand chauve et le défia du regard. Ce brusque élan de violence l'avait surprise et troublée. Pourtant, une force inconnue l'empêchait de courber l'échine et de se soumettre.

— Vous êtes fou ! s'écria-t-elle en direction de l'homme.

Le grand chauve s'esclaffa à nouveau :

— Tu es à nous maintenant, Wendy Wagner ! Tu es celle qui rendra possible notre retour dans l'Éden ! C'est la raison pour laquelle tu existes ! Mais pour ça, tu dois demeurer dans ce lit ! N'oublie pas que tu portes en toi la fille de Patrick Müller, la seule enfant qui pourra identifier l'Ange noir !

— La fille de Patrick ? Non, ce n'est pas possible…

Carnivean tenta ensuite d'entraîner Wendy vers l'un des lits du dortoir pour la forcer à se recoucher, mais la jeune femme résista et parvint à échapper à sa prise. Une fois libérée, elle perdit l'équilibre et tomba à la renverse, mais fut récupérée de justesse par Patrick, qui la releva et la prit dans ses bras. Tous les deux échangèrent un regard à la fois triste et désespéré, avant d'être soudain privés de lumière et de chaleur, puis plongés dans le néant le plus total.

C'est ainsi que le rêve se termina. C'est ainsi qu'il se terminait toujours, et alors Wendy s'éveillait. La plupart du temps, elle se débattait tellement qu'elle en tombait de son lit. Pas cette fois. Lorsqu'elle ouvrit les yeux, Wendy constata avec soulagement qu'elle était de retour à Havilah, dans son petit appartement de la rue Fish.

Elle avait enfin regagné son monde, sa propre réalité.

« Quand on pense à quel point la mort est familière, et combien totale est notre ignorance, et qu'il n'y a jamais eu aucune fuite, on doit avouer que le secret est bien gardé ! »

Vladimir Jankélévitch

8.

Cette journée-là commença plutôt bien pour Wendy. Sa migraine du matin était moins forte qu'à l'ordinaire. Déjà, c'était de bon augure. Elle réussit à avaler un bol entier de céréales sans avoir la nausée, ce qui était encore plus prometteur. Elle sortit même de son appartement en fredonnant. Il y a un fichu bout de temps que je n'ai pas fait ça, songea-t-elle. Cela lui porta bonheur, car aussitôt après avoir mis le nez dehors, elle aperçut la voiture de Patrick garée devant son immeuble. Patrick venait tout juste d'arriver, le moteur roulait encore. Le garçon, assis derrière le volant, lui fit un signe de la main, et Wendy s'en réjouit aussitôt. Pour une deuxième fois cette semaine, elle n'aurait pas à se taper l'autobus. Ce gentil cocher allait la conduire à l'école dans son superbe fiacre. En réalité, le fiacre en question n'avait rien de superbe; c'était une vieille guimbarde toute rouillée, mais Patrick l'affectionnait particulièrement. La Buick LeSabre – qui aurait eu de la gueule si Patrick avait eu assez d'argent pour la maintenir en bon état – était un cadeau de son grand-père.

Wendy dévala les marches et se précipita vers la voiture. Elle se trouvait dangereusement en forme pour quelqu'un à qui il restait un, peut-être deux mois à vivre. Elle était heureuse d'être portée par toute cette énergie, de ne plus sentir de lourdeur ou de faiblesse dans son corps et dans ses membres. Son crâne n'était plus enserré dans l'étau de la fièvre. Fini la nausée, fini les vertiges. Aucun bruit bizarre provenant de ses intestins; ils se portaient bien. Mais pour combien de temps?

Elle ne commença à s'inquiéter que lorsqu'elle fut à bord de la voiture. Pourquoi se sentait-elle aussi bien? Que cachait ce brusque regain d'énergie?

— Il y a quelque chose qui cloche, déclara-t-elle à haute voix, à la fois pour elle et pour Patrick.

Elle ne put s'empêcher de sourire, malgré sa perplexité. Cependant, elle restait bien droite sur le siège du passager, tout en continuant de fixer le vide devant elle.

— Ça ne va pas? fit Patrick. Je te trouve… bizarre.

— Au contraire, répondit Wendy en se tournant vers le garçon, ça va très bien. Peut-être même trop. À vrai dire, je me porte de mieux en mieux.

Patrick dévisagea son amie, comme si elle avait dit une énormité. Comment est-ce que ça peut aller *trop* bien? demandait son regard sous une paire de sourcils froncés.

— On y va? lança Wendy, ne sentant pas le besoin d'approfondir la question.

Sans plus tarder, ils prirent le chemin de l'école.

L'avant-midi se déroula superbement. Wendy parvint à conserver son énergie et son dynamisme jusqu'à l'heure du lunch. Elle mangea en compagnie de Juliette et de Sophia, comme toujours. Et comme toujours, elles discutèrent de garçons. Après le lunch, Wendy et Juliette se séparèrent de Sophia, puis assistèrent ensemble aux derniers cours de la journée.

L'après-midi fut longue et beaucoup plus épuisante pour Wendy que la matinée. Heureusement que Patrick l'attendait à la sortie des classes pour la reconduire chez elle. Il offrit à Juliette de venir avec eux; cette dernière refusa, pour d'obscures raisons. Un devoir en retard, semblait-il. Sans un regard pour Wendy ni pour Patrick, elle s'éloigna de la voiture et s'empressa de rejoindre sa sœur qui venait à son tour de sortir de l'école.

— Elle est jalouse, dit Patrick après avoir ouvert la portière du côté passager.

— Elle ne devrait pas, répondit Wendy tout en grimpant dans la voiture.

Patrick fixa un instant son amie, puis contourna la vieille Buick. Il s'installa derrière le volant et fit démarrer le moteur, sans prononcer le moindre mot. C'est seulement à la sortie du stationnement que le garçon se décida à parler.

— Et pourquoi ne devrait-elle pas l'être, jalouse?

Wendy hésita à répondre. « Parce que je ne t'aime pas, Patrick, et qu'il ne se passera jamais rien entre nous. » Voilà ce que la jeune femme aurait voulu lui dire. Cette vérité, elle la lui devait, et la devait également à Juliette, mais Wendy ne voulait blesser personne. Malheureusement, c'était inévitable. L'amour rend heureux, mais il blesse aussi parfois. C'est un sentiment à la fois si beau et si laid, songea Wendy. Le monde ne peut exister que dans la dualité totale, à ce qu'il paraît. Une dualité qui devrait se compléter, selon les Chinois, au même titre que le noir et le blanc, que le soleil et la lune, que le bien et le mal. Le bien et le mal… se répéta-t-elle. Est-ce possible que ce soit aussi simple ?

— Écoute, Patrick… commença-t-elle.

Sachant ce qui s'en venait, Patrick l'arrêta :

— Non, attends, Wendy. Ne le dis pas…

— Juliette est amoureuse de toi.

Il y eut un bref silence, puis le garçon se mit à rire.

— Arrête, protesta Wendy. C'est une fille extra.

— Je sais très bien quel genre de fille c'est ! répondit Patrick. Tu oublies que c'est mon amie à moi aussi ! Et moi, hein ? Je ne suis pas un type extra ?

Wendy savait très bien où il voulait en venir.

— Écoute, Patrick, tu ne veux pas l'entendre, mais je dois te le dire, encore une fois…

— Non, Wendy, l'interrompit le garçon.

— Je ne t'aime pas, Patrick, affirma-t-elle néanmoins. Pas comme tu le souhaites, en tout cas. Ça aussi, c'est une vérité. Et en voilà une autre : Juliette Foster, la douce Juliette, t'aime de tout son cœur. Tu es son prince charmant. Elle voit en toi ce que d'autres ne voient pas. Tu as le droit de ne pas partager ses sentiments, comme je ne partage pas les tiens, mais n'oublie pas qu'elle est ton amie, comme tu es le mien. Lorsque je ne serai plus là, vous serez tous les deux seuls. Seuls, mais ensemble. Tandis que moi… je n'aurai personne.

Patrick ne dit rien. Il prit la route du nord, celle qui menait chez Wendy. Une fois devant son immeuble, il embrassa la jeune femme sur les joues, puis lui adressa un sourire.

— Ne t'inquiète pas, je prendrai soin de Juliette, dit-il.

— Je sais.

Elle sortit de la Buick. Patrick attendit qu'elle soit devant la porte de son appartement avant de reprendre la route. Wendy lui fit un dernier signe de la main pour le saluer, puis le garçon prit la direction du sud. Elle s'en voulait de lui avoir fait mal. D'un autre côté, elle se sentait libérée. Elle ne pouvait pas lui mentir et faire comme si elle l'aimait, même si elle y avait pensé. Non, plus maintenant. Il était arrivé à Wendy de sortir avec des garçons qu'elle n'aimait pas, mais c'était chose du passé. Là, elle ne pouvait plus. À la veille de sa mort, elle ne pouvait plus faire semblant et feindre d'aimer, c'était beaucoup trop cruel pour celui ou celle qui vous aimait vraiment, et pour soi, c'était une véritable torture.

Wendy adorait Patrick, mais ressentit tout de même un immense soulagement lorsqu'elle le vit s'éloigner à bord de la vieille Buick.

« *Les vrais miracles font peu de bruit.* »

Antoine de Saint-Exupéry

9.

Ce ne fut que quelques jours plus tard que les anges reprirent contact avec Wendy. La jeune femme se souviendrait de cet épisode pendant encore longtemps.

La soirée débuta sur la terrasse du Café Édimbourg, un resto-bar situé dans le centre-ville d'Havilah. Au départ, il n'y avait que Wendy et Juliette. Géraldine et Gretel, deux autres amies, vinrent se joindre à elles plus tard. Ensuite, ce fut au tour de Patrick de se présenter. Ce soir-là, il était accompagné d'un autre joueur de l'équipe de football, Jimmy Hänsel. Lorsque les garçons arrivèrent, Wendy et ses copines proposèrent de quitter la terrasse et de choisir une table à l'intérieur du resto. Il commençait à faire plutôt frisquet.

Comme ils le craignaient tous, Gretel s'empressa de draguer Jimmy, le coéquipier de Patrick. Au bout d'une heure, elle lui avouait son amour. Toute la tablée en resta interdite : c'en était trop. Géraldine et Juliette ne purent s'empêcher de lui tomber dessus.

— Gretel, tu n'es pas sérieuse? lui lança Juliette. Tu le connais à peine, ce garçon!

Le pauvre Jimmy Hänsel souriait, gêné.

— J'ai le droit de tomber amoureuse, non?

— Oui, mais pas tous les soirs, rétorqua Géraldine avec un large sourire de circonstance.

Gretel ignora la remarque. Son regard était toujours plongé dans celui de Jimmy.

— Ne les écoute pas, elles sont jalouses. Hänsel et Gretel… Ne vois-tu pas que nous étions destinés l'un à l'autre?

Le garçon haussa les épaules tout en souriant maladroitement. C'est alors que Juliette y alla d'une proposition :

— Ça vous dirait d'aller danser?

— Pas ce soir, répondit Patrick. Ce soir, je rentre à la maison. Tu viens avec moi, Wendy?

— Non. Je crois bien que je vais accepter l'invitation de Juliette.

Visiblement, Patrick n'était pas d'accord. Sans doute jugeait-il Wendy trop malade pour aller se déhancher sur une piste de danse.

— Tu en es certaine? demanda-t-il à la jeune femme. Tu te sens assez en forme?

Géraldine et Gretel observèrent Wendy avec un sourire en coin. Qui allait remporter la bataille ? Patrick, le chevalier servant, ou Wendy, sa demoiselle en détresse ?

— Je dois profiter de chaque occasion, Patrick, répondit Wendy sur un ton résigné. Allons-y, les filles, ajouta-t-elle, de façon à faire comprendre à Patrick qu'il était inutile d'insister.

Géraldine et Juliette se levèrent à leur tour pour suivre Wendy. Gretel fut la seule qui demeura bien assise sur sa chaise.

— Tu ne viens pas ? lui demanda Juliette.

— Peut-être une autre fois. J'ai envie de me coucher tôt ce soir, dit-elle en jetant un coup d'œil vers Jimmy.

Juliette ne put réprimer un rire, puis se dirigea vers la sortie, où l'attendait Wendy. Géraldine fermait la marche.

— Hänsel, tu devrais nous accompagner ! s'écria Géraldine juste avant de sortir sur la terrasse. Tu serais beaucoup plus en sécurité avec nous qu'avec cette croqueuse d'hommes !

Gretel rit à son tour, puis leva son majeur bien haut et bien droit afin que tout le monde puisse le voir.

Une fois dehors, Wendy consulta sa montre. Il était 23 h et il faisait plutôt froid à l'extérieur. Les bras en l'air, Géraldine s'écria :

— Ce soir, c'est la fête ! À nous les beaux garçons !

Puis elle traversa la rue au pas de course. Wendy et Juliette s'empressèrent de la suivre. Elles entendirent soudain la voix de Géraldine, plus loin en avant, qui criait :

— Attention ! Il y a une moto !

Wendy savait exactement ce qui l'attendait si elle n'augmentait pas la cadence. Elle fonça à plein régime, mais il était déjà trop tard : la jeune femme aperçut un phare sur sa droite qui approchait à grande vitesse. La motocyclette allait la heurter, il n'y avait aucun doute dans son esprit. Vol plané et bris d'os assurés.

« *Ne t'inquiète pas, je suis là* », dit alors une voix dans l'esprit de Wendy. Qu'est-ce que ça signifiait ? Wendy obtint sa réponse une fraction de seconde plus tard, lorsqu'elle vit apparaître Joseph au milieu de la route. Aussi vif que l'éclair, le garçon agrippa le conducteur de la moto et l'arracha à sa monture, pour ensuite le projeter à plusieurs mètres de distance. Privée de son conducteur, la motocyclette changea de trajectoire. Le véhicule évita Wendy de justesse, mais sa roue arrière heurta tout de même la cuisse de la jeune femme. Le choc la souleva de terre et l'envoya rouler sur l'asphalte. L'atterrissage fut brutal, certes, mais c'était beaucoup mieux que d'être happée de plein fouet par cette bombe. Une fois la moto immobilisée, Wendy tenta de se relever, sans y parvenir. Elle se laissa retomber sur le sol.

« Comme on met peu de temps à s'habituer aux miracles. »

Richard Bach

10.

Lorsque Wendy releva la tête, elle constata que son corps, immobile, baignait dans une puissante lumière. *Ça y est, je suis morte,* pensa-t-elle. Bien que forte, la lumière n'était pas suffisante pour la réchauffer. Elle avait froid et elle tremblait. C'est alors qu'elle entendit une autre voix s'adresser à elle en pensée. Cette fois, c'est Samuel qui lui parla, et non Joseph : *« Nous ne laisserons rien ni personne te faire du mal,* lui promit-il. *Tu ne garderas aucune séquelle de cet accident. Michaël ne le permettrait pas. »*

Le rayonnement que Wendy avait cru être celui des cieux provenait en fait du réverbère sous lequel elle était étendue. Aveuglée par la lumière, la jeune femme posa un avant-bras sur son visage pour se protéger les yeux. Des gens parlaient autour d'elle, mais Wendy ne comprenait pas ce qu'ils disaient : elle percevait seulement leurs murmures sourds. Il y avait un homme et deux femmes, peut-être trois. Une voix familière retentit soudain à son oreille, celle de Juliette :

— Wendy, ma vieille, est-ce que ça va ?

— Elle s'est précipitée devant la moto! affirma une voix d'homme.

— Peux-tu te relever, Wendy?

— Je vous dis qu'elle s'est précipitée devant moi!

— Tu vas devoir m'aider, répondit Wendy à son amie.

Juliette lui offrit sa main et l'aida à se remettre debout.

— Je ne l'ai pas vue! Elle est sortie de nulle part! Tout comme ce type!

— Ça suffit! s'exclama brusquement Patrick, dont Wendy n'avait pas encore remarqué la présence.

Lui et plusieurs autres étaient probablement sortis du resto après l'accident. Wendy supposa que les cris et le bruit avaient dû alerter tout le quartier.

— Je ne pouvais rien faire! protesta le motocycliste, visiblement sous le choc. Je n'ai pas eu le temps de réagir!

— C'est parce que vous rouliez beaucoup trop vite! lui fit remarquer Patrick.

— Et ce gars! Vous avez vu avec quelle force il m'a envoyé valser sur la chaussée?

— Au moins, vous êtes en un seul morceau, répliqua Patrick. Ce qui est assez étonnant, d'ailleurs. Mais je ne peux pas en dire autant de mon amie.

— Ça va, ça va, je n'ai rien… déclara Wendy pour tout le monde.

Juliette dévisagea la jeune femme.

— Tu en es certaine ? Tu as pourtant encaissé un solide coup, ma vieille.

— Je vais bien. Laissez-le repartir, dit Wendy, s'adressant cette fois à Patrick et à Géraldine qui s'interposaient entre l'homme et sa moto.

— On ne devrait pas appeler la police ? demanda Géraldine.

Il y avait deux autres types que Wendy ne connaissait pas. Peut-être des promeneurs qui passaient par là, ou encore des curieux qui s'étaient approchés pour constater les dégâts. Patrick proposa à Wendy de l'emmener à l'hôpital, mais cette dernière refusa.

— C'est inutile. Allez, on retourne à l'intérieur du resto. La danse, ce sera pour un autre soir.

Wendy entraîna Juliette à l'écart pendant que Géraldine et Patrick continuaient de discuter avec le conducteur de la moto. Ils insistaient pour que ce dernier ne quitte pas les lieux de l'accident.

— Je suis ivre, confia Wendy à Juliette.

Elle mentait, bien sûr.

— Et alors ?

— Je ne veux pas de problèmes. Le gars a raison : j'étais en plein milieu de la rue et…

— Tu n'es responsable de rien, voyons! rétorqua Juliette. C'est ce type qui t'a foncé dessus!

— C'était un simple accident. Fais-moi plaisir, retournons dans le resto et oublions tout ça. Il faut qu'il parte. Je ne veux pas voir de policiers ici.

Juliette poussa un long soupir, et Wendy l'abandonna pour se diriger d'un pas décidé vers le resto-bar. À l'intérieur, elle eut tôt fait de regagner sa place. Gretel et Jimmy Hänsel étaient en pleine discussion.

— Le barman prétend que tu t'es fait renverser par une moto, fit Gretel. C'est vrai?

— Elle m'a à peine touchée, répondit Wendy en prenant quelques arachides dans le bol devant elle. Mais les autres en font tout un drame.

Elle fit une pause, puis ajouta :

— Probable que le conducteur est encore plus amoché que moi.

Cependant, elle n'y croyait pas vraiment. D'après ce qu'elle avait pu constater à l'extérieur, le conducteur semblait en pleine forme, ce qui n'avait pas manqué de la surprendre. Surtout après un tel incident. Joseph avait agi avec une telle violence! N'aurait-il pas pu immobiliser la moto, tout simplement, et éviter de s'en prendre ainsi à cet homme? Heureusement que ce dernier s'en était sorti sans trop de dommages. Wendy réalisa alors qu'elle était, elle aussi, inexplicablement indemne, pour ne pas dire miraculeusement indemne, ce qui semblait d'autant plus improbable. À moins de leur montrer une marque évidente de blessure, les autres ne la lâcheraient pas une seconde. Elle devait leur prouver que l'incident lui avait au minimum laissé quelques égratignures.

— Il faut que j'aille aux toilettes, déclara-t-elle. Je reviens tout de suite.

— Wendy, ça va ? lui demanda Gretel sur un ton amical. Tu veux que je t'accompagne ?

— Non merci, ça va aller. Continue à enjôler ton prince charmant, ajouta son amie avec un clin d'œil. Tu l'auras à l'usure !

Wendy pénétra seule dans les toilettes et fit l'inventaire de ce qui se trouvait dans son petit sac à main : portefeuille, rouge à lèvres, mouchoirs, clefs, gomme à mâcher et pastilles de menthe. Elle releva la manche droite de son chemisier et choisit la plus longue clef de son trousseau. Elle commença par entailler légèrement la partie intérieure de son avant-bras, puis descendit plus bas et déchira son pantalon au niveau de la cuisse. Maintenant, ils avaleront plus facilement mon histoire, se dit Wendy, en s'assurant qu'un peu de sang provenant de l'entaille avait bien taché son chemisier et son pantalon.

En sortant des toilettes, elle tomba nez à nez avec Patrick.

— Je suis venu voir si tout allait bien…

Que font les gens dans pareille situation ? se demanda Wendy. Comment réagissent-ils après un accident de ce genre ? Ils sont sous le choc, non ? Allez, sois crédible, ma vieille. Wendy se jeta alors dans les bras de Patrick et se mit à pleurer.

— Tu as subi un choc nerveux, lui dit Patrick, trop heureux de serrer la jeune femme contre lui. C'est normal. Vas-y, laisse-toi aller, ma belle.

Wendy fit son numéro pendant encore quelques minutes, puis demanda à Patrick s'ils pouvaient enfin retourner à la table. Juliette et Géraldine étaient de retour et avaient déjà entamé leur énième verre. Wendy se hâta de leur montrer sa blessure au bras, ainsi que la fente dans son pantalon.

— Mais tu saignes ! lança Géraldine.

— Mais non. Ça s'est arrêté, la rassura Wendy en reboutonnant la manche de son chemisier.

— Vaudrait mieux que tu ailles à l'hôpital, dit Juliette.

— Elle n'a pas tort, la seconda Patrick. Tu as une assurance pour les frais médicaux ?

— Medicaid. L'assurance des pauvres, gérée par l'État.

— Alors c'est parfait, fit Patrick. On y va !

— C'est parce que j'étais ivre que je n'ai rien senti, tenta de leur expliquer Wendy. Mon corps était mou comme de la guenille. Rassurez-vous, il n'y a aucun bobo.

Mais Juliette n'était pas du même avis.

— Tu as pensé à une hémorragie interne ? Dans ta condition, en plus…

Convaincue que ses amis n'abandonneraient pas, Wendy finit donc par céder. Elle se présenta à l'urgence de l'hôpital vers une heure du matin. Juliette et Patrick l'accompagnaient. Les autres étaient retournés chez eux, mais avant de partir, Géraldine révéla à Wendy le nom du conducteur de la moto.

— Il a dit qu'il s'appelait Sterling. Dantay Sterling. Ça te dit quelque chose ?

— Non, absolument pas.

— Dantay… répéta Géraldine. C'est un étrange prénom.

Wendy était d'accord avec elle, mais trop fatiguée pour en discuter davantage. Géraldine lui sourit, puis Wendy lui conseilla d'aller se reposer. De toute façon, Juliette et Patrick allaient demeurer à ses côtés ; c'était tout le soutien dont elle avait besoin pour l'instant.

Les trois amis furent grandement soulagés lorsqu'une voix appela enfin le nom de Wendy Wagner dans l'interphone. Vu son état, le médecin de garde proposa tout d'abord de contacter le docteur Ramsay et de l'informer de la situation. Wendy s'y opposa de façon catégorique : inutile de réveiller son médecin traitant, le cancer n'était pas en cause ici. Le praticien de l'hôpital obtempéra, malgré sa réticence, puis demanda à Wendy de décrire l'accident, ce qu'elle fit avec grand soin. En l'espace de quelques minutes, la jeune femme avait tout déballé. Tout, sauf l'intervention de Joseph. Elle n'avait pas envie de finir sa vie dans un asile psychiatrique, d'autant plus que ses jours étaient comptés.

— Une moto sport, vous dites ?

Wendy acquiesça.

— Elle vous a touchée ici ?

Son doigt pointait la partie supérieure de sa cuisse, à l'endroit où le pantalon était déchiré.

— Oui, docteur.

Il désigna ensuite l'entaille à son bras, qu'une infirmière s'était déjà chargée de nettoyer et de recouvrir d'un pansement.

— Et ça ?

Wendy haussa les épaules, pour signifier qu'elle ignorait l'origine de cette blessure.

— C'est peut-être une pièce de la moto qui a fait ça, qu'en dites-vous ? Ou peut-être mon atterrissage forcé sur la chaussée ?

— Mouais…

Le médecin, l'air dubitatif, porta sa main à son menton, qu'il caressa tout en semblant réfléchir. Wendy percevait le bruit de grattement que faisaient ses doigts en rencontrant les poils drus de sa barbe naissante.

— Mmm… À part votre étrange blessure au bras, je ne trouve rien, déclara enfin le médecin sur un ton hésitant, comme s'il doutait de son propre diagnostic. C'est assez étonnant, mais tout semble en ordre, mademoiselle Wagner.

— Ah, oui? fit Wendy, feignant la surprise. J'ai eu beaucoup de chance alors?

— Mouais…

Le médecin se pencha et réexamina sa jambe.

— À quoi dois-je m'attendre, docteur?

Ce dont la jeune femme avait besoin, en fait, c'était d'une description précise des symptômes qu'il lui faudrait simuler, afin de ne pas éveiller les soupçons de ses amis.

— Beaucoup de raideurs musculaires, répondit le médecin.

— C'est tout?

Il se caressa le menton une fois de plus.

— D'après ce que j'ai pu constater, oui.

Wendy hocha la tête, satisfaite.

— Alors, allons-y pour les raideurs musculaires! lança Wendy tout en lui tendant la main pour le remercier.

Avant de quitter le cabinet, Wendy remarqua que le médecin l'observait d'un œil indécis, un sourcil relevé. Il se demandait sûrement à quelle sorte de dingue il venait d'avoir affaire.

*« Lorsqu'on rêve tout seul, ce n'est qu'un rêve alors
que lorsqu'on rêve à plusieurs c'est déjà une réalité. »*

Elder Camara

11.

Le lendemain matin, Wendy n'avait rien perdu de sa forme.
Je ne vous remercierai jamais assez, les anges, se dit-elle. Sans
vous, je serais probablement clouée sur un lit d'hôpital, et
recouverte de plâtre des pieds à la tête. Non seulement l'accident de la veille l'avait laissée indemne, mais tous les symptômes reliés à son cancer avaient disparu. Pendant un bref
moment, elle crut que la maladie avait cessé sa progression,
ou, plus optimiste encore, que la maladie avait reculé et qu'elle
était en rémission. Le cancer serait-il rassasié ? se demanda-
t-elle alors, sans y croire vraiment. Il aurait arrêté de me dévorer
de l'intérieur et se reposerait, repu comme un gros félin ? C'est
aux miracles que tu crois, ma belle !

Croire aux miracles ? Mais qu'est-ce que cela avait de si
ridicule après tout ? Si les anges existaient, alors, pourquoi
pas les miracles ? Et si Samuel et Joseph avaient réellement
besoin de Wendy, comme eux-mêmes l'avaient prétendu,
peut-être avaient-ils intercédé en sa faveur auprès du Grand
Patron ? Peut-être avaient-ils réussi à convaincre Dieu de
l'épargner, de la laisser en vie ? Wendy éclata de rire juste à

y penser. Espoirs futiles, il va sans dire. Le Seigneur la sauverait, elle, la très ordinaire et très anonyme Wendy Wagner d'Havilah, alors qu'il laissait mourir des millions d'enfants dans le monde ? Elle se trouva idiote de l'avoir même envisagé.

Se pouvait-il donc, encore une fois, que Wendy ait imaginé tout ça ? L'épisode de la moto lui avait pourtant paru si réel, exactement comme celui de la panthère noire dans le couloir de l'école. Mais s'il s'agissait bien d'hallucinations, comment parviendrait-elle, dorénavant, à différencier ce qui était vrai de ce qui ne l'était pas ? Wendy baissa les yeux et examina le pansement sur son bras. Cette blessure-là était bien réelle. Elle passa doucement ses doigts sur la compresse, et cela suffit à lui confirmer qu'elle n'avait pas rêvé la nuit précédente.

Elle se leva, prit une longue douche chaude, puis s'habilla et passa dans la cuisine pour y avaler un gros bol de céréales aux noix. Patrick et sa Buick ne l'attendaient pas ce matin-là devant l'immeuble, alors Wendy se dépêcha d'attraper le bus pour se rendre à l'école.

Juliette et Sophia l'attendaient à son casier. Elles tenaient déjà leurs livres entre leurs mains, prêtes pour leur premier cours de la journée. Wendy fit mine de bouger maladroitement, accompagnant chacun de ses mouvements d'une certaine rigidité. Malgré son excellente forme, elle ne devait pas oublier que la veille, elle avait été fauchée par une moto.

— Vous avez vu Patrick ? demanda-t-elle sur un ton las et morose, comme quelqu'un qui a passé une mauvaise nuit.

Si quelqu'un avait une idée de l'endroit où se trouvait Patrick, ce ne pouvait être que Juliette ou Sophia. Les sœurs Foster firent non de la tête.

— Je n'ai pas vu sa voiture ce matin dans le stationnement, dit Juliette. Il n'est pas encore arrivé.

— Pas étonnant, avec la nuit que nous venons de passer, déclara Wendy.

— Et toi, ça va ? lui demanda Sophia. Juliette m'a tout raconté. Heureuse de voir que tu es toujours en un seul morceau.

— J'ai eu de la chance, répondit Wendy en soupirant. Je suis gênée par quelques raideurs musculaires, ajouta-t-elle en insistant volontairement sur les mots « raideurs musculaires », mais pour le reste, ça va. Ma blessure au bras aura cicatrisé d'ici quelques jours.

Juliette fit un signe à sa sœur et Wendy comprit que sa meilleure amie voulait lui parler seule à seule. Saisissant le message, Sophia acquiesça, puis s'éloigna avec une docilité que Wendy ne lui connaissait pas.

— Patrick et moi avons beaucoup discuté dans la salle d'attente hier, lui confia Juliette. Il n'avait pas l'air dans son assiette. Je ne crois pas qu'il viendra à l'école aujourd'hui.

Wendy inspira profondément. Elle savait que ce moment viendrait ; Patrick s'était confié à Juliette, et elle, comme à son habitude, l'avait écouté en bonne amie – et amoureuse – qu'elle était.

Le carillon électrique annonçant le début des cours retentit à ce moment-là. Juliette et Wendy allaient devoir se séparer.

— On en reparlera ce midi, d'accord ? proposa Wendy à son amie.

Juliette opina, puis les deux jeunes filles se saluèrent en silence, d'un simple geste, et prirent des directions différentes.

Les cours de l'avant-midi furent d'un ennui mortel : histoire, sciences et mathématiques. Wendy n'était pas particulièrement friande de ces trois matières et se sentit plutôt soulagée lorsque la cloche du midi les libéra enfin du vieux Bartlett et de son pénible cours de maths. Si elle n'avait pas échappé tous ses bouquins par terre à cause de son empressement et de sa maladresse habituels, elle aurait été la première à quitter le local. Le temps de tout ramasser, l'endroit avait été déserté par les autres étudiants et Wendy se retrouva seule en compagnie de John Bartlett. Il l'examinait en silence, debout derrière son bureau, avec son petit regard noir de rongeur. Wendy ne l'aimait pas et il le savait. Lui non plus n'appréciait guère la jeune femme ; elle n'avait jamais démontré un très grand intérêt pour ce qu'il enseignait et cela l'offensait, de toute évidence. Il adressa un de ses petits sourires mesquins à Wendy, puis tourna les talons et sortit du local. Brrr ! Il me donne la chair de poule, songea la jeune femme.

Ses livres bien en main, elle se releva, puis se dirigea à son tour vers la sortie. Elle s'apprêtait à franchir la porte lorsque Patrick apparut dans le couloir. Il marchait droit vers elle, ce qui l'obligea à faire marche arrière. À sa grande déception, elle se retrouva à nouveau dans le local de maths, mais cette fois en compagnie de Patrick. Tous les deux se faisaient face, à mi-chemin entre le bureau de Bartlett et la porte.

— Ça va? demanda Patrick sur un ton hésitant.

Il était mal à l'aise, visiblement. Les mains dans les poches, il se balançait d'un côté et de l'autre.

— Ça va, lui répondit Wendy. Et toi?

Le garçon hocha la tête, distraitement, sans regarder son amie.

— Ça peut aller.

— Tu viens tout juste d'arriver?

— Ouais, j'ai décidé de me reposer ce matin. Mauvaise nuit, ajouta-t-il avec un sourire maladroit.

— À qui le dis-tu!

Wendy n'avait aucune idée de ce que Patrick attendait d'elle. Pourquoi était-il venu la retrouver ici? Ce n'était pas dans son habitude.

— On va manger? proposa-t-elle.

Patrick cessa brusquement de se dandiner et fixa la jeune femme droit dans les yeux.

— Écoute, c'est Juliette qui m'a dit que je te trouverais ici. Elle connaît ton horaire par cœur et…

— Que veux-tu, Patrick?

Il y eut un bref moment de silence.

— Je veux… Je veux m'excuser, dit-il. J'ai repensé à ce que tu m'as dit l'autre soir dans la voiture et…

Wendy leva une main pour l'interrompre.

— Ce n'est pas nécessaire, Patrick. En ce qui me concerne, l'affaire est réglée et je ne sens pas le besoin d'en rediscuter. Par contre, il y a une chose que tu peux faire pour moi.

— Qu'est-ce que c'est?

— Je t'en supplie, ne parle plus de nos histoires à Juliette.

Le garçon parut surpris.

— Quoi?

— Tu sais très bien ce que je veux dire. Tu connais ses sentiments pour toi et…

Wendy n'eut pas le temps de terminer sa phrase. Quelqu'un se mit à applaudir derrière elle, dans la classe. Mais comment était-ce possible? Patrick et elle étaient les deux seules personnes dans la pièce. Patrick étira néanmoins le cou et observa un point fixe par-dessus l'épaule de Wendy.

— Qui c'est, ce gars? demanda-t-il. Je ne l'ai pas vu quand je suis entré.

Sans savoir pourquoi, Wendy avait peur, elle était terrifiée. Il y avait quelque chose d'étrange dans l'air : l'odeur de la mort, sans doute, que la jeune femme parvenait étrangement à détecter depuis l'annonce de sa propre disparition. Elle éprouvait un profond malaise, une sorte d'angoisse, indicible et oppressante, comme si elle arrivait à pressentir le danger, mais sans être capable de l'identifier.

Lentement, sans faire de mouvements brusques, Wendy tourna la tête et jeta un coup d'œil derrière elle. Il y avait bien quelqu'un tout au fond du local, derrière la dernière rangée de pupitres. Adossé au mur, il applaudissait encore lorsque le regard de la jeune femme croisa le sien. C'était un grand jeune homme mince, aux cheveux noirs et hirsutes. Sa peau était aussi blanche que du lait et son large sourire passait d'une oreille à l'autre, divisant son visage en deux parties égales. Il était vêtu d'un chic costume noir et portait une cravate rouge, de bon goût, ainsi qu'une paire de souliers en cuir, récemment cirés. Son allure « fils de riche » rappelait celle de Joseph et Samuel, mais en beaucoup plus austère.

— Joli spectacle, les amoureux, dit l'inconnu d'une voix à la fois nasillarde et moqueuse.

Le jeune homme cessa d'applaudir et croisa les bras sur sa poitrine, tout en continuant de fixer Wendy et Patrick. Son horrible sourire figé de clown ne fléchissait pas. Wendy aurait voulu lui demander qui il était et ce qu'il faisait là, mais aucun son ne sortait de sa bouche.

— Tu ne te souviens pas de moi, Wendy ? demanda-t-il de son affreuse voix.

De quoi parlait-il ? C'était la première fois que Wendy rencontrait cet homme, elle en était certaine. Des traits comme les siens, ça ne s'oubliait pas. C'était plutôt étrange : son visage était beau, mais laissait néanmoins transparaître toute la laideur de son âme. Une disgrâce intrinsèque qui émanait de lui à la manière d'une aura. Certaines personnes inspiraient la confiance, d'autres, la sympathie, mais les seuls sentiments qu'insufflait ce jeune homme, c'était la peur et le dégoût. Wendy frémissait de répulsion, et il en allait certainement de même pour Patrick.

— La dernière fois, je n'avais pas cette apparence, précisa l'inconnu.

Wendy s'attarda davantage sur le regard de l'homme, qui lui paraissait des plus inquiétants. Ses iris étaient jaunes et traversés d'une pupille étroite et verticale. Il fallut quelques secondes à la jeune femme pour comprendre que ces yeux étaient ceux d'un félin. Une panthère, se dit-elle, comme celle qui m'a attaquée l'autre jour !

— Mon nom est Dantay Sterling, ajouta le jeune homme en riant. Ça sonne familier ?

Sterling ! se répéta Wendy. C'était le nom du type qui conduisait la moto, celle qui avait failli la heurter à mort. Il ne lui ressemblait pas, pourtant. Comment ce Dantay arrivait-il à modifier ainsi ses traits d'une fois à l'autre ? Sans doute s'agissait-il d'une créature surnaturelle, tout comme Joseph et Samuel. Wendy commençait à comprendre pourquoi Joseph l'avait éjecté aussi brutalement de son engin.

— Sterling… fit Patrick à son tour. Le conducteur de la moto !

— Oui, c'est bien moi, confirma Dantay le plus naturellement du monde. Si Asfaël n'était pas intervenu, tu serais déjà au paradis, ma belle, ajouta le jeune homme, cette fois à l'intention de Wendy.

Dantay parlait de Joseph, assurément, mais pourquoi l'appelait-il Asfaël ? Wendy se souvint alors d'une autre chose que lui avait dite Rita Montambault au sujet des anges : certains d'entre eux portaient plusieurs noms.

— Ils sont tous à tes pieds, ces pauvres garçons ! poursuivit Dantay en désignant Patrick. Tu es une véritable séductrice, ma parole, tout comme ta jumelle de la Jehenn. Normal, vous êtes de pures Aryennes toutes les deux ! De vraies beautés !

Que voulait-il dire par « sa jumelle de la Jehenn » ?… Et par « vous êtes de pures Aryennes toutes les deux » ? Wendy n'eut pas le temps d'y réfléchir davantage : le sourire sur le visage de Dantay se dissipa instantanément et son regard s'obscurcit de manière terrifiante.

— Il ne faut pas rester ici ! s'exclama Patrick en tirant Wendy vers la sortie.

Dantay adopta alors une position féline et ses pupilles se dilatèrent ; elles s'élargirent au point où on n'arrivait presque plus à distinguer le jaune de ses yeux.

— Il va attaquer… murmura Wendy pour elle-même.

Et c'est exactement ce que fit Dantay : il se jeta sur eux comme une bête enragée. Mains devant et pieds derrière, il bondit à la manière d'un grand félin. Wendy se demanda si elle rêvait, car elle eut l'impression que les canines de Dantay s'étaient allongées et que ses doigts, longs et crochus, avaient pris la forme de griffes acérées. Une fois sur eux, il les grifferait à mort, avant de les réduire en charpie et de les dévorer vivants.

Patrick voulut s'enfuir, mais c'était inutile : Wendy et lui n'étaient pas assez rapides pour échapper à une créature aussi prompte et aussi agile. Dantay comptait les massacrer l'un après l'autre, Wendy en était convaincue. Ce n'était ni un rêve ni une hallucination. Sa maladie n'avait rien à voir là-dedans.

La jeune femme réalisa que ce n'était pas le cancer qui allait la tuer, finalement, mais bien cette espèce d'homme-panthère, sorti d'on ne sait où, et qui souhaitait sa mort pour d'obscures raisons. L'histoire de Wendy Wagner aurait pu se terminer ainsi : elle aurait pu finir en steak tartare dans le ventre de Dantay Sterling, mais ce ne fut pas le cas, car son ange gardien se chargea une nouvelle fois d'intervenir.

« Je préfère les chiens aux chats et tous les félins me le rappellent au premier regard : un regard perçant et rancunier. »

James Thurber

12.

Joseph apparut comme par magie dans la pièce, au moment même où Dantay, toutes griffes dehors, s'apprêtait à leur tomber dessus et à les découper en rondelles. Avec une agilité et une vitesse surprenantes, Joseph s'interposa entre Wendy et son agresseur. Il ancra ses pieds au sol, puis s'inclina vers l'avant, prêt à accueillir Dantay. En se substituant ainsi à Wendy, le jeune ange n'allait pas seulement la protéger contre l'assaut de ce cinglé, il le subirait à sa place.

Son épaule en première ligne, Joseph tenta d'agir comme un mur devant son adversaire, et cela réussit, au grand soulagement de Wendy : après avoir bloqué l'attaque de Dantay et freiné sa progression, Joseph se servit une nouvelle fois de son épaule pour repousser violemment l'homme-panthère. Ce dernier fit un vol plané à travers la salle de classe avant d'aller s'écraser contre le mur du fond. Il retomba parmi les pupitres, puis se releva d'un seul coup, nullement ébranlé : l'impact ne lui avait absolument rien fait.

— Ne te mêle pas de ça, Asfaël, menaça Dantay en revenant vers eux, mais en marchant cette fois. Cette petite causera ta perte… encore une fois.

— Laisse-moi décider de ce qui causera ma perte, rétorqua Joseph.

— Cela ne t'a pas très bien réussi dans le passé, mon cher !

Dantay ne marchait plus dans leur direction, il courait. Son visage se transformait à mesure qu'il augmentait la cadence. Ses traits féroces et haineux lui donnaient l'aspect d'une bête carnassière, d'un grand fauve avide de chair et de sang et prêt à tout pour se nourrir.

Joseph se tourna immédiatement vers Wendy. Il parut surpris de la voir.

— Qu'est-ce que tu fais encore là ? lui demanda-t-il sur un ton irrité. Va-t'en, idiote !

Son intervention n'eut pas l'effet escompté sur Wendy : plutôt que de l'inciter à déguerpir, l'impatience de Joseph la paralysa davantage. Ce ne fut pas le cas de Patrick, qui profita de ce moment de distraction pour filer. Prenant ses jambes à son cou, courant plus vite qu'une gazelle, il quitta le local de maths et disparut dans le couloir en hurlant qu'un cinglé était à ses trousses. En abandonnant ainsi Wendy et Joseph derrière lui, croyait-il faciliter sa fuite ? Dantay allait certainement s'en prendre à eux, ce qui le ralentirait dans sa chasse. Avait-elle raison de prêter de telles intentions à son ami Patrick ? Bien sûr que non. Patrick était un chic type, le meilleur, tenta-t-elle de se convaincre. Il avait paniqué, c'est tout. Personne ne peut savoir comment il réagira dans ce genre de situation, et Wendy s'incluait sans hésiter dans le lot : si elle n'avait pas été pétrifiée de terreur, elle aurait probablement agi de la même façon. Elle se serait ruée hors de cet endroit et aurait couru sans regarder derrière, comme Patrick l'avait fait. Lâche ou pas, c'était la seule chose à faire – la plus intelligente, du moins. Mais Wendy n'avait pas bougé ; elle demeurait figée sur place, comme si ses jambes étaient vissées au sol.

Dantay se rapprochait dangereusement. Il n'était plus qu'à un mètre d'eux lorsque Joseph, dans un mouvement vif, appuya sa main sur l'abdomen de Wendy et la poussa hors de la salle de classe. La jeune femme traversa l'encadrement de la porte sans même toucher le sol, avant de finalement retomber sur le carrelage froid du couloir. Elle se demandait encore ce qui venait de lui arriver lorsqu'elle vit Joseph s'opposer une fois de plus à Dantay. Étendue par terre, incapable de se mouvoir tant elle était terrorisée, Wendy parvenait tout de même à suivre l'affrontement. L'action se déroulait sous ses yeux, à seulement quelques mètres. Par la porte restée ouverte, elle voyait les deux combattants qui luttaient avec force et détermination, comme deux gladiateurs au milieu d'une arène.

Elle demeurait convaincue que c'était bien à elle que souhaitait s'en prendre Dantay et non à Joseph, ou même à Patrick. Heureusement que Joseph était intervenu pour lui éviter la mort. C'était la deuxième fois qu'il lui sauvait la vie. Malgré le mépris que le garçon – ou l'ange ? – semblait démontrer à son endroit, il ne subsistait aucun doute dans l'esprit de la jeune femme : si Joseph avait agi ainsi, s'il était apparu à ses côtés tout juste avant que Dantay ait pu lui faire du mal, c'était de toute évidence pour la protéger.

Joseph tentait tant bien que mal de maîtriser son adversaire. Il bloquait la voie à Dantay, l'empêchant ainsi de quitter la salle de classe et de se précipiter sur Wendy. En plus de lui barrer le passage, Joseph devait éviter les nombreux coups portés par Dantay, ainsi que les morsures que ce dernier tentait de lui infliger. Le combat était inégal : Dantay était plus fort que Joseph, mais le protecteur de Wendy luttait avec tant de courage et d'ingéniosité qu'il parvenait à rivaliser avec son opposant. Un combat sans merci entre l'ange et la bête, où l'ange luttait à mains nues contre la détermination féroce d'un grand prédateur. L'ange n'était pas aussi puissant que la bête, mais son intelligence et sa ruse contrebalançaient cette lacune et lui donnaient presque l'avantage. Et s'il s'agissait en réalité d'un combat entre le Bien et le Mal ? se demanda Wendy. Entre le paradis et l'enfer ? Entre les anges et les démons ? Pendant un bref moment, la jeune femme eut la conviction que Joseph Heywood et Dantay Sterling appartenaient à deux clans différents. Deux clans ennemis, formés d'êtres surnaturels, qui se livraient une guerre sans merci sur la Terre. N'ayant plus accès à leur propre monde, ils utilisaient le nôtre comme champ de bataille.

— Vous ne réussirez pas, Samuel et toi ! s'exclama brusquement Dantay. Nous ne vous laisserons pas faire !

Même s'il lui restait peu de temps à vivre, Wendy eut soudain la certitude qu'elle n'avait pas encore accompli ce qu'on attendait d'elle. Son heure n'était pas encore venue; il était trop tôt. C'est pourquoi Joseph devait sortir vainqueur de cette bataille, afin que tous les deux puissent échapper à Dantay et au destin funeste que ce dernier leur réservait.

— Bats-toi, Joseph ! cria-t-elle au jeune ange pour l'encourager. Bats-toi !

Les paroles de Wendy firent sourire Dantay.

— Elle s'inquiète pour toi, on dirait, ricana celui-ci à l'intention de Joseph.

L'ange profita de cette brève interruption pour agripper solidement Dantay. Dans un effort prodigieux, Joseph souleva son adversaire et le fit passer par-dessus son épaule. Une fois Dantay au sol, Joseph se retourna promptement et bondit sur lui. À l'atterrissage, l'ange s'assura de planter son genou dans l'abdomen de Dantay, puis appuya de tout son poids, afin de maintenir son opposant au sol et de l'empêcher de se relever. Joseph lui asséna ensuite deux directs du gauche au visage et enchaîna avec un crochet du droit, puis un autre. Plutôt que de geindre sous les coups, Dantay éclata de rire. Il riait fort, presque à s'en étouffer.

— Tu n'es pas de taille à lutter contre moi, Asfaël, tu devrais le savoir mieux que quiconque !

Joseph porta un dernier coup au visage de Dantay, puis se releva et courut en direction de Wendy. La jeune femme gisait toujours sur le carrelage du couloir.

— Amène-toi ! dit-il simplement en l'attrapant par le bras et en l'entraînant à sa suite. Il faut mettre le plus de distance possible entre lui et nous !

Wendy n'avait pas eu à fournir le moindre effort pour se relever; la seule force de Joseph avait suffi à la remettre sur ses pieds. Ensemble, ils coururent jusqu'à l'angle du couloir. Une fois là-bas, Joseph serra Wendy contre lui, puis, sans prévenir, les projeta tous deux contre un alignement de grandes fenêtres, qui donnaient sur le terrain de football de l'école. Wendy songea que ces fenêtres étaient beaucoup trop solides pour être brisées, et qu'ils allaient se heurter violemment contre elles. Ce ne fut pas le cas : Joseph parvint à fracasser l'une des épaisses vitres et à les entraîner tous les deux vers l'extérieur. Une fois la fenêtre traversée, ils se retrouvèrent dehors, et alors qu'ils s'apprêtaient à toucher terre, deux immenses ailes noires apparurent derrière Joseph, comme si elles avaient surgi de son dos. Les ailes s'activèrent sans tarder; elles commencèrent à battre l'air, et les deux jeunes gens s'élevèrent aussitôt vers le ciel. On dirait bien que les anges peuvent voler, après tout! observa Wendy alors qu'ils prenaient de l'altitude. Tout ça lui paraissait tellement surréaliste.

Plus bas, Wendy vit Dantay bondir à son tour à travers la fenêtre brisée et retomber agilement sur le sol, à la manière d'un félin. Une paire de grandes ailes noires, identiques à celles de Joseph, se déployèrent alors dans son dos. Dantay émit un rugissement en les apercevant au-dessus de lui, puis s'élança vers eux en battant des ailes, mais il était déjà trop tard : Wendy et Joseph se trouvaient déjà à plusieurs mètres de hauteur et poursuivaient leur envolée à une vitesse fulgurante. Dantay ne pourrait pas les rejoindre, Wendy tâchait de s'en convaincre; son sauveur était peut-être moins puissant que l'homme-panthère, mais il était certainement plus agile et plus rapide.

Joseph et sa passagère s'éloignèrent de l'école à vive allure avant de prendre la direction de la ville, puis celle de l'appartement de Wendy. La jeune femme jetait parfois des coups d'œil derrière eux, pour s'assurer que personne ne les suivait. Le ciel était vide ; aucune trace de Dantay. À partir de cet instant, elle respira mieux, mais surtout, ne douta plus : Joseph Heywood était bel et bien un ange gardien. Le mien, espéra Wendy, tandis que le jeune ange la tenait dans ses bras et que tous deux volaient au-dessus d'Havilah.

« Accepter l'inévitable sans révolte, ne pas s'apitoyer sur soi, penser encore à être utile, bien sûr, c'est cela le courage, beaucoup plus que des actes héroïques. »

Anne Bernard

13.

Joseph la ramena jusqu'à son appartement et la déposa avec précaution dans son lit. Il faisait nuit, et on n'y voyait presque rien. Wendy tenta tout de même de repérer la silhouette de son protecteur avant de poser la tête sur son oreiller. Elle voulait le remercier de son intervention, mais bien vite, elle réalisa que Joseph avait déjà disparu. Se croyant désormais seule dans sa chambre, elle se prit à regretter le départ du jeune ange. Elle se sentait en sécurité auprès de lui, plus qu'auprès de n'importe qui d'autre.

— Pourquoi n'es-tu pas resté ? lui demanda Wendy à haute voix, comme s'il était toujours là.

Étendue sur son lit, tout habillée, elle fixait la fenêtre ouverte par laquelle Joseph s'était sans doute envolé. Il fallut quelque temps à ses yeux pour s'habituer à l'obscurité. C'est en tournant légèrement la tête qu'elle aperçut la silhouette d'un autre homme, qui se tenait debout à l'autre extrémité de la pièce. Il observait la jeune femme en silence, sans bouger. Wendy n'avait pas peur ; elle reconnaissait son odeur. Une odeur suave, semblable à celle que dégageait Joseph. Ces effluves envoûtants, bien que subtilement distincts, n'émanaient que des anges.

— Joseph est un ange rebelle, un déchu, déclara Samuel en sortant de l'ombre. Il ne ressent rien, aucune émotion.

Ce furent ses premières paroles. Un petit bonjour aurait été apprécié, songea Wendy.

— Et il est dangereux, renchérit Samuel.

S'attendait-il à une quelconque réaction de la part de Wendy ? Quoi qu'il en soit, la jeune femme ne répondit rien. Joseph pouvait bien être dangereux, mais c'était tout de même lui qui l'avait tirée des griffes de Dantay Sterling. Personne d'autre n'était intervenu, pas même Patrick, son meilleur ami, qui avait préféré détaler comme un lièvre.

Samuel poursuivit :

— C'est son rôle de te protéger. Il ne le fait pas par attachement.

Wendy eut la désagréable impression que Samuel en savait beaucoup trop sur elle. Elle étira le bras vers sa table de chevet pour allumer la petite lampe qui s'y trouvait. Lorsque la lumière éclaira la pièce, Samuel ne broncha pas ; il demeura immobile. Sans savoir pourquoi, Wendy était certaine que cela l'incommoderait. Mais non, les anges ne craignent pas la lumière, se dit-elle. S'ils ont peur de quelque chose, ça ne peut être…

— … que des ténèbres, compléta Samuel pour la jeune femme.

Wendy parut surprise.

— Tu peux lire dans mes pensées, pas vrai ?

Samuel ne répondit pas. De toute façon, c'était inutile. Wendy était certaine qu'il arrivait à s'introduire dans sa tête et à savoir ce qui s'y passait. Il y avait un problème, cependant, et Wendy ressentit un vertige juste à y songer : si Samuel arrivait à lire dans ses pensées, alors ça signifiait que Joseph y parvenait aussi et…

— Non, intervint rapidement Samuel, sans doute pour la rassurer, Joseph ne le peut pas. Seuls quelques anges détiennent ce pouvoir, dont moi.

Wendy éprouva un grand soulagement. Joseph n'avait donc pas découvert à quel point elle était attirée par lui, et maintenant plus que jamais. La jeune femme ne voulait pas qu'il l'apprenne. Pas tout de suite, du moins. Mais pourquoi se montrait-elle aussi pudique ? Ça ne lui ressemblait pas. Avant la fin prochaine de son existence, la jeune femme devait profiter de chaque moment. Pourquoi ne pas avouer son attirance à Joseph, alors ?

— C'est grâce à moi si tu as pu éviter l'hôpital jusqu'ici, affirma Samuel d'une manière abrupte, comme s'il était agacé par quelque chose.

C'était là toute première fois que Wendy voyait Samuel perdre ainsi son calme. Qu'espérait-il au juste ? Qu'elle chasse

Joseph de ses pensées ? Wendy se demanda s'il existait une compétition entre les deux anges. Samuel et Joseph étaient-ils… rivaux ? Joseph avait sauvé la vie de Wendy, et cette dernière lui en serait éternellement reconnaissante. Samuel tentait-il à son tour de se faire valoir aux yeux de la jeune femme, en laissant entendre qu'il lui avait également épargné la mort ou, à tout le moins, de pénibles souffrances ?

— Je t'ai préservée de la maladie, précisa le jeune ange.

Le silence de Wendy invita Samuel à continuer :

— Sans moi, ton état se serait détérioré davantage. Tu ne te sentirais pas aussi forte. Ton cancer est très agressif. Plusieurs organes sont touchés. La plupart des gens chez qui la maladie a atteint ce stade ne peuvent mener une vie aussi remplie que la tienne. Plusieurs ne peuvent même pas quitter leur lit.

Voilà donc ce qui expliquait la grande forme de Wendy ces derniers jours ; si elle se sentait aussi bien, c'était grâce à Samuel. Ça n'avait rien à voir avec une rémission, comme elle l'avait cru au départ.

— Je ne peux pas te guérir, l'informa aussitôt Samuel. Seul Dieu a le pouvoir de décider qui vit et qui meurt. J'empêche seulement la maladie de t'affaiblir et de te faire souffrir.

Il hésita un moment, puis ajouta :

— Ton bien-être me tient à cœur, Wendy, beaucoup plus qu'à Joseph.

Samuel avait changé de ton, brusquement, et ne regardait plus Wendy de la même façon. Ses traits crispés s'étaient détendus et son regard, tantôt sévère, s'était radouci. Il semblait confus, comme s'il regrettait d'avoir été rude avec la jeune femme. Souhaitait-il se racheter en affirmant que son bonheur comptait davantage à ses yeux qu'à ceux de Joseph ? Le comportement de Samuel ressemblait à celui qu'adoptait parfois Patrick lorsque Wendy lui parlait d'autres garçons. Était-il possible qu'il soit jaloux de Joseph, son compagnon ? Cela aurait été fort étonnant de la part de Samuel, lui qui, lors de ses précédentes visites, paraissait toujours si raisonnable et si sûr de lui. Les anges, symboles de la compassion et de la pureté, pouvaient-ils éprouver ce genre de sentiments hostiles, tel que l'envie et la jalousie ? Pour ça, se dit Wendy, il faudrait que Samuel soit amoureux de moi, non ? Ou du moins, qu'il croie l'être. Les anges peuvent-ils aimer ? Pas selon Rita Montambault…

— L'Adversaire est le plus puissant de nos ennemis, poursuivit Samuel. Ses disciples sont partout, et ils peuvent être très dangereux.

— Qui est l'Adversaire ?

— Tu sais très bien de qui je veux parler, Wendy.

— Le diable ? Satan ?

Samuel conserva le silence, se contentant de confirmer d'un seul hochement de tête. Avait-il peur de le nommer ?

— Il ne mérite pas que l'on prononce son nom, s'empressa de préciser Samuel.

Wendy comprit qu'il ne fallait pas insister. Sur ce sujet, du moins. Mais elle n'en avait pas terminé avec son interrogatoire, loin de là.

— Cet homme, Dantay Sterling, c'est un de vos ennemis, n'est-ce pas ? Un des disciples de l'Adversaire ?

— C'est un déchu, répondit Samuel. Comme tous les déchus, il est né ange, mais s'est rebellé contre le Grand Créateur. Il a laissé sa haine pour Dieu le consumer.

— C'est ce qui est arrivé à Joseph ?

Samuel approuva :

— D'une certaine façon, oui.

Wendy songea qu'elle avait toujours eu un faible pour les cas désespérés. Elle ne pouvait pas s'enticher du bel ange céleste, non, il fallait bien sûr qu'elle craque pour le rebelle, le déchu, le jeune ange au futur pas très reluisant.

— Pourquoi travailler avec lui alors ? Je croyais que Joseph et toi étiez amis.

— Nous l'étions, il y a très longtemps.

— Et qu'êtes-vous maintenant ?

— Des partenaires, rétorqua Samuel. Les Archanges ont besoin de Joseph pour remplir une mission, voilà tout. Il possède la force et les connaissances nécessaires pour se mesurer à des créatures comme Dantay, ce qui nous sera fort utile pour assurer ta protection.

— Pourquoi Sterling a voulu s'en prendre à moi ?

— Pour t'empêcher de traverser.

— M'empêcher de… traverser ?

Samuel s'apprêta à répondre quelque chose, mais se ravisa au dernier moment. L'ange releva légèrement la tête, puis fixa Wendy avec ses yeux magnifiques. Il observait la jeune femme avec intensité, comme s'il cherchait à la sonder, à pénétrer son esprit. Son regard était plongé profondément en elle, au point où Wendy eut l'impression qu'il pouvait voir jusqu'à son âme. Contrairement à lui, Wendy n'arrivait pas à lire dans les pensées des gens, mais juste à son air circonspect, elle pouvait aisément deviner ce que l'ange se disait : « Est-elle prête à connaître la vérité ? Est-il trop tôt pour tout lui dévoiler ? Le supportera-t-elle ? » Après un moment de silence, il se décida enfin à parler.

— Il existe deux royaumes terrestres, commença-t-il, presque en murmurant.

Il agissait à son corps défendant. Il était contre l'idée de faire ces révélations à Wendy. Toutefois, les Archanges Raphaël et Gabriel avaient exigé qu'il parle à la jeune femme, qu'il lui explique la situation, ce qu'il fit :

— Deux univers qui évoluent en parallèle, poursuivit Samuel avec la même retenue, mais qui sont de natures fort différentes. L'Éden et la Jehenn sont les opposés l'un de l'autre. Ce monde-ci, celui que tu connais depuis ta naissance, se nomme l'Éden. On le décrit parfois comme le paradis terrestre.

C'est le jardin de Dieu, qu'il a lui-même créé, puis offert aux hommes.

— Je connais le jardin d'Éden, rétorqua Wendy. On en parle dans la Bible.

Cette Bible, Rita Montambault lui en lisait des passages presque tous les soirs, après le dîner. Une véritable torture, mais quel excellent somnifère !

— Il existe aussi un enfer terrestre, continua le jeune ange : la Jehenn. C'est un monde identique à celui-ci, mais qui est gouverné par l'Adversaire. C'est le mal qui règne en permanence dans cet univers.

— Je vois… fit Wendy, qui croyait plus ou moins à son histoire. Et selon toi, le mal ne règne pas ici ?

Le mal régnait autant ici, sur la Terre, que partout ailleurs, Samuel ne pouvait le nier. Wendy en avait fait l'expérience : le mal, elle l'avait côtoyé toute sa vie.

— Le mal existe également dans l'Éden, consentit l'ange, sous différentes formes, mais il est contrebalancé par les forces du bien. Dans la Jehenn, il en va tout autrement : le mal est omniprésent, il est partout. Il y a bien une résistance, formée de combattants du bien, mais elle est peu menaçante. Le système de dénonciation est si présent dans la Jehenn qu'il est pratiquement impossible pour les partisans du bien de se regrouper ou de faire passer l'information qui leur permettrait d'opérer efficacement. Plusieurs cellules de résistance ont été démantelées. Tous leurs membres ont été assassinés, ainsi que leurs « supposés » partisans, car personne n'a jamais pu prouver l'appartenance de ces gens au mouvement de rébellion. L'Adversaire et ses disciples parviendront bientôt à endiguer toute forme d'opposition, et peut-être même à l'annihiler complètement.

Samuel fit une pause. Heureusement, car il fallut quelques instants à Wendy pour assimiler tous ces renseignements. C'était beaucoup trop d'informations en si peu de temps.

Samuel reprit :

— Dans ta chambre, l'autre soir, je t'ai dit que nous avions besoin de toi. C'est encore vrai. En fait, c'est ce qui explique nos visites. Nous souhaitons te recruter.

— Me recruter ? Pourquoi ?

— Les Archanges m'ont confié une mission. Je dois te faire traverser de l'autre côté, dans la Jehenn.

— Tu veux dire que…

— Que tu dois te rendre là-bas, oui.

Wendy éclata de rire.

— Ma foi, on dirait que tu es sérieux.

— Les anges le sont toujours.

« La mort est douce : elle nous délivre de la pensée de la mort. »

Jules Renard

14.

Samuel espérait-il réellement que Wendy plie bagage et file s'établir dans cette Jehenn, ce truc qu'il décrivait comme un « enfer terrestre » ? Non, c'est trop ridicule, se dit Wendy, il ne peut pas avoir dit ça. Ou peut-être que si, se ravisa-t-elle, mais alors il est complètement dingue. La jeune femme ne put se retenir plus longtemps et s'esclaffa de plus belle.

— Mes jours sont comptés, dit-elle entre deux rires, et tu veux m'envoyer les finir là-bas ?

— Joseph t'y accompagnera.

Wendy n'y croyait pas : c'était le seul truc que Samuel avait trouvé pour la convaincre ? Cela lui enleva toute envie de rire.

— Il me plaît bien, Joseph, rétorqua-t-elle, sérieusement cette fois, mais pas assez pour que je le suive jusqu'en enfer !

— Ce n'est pas l'enfer, la corrigea aussitôt Samuel.

Comme si ça pouvait changer quelque chose.

— Ça y ressemble, si j'en crois ta description. Un monde dirigé par Satan, ça s'appelle l'enfer, dans mon livre à moi.

Samuel secoua la tête, comme s'il trouvait désolant que la jeune femme ne comprenne pas.

— Le mal est intelligent et discipliné, expliqua-t-il. Tu t'imagines à tort que la Jehenn est un monde violent, dominé par des hordes de brutes assoiffées de sang qui mettent le feu aux bâtiments et assassinent sommairement tous ceux qu'ils rencontrent sur leur chemin. La Jehenn n'a rien à voir avec ces sociétés chaotiques et barbares que l'on nous présente dans les films postapocalyptiques. L'Adversaire ne souhaite pas le chaos, bien au contraire. Il souhaite le pouvoir, et n'a aucune envie de régner sur un monde violent et désorganisé. Il veut régner sur la création de Dieu, à la place de Dieu. Il est jaloux et a soif de pouvoir, mais ne se considère pas comme un destructeur. Quant au véritable enfer, il n'existe plus. Il a été anéanti par les Archanges lorsque ces derniers ont enfin remporté la guerre contre les forces du mal. L'Adversaire a assisté à la destruction de son royaume, mais ignore tout de sa défaite. Encore aujourd'hui, il croit que Dieu et ses anges ont été anéantis au même moment que l'enfer. L'Adversaire et ses disciples demeurent convaincus d'avoir gagné la bataille. L'enfer n'existant plus, ils se sont réfugiés sur la Terre, beaucoup trop heureux de se retrouver parmi les humains et de s'approprier enfin l'Éden créé par Dieu.

— Tu as bien dit l'Éden ? intervint Wendy, qui craignait de ne plus comprendre. Plus tôt, tu as pourtant dit que le diable gouvernait la Jehenn et non l'Éden…

— L'Adversaire et son armée ont été bernés, répondit Samuel, car Dieu avait prévu le coup : un peu avant que l'enfer soit détruit, Notre Seigneur Tout-Puissant s'est assuré de créer une copie conforme de sa précieuse création. Une sorte de duplicata. Un double, si tu veux. C'est sur cette fausse Terre, ce leurre, que l'Adversaire s'est retrouvé. Il y règne en maître depuis le 6 juin 1932, jour de son exil. Jamais il ne s'est douté que l'Éden, la véritable création de Dieu, avait été épargnée.

Cette fausse Terre dont il parlait pouvait-elle avoir un lien avec le cauchemar de Wendy, celui qu'elle faisait parfois la nuit et qui la transportait dans le dortoir de l'hôtel Lebensborn ? Le simple fait de repenser à cet endroit sinistre mettait la jeune femme dans tous ses états. Et que dire de ce sombre individu, ce Carnivean, qui s'en prenait chaque fois à elle ? Et pourquoi cette étrange version de Patrick qui se portait toujours à sa défense ? Y avait-il un message à déchiffrer ici ? Wendy devait vite évacuer ces images de son esprit.

— En 1932, les peuples de l'Éden et de la Jehenn s'apprê-taient à connaître leur Seconde Guerre mondiale, poursuivit Samuel. L'Adversaire et ses fidèles conclurent donc une alliance avec la civilisation la plus encline à collaborer avec eux : l'Allemagne nazie d'Adolf Hitler. Non pas celle de l'Éden, qui fut défaite par les alliés en 1945, mais celle de la Jehenn, dont le destin restait encore à déterminer. L'Adversaire savait qu'une guerre menaçait l'humanité et qu'elle serait déclen-chée par les nazis, ses nouveaux alliés humains. Souhaitant la victoire de ces derniers, le Prince du mal eut recours aux services d'hommes peu scrupuleux, afin de modifier le cours des événements. Ainsi, il changea non seulement l'histoire de la Jehenn, mais aussi le destin de tous ses habitants. Préservé de cette influence démoniaque, le royaume de l'Éden poursuivit quant à lui sa destinée originelle, celle que tous les humains du véritable jardin terrestre connaissent aujourd'hui, conclut Samuel.

— Pourquoi les déchus comme Dantay Sterling ne préviennent-ils pas leur maître? demanda Wendy. Qu'attendent-ils pour lui révéler toute la vérité, lui dire qu'il s'est fait avoir?

— Ils ne le peuvent pas, répondit Samuel. Dantay fait partie de ces anges qui se sont rebellés après la création de la Jehenn. Ils sont retenus prisonniers ici, dans l'Éden, afin justement d'éviter qu'ils ne préviennent l'Adversaire. Ils savent que la Jehenn est une imposture, que c'est un piège tendu par Dieu pour détourner l'attention de leur maître, mais ne peuvent traverser de l'autre côté pour informer ce dernier, car le passage qui permet de voyager entre les deux mondes est gardé par de puissants Archanges.

— Alors, les déchus sont incapables de rejoindre leurs semblables dans la Jehenn?

Samuel acquiesça.

— Ce qu'ils tentent de faire, par contre, c'est empêcher nos agents de se rendre là-bas.

— Vos agents? Quels agents?

— Des humains que nous envoyons dans la Jehenn et qui ont pour mission de s'assurer que le secret entourant l'existence du deuxième royaume soit préservé. Si l'Adversaire venait à découvrir la supercherie, il quitterait la Jehenn et tenterait d'envahir l'Éden. La guerre entre les anges rebelles et célestes se poursuivrait alors, mais au lieu de se dérouler dans les cieux et aux enfers, elle ferait rage ici, sur la Terre. Crois-moi, les humains ne souhaitent pas ça.

— C'est ce que Dantay a essayé de faire ? Empêcher un de vos agents de quitter la Terre pour la Jehenn ?

Samuel ne répondit pas. Il regardait Wendy sans rien dire, un peu mal à l'aise. Soudain, la jeune femme comprit : « Nous souhaitons te recruter, avait dit Samuel plus tôt. Les Archanges m'ont confié une mission. Je dois te faire traverser de l'autre côté, dans la Jehenn. »

— C'est moi, dit Wendy à voix basse.

Puis, en relevant la tête vers Samuel, elle ajouta :

— Je suis cet agent, n'est-ce pas ?

L'ange fit oui de la tête.

— Si tu acceptes, bien sûr, précisa-t-il. Nous avons été informés que l'Adversaire est sur le point de découvrir la vérité au sujet de l'Éden. Nous devons à tout prix empêcher cela. Malheureusement, les anges célestes ne peuvent se rendre dans la Jehenn. Là-bas, ils seraient immédiatement repérés. De plus, l'Adversaire et ses déchus croient avoir vaincu Dieu et exterminé tous ses anges. Nous ne pouvons prendre le risque de nous exposer. La seule personne qui puisse se rendre là-bas avec toi, c'est Joseph.

— Parce qu'il est originaire de la Jehenn ?

Samuel secoua la tête.

— Non, c'est dans l'Éden que Joseph a perdu son titre d'ange céleste. Malgré cela, nous croyons qu'il parviendra à infiltrer l'entourage de l'Adversaire sans trop de problèmes. La Jehenn est un monde où les anges rebelles et les humains se côtoient régulièrement. Il n'y a pas de mystère là-bas : êtres mortels et surnaturels vivent ensemble. Les forces de répression au service de l'Adversaire sont composées principalement d'anges déchus : service de renseignements, police secrète d'État, armée d'élite et escadron de protection SS. Joseph se fondra dans la masse. Son aura étant celle d'un déchu et non d'un céleste, il ne sera pas découvert, à moins de le vouloir vraiment.

— Je croyais que les déchus ne pouvaient se rendre dans la Jehenn ?

— Joseph a obtenu une permission spéciale, expliqua Samuel, grâce à l'Archange Michaël.

Du temps s'écoula, puis Wendy demanda :

— Admettons que j'accepte, qu'est-ce que je devrai faire là-bas ?

— Être toi-même, c'est tout, répondit Samuel. Tu joueras ton propre rôle. Ce monde est le miroir du nôtre. Là-bas existe une autre Wendy Wagner. Elle appartient à la Jehenn comme tu appartiens à l'Éden. Tu n'auras pas besoin d'une nouvelle identité puisque tu prendras sa place. Simple, non ? Pour toi comme pour nous, c'est la couverture idéale.

— Alors, c'est pour cette raison que vous faites appel à moi ? Parce qu'il y a une autre Wendy Wagner et qu'il me sera facile de la remplacer ?

— La majorité des personnes vivant sur la Terre ont leur double dans la Jehenn, expliqua Samuel. S'il ne s'agissait que de cela, nous aurions pu choisir quelqu'un d'autre. Non, la principale raison pour laquelle nous avons besoin de toi, c'est que tu es la fille de Charles Wagner.

Wendy sourit.

— Mon père est mort en prison, et ma mère est internée dans un institut psychiatrique. Tous les deux étaient des criminels. Ensemble, ils ont fait beaucoup de ravages. Ils ont même tué des gens.

— Le mal triomphe toujours dans la Jehenn, lui rappela Samuel. Là-bas, ta mère et ton père sont de véritables héros. Ce sont des proches de l'Adversaire et de hauts fonctionnaires du gouvernement. Les Wagner font partie d'un groupe très privilégié, celui des rares mortels ayant leurs entrées au palais de l'empereur. Si tu parviens à infiltrer leur famille, tu deviendras l'espionne parfaite. On ne pourrait rêver de mieux : tu vivras dans la même maison que Charles et Veronica Wagner et tu y côtoieras les mêmes déchus influents. Mais surtout, tu y fréquenteras assidûment Patrick Müller.

— Patrick ? répéta Wendy. Tu parles bien de mon ami Patrick ? Il se trouve là-bas, lui aussi ?

— Dans la Jehenn, tu es sa promise, sa fiancée. Patrick Müller est le plus grand espoir de ton père et des disciples mortels de l'Adversaire. On prédit qu'il sera le premier officier humain à intégrer les rangs de la prestigieuse Waffenengel, l'armée d'élite des anges rebelles. En cinquante ans, ça ne s'est jamais vu. Tu te rends compte? Si tu te maries avec Patrick, tu te hisseras avec lui dans les plus hautes sphères du pouvoir. Tu recueilleras d'importantes informations pour nous, concernant les stratégies militaires et politiques de l'Adversaire. Nous avons déjà un espion sur place. Dans son dernier message, il affirmait que l'Adversaire était sur le point de tout découvrir au sujet de l'Éden et de la Jehenn. En premier lieu, nous devons valider cette information. Si elle est vraie, il nous faudra alors identifier celui qui a découvert la vérité et qui compte en informer l'Adversaire. Nous devrons ensuite éliminer cette personne, avant qu'elle ne transmette l'information à son maître. C'est vital.

Si Samuel songeait à Wendy pour cette exécution, il se mettait un doigt dans l'œil, et jusqu'au coude. La jeune femme avait eu une vie difficile, c'est vrai, mais jamais au point de basculer dans la criminalité. Il lui arrivait parfois de se rebeller et de frôler la délinquance. Il n'y avait cependant pas suffisamment de rage ou de haine en elle pour aller jusqu'au meurtre. Jehenn ou pas, il était hors de question qu'elle assassine qui que ce soit.

— C'est ce que tu attends vraiment de moi? Que je trouve cet homme et que je le tue avant qu'il ne prévienne le diable qu'il s'est fait avoir? Tu rigoles, pas vrai?

— Ce que j'attends de toi, ce sont des renseignements, rien de plus. Il nous faut le nom de cet homme ou de ce déchu. Une fois qu'il sera identifié, Joseph s'occupera du reste.

— Il fera le sale boulot, tu veux dire ?

— C'est pour cette raison que nous l'avons recruté. La dernière partie de votre mission sera sans doute la plus délicate : vous devrez découvrir par quels moyens l'informateur a réussi à percer notre secret. A-t-il trouvé seul la vérité ou a-t-il bénéficié d'une aide extérieure ?

Wendy réfléchit un instant, puis déclara :

— Tu as dit que vous aviez déjà un espion là-bas. Pourquoi ne pas lui demander de faire le travail ? Ce serait beaucoup plus simple, non ?

— Ce n'est pas qu'un simple espion. On ne peut pas risquer de le compromettre, il est trop important.

— Qui est-ce ?

— Je ne connais pas sa véritable identité, avoua Samuel. Elle n'est connue que des Archanges Raphaël et Gabriel. Ces derniers soupçonnent la présence d'un traître parmi eux et considère qu'il est plus prudent de garder cette information secrète jusqu'à ce que nous ayons découvert l'identité de celui qui s'apprête à renseigner l'Adversaire. Les Archanges ont de bonnes raisons de croire que le traître et l'informateur ne sont en fait qu'une seule et même personne.

— Votre espion, il a une couverture dans la Jehenn ?

— Il passe pour un des chefs de la résistance, répondit Samuel. C'est pourquoi l'Adversaire et ses généraux aimeraient lui mettre la main dessus. Ils ignorent qu'il est en réalité un espion à la solde de Raphaël et Gabriel. Son nom de code est Jazzman. Ce sera aussi le tien. Si un jour tu te fais prendre, poursuivit Samuel, l'Adversaire croira avoir mis la main sur le véritable Jazzman. Cela nous permettra de lui sauver la vie et, plus important encore, de conserver sa couverture intacte et de le garder en poste là-bas.

— Tu veux que je me sacrifie alors? Que je me fasse passer pour ce Jazzman et que je subisse à sa place le traitement qu'on lui réserve? Ce n'est pas très tentant comme proposition…

— Uniquement si ta mission échoue et que tu es découverte, Wendy. Dans le cas contraire, nous n'exigerons rien de toi. Si tu mènes à bien ta mission, tu n'auras pas à t'inquiéter.

Si l'objectif de Samuel était de rassurer la jeune femme, il s'était drôlement planté.

— Cette exigence nous vient de Raphaël et Gabriel, expliqua l'ange. Michaël, mon supérieur, était contre l'idée de te demander ça, mais il a dû se rallier à la proposition de ses frères Séraphins. Et c'est pour le mieux, je crois. Personne ne le souhaite, mais s'il faut en arriver là, le feras-tu? Te feras-tu passer pour Jazzman si le sort de l'humanité en dépend? Il est notre meilleur espion, le plus efficace. Sans lui, il y a longtemps que l'Adversaire aurait découvert la vérité et trouvé un moyen de traverser de ce côté-ci. La Terre telle que nous la connaissons n'existerait plus. Nous avons besoin de lui, plus que jamais.

Mourir en héroïne! songea Wendy, consciente que Samuel pouvait lire dans ses pensées. Ce n'est pas donné à tout le monde!

Cette dernière réflexion était empreinte de sarcasme et l'ange en parut blessé.

— Wendy…

— Comment pourrais-je refuser une telle offre? le coupa Wendy. Se sacrifier pour le salut de l'humanité… N'y a-t-il pas meilleure façon de mourir? Oh, et à propos de mort, que fais-tu de ma maladie, Samuel? Je vais bientôt rendre l'âme, alors quelle est l'utilité de m'envoyer là-bas?

Cela suffirait-il à convaincre Samuel de renoncer à son projet? Il le fallait, espérait Wendy, c'était obligé; comment une personne – ou un ange, dans ce cas-ci – saine d'esprit pouvait-elle recruter une mourante comme espionne?

— Non, tu ne vas pas mourir, répondit Samuel du tac au tac. Dans la Jehenn, tu seras débarrassée du cancer.

« La maladie du corps est la guérison de l'âme. »
Proverbe basque

15.

Wendy demeura interdite.

— Tu… Tu es sérieux? finit-elle par demander. Débarrassée… du cancer?

— Absolument.

— Pour toujours?

— Pour le temps que tu passeras là-bas. Un simple sursis. Si tu reviens ici, la maladie continuera sa progression.

La jeune femme s'interrogea : s'il était si facile de ralentir ou de stopper la maladie, pourquoi les anges ne l'avaient-ils pas guérie, tout simplement? À moins que… Non, ce n'est pas possible! pensa Wendy. Ils ne peuvent pas avoir fait ça!

— Ce cancer, c'est vous qui me l'avez donné, n'est-ce pas? Pour m'obliger à aller là-bas?

Samuel hésita.

— Nous ne pouvions pas risquer un refus de ta part, admit-il.

— Alors, si je n'y vais pas, je meurs. Et si j'y vais, j'obtiens une rémission, c'est bien ça ? Qu'avez-vous promis à Joseph ?

— Rien.

— Rien ? Et vous lui faites confiance ?

— Il est le seul déchu qui a accepté de se rendre là-bas avec toi, alors nous n'avons pas tellement le choix. De plus, il a prêté serment devant les Archanges. Si l'envie lui prend de nous trahir…

Wendy ne put s'empêcher de compléter à la place de Samuel :

— … il sera immédiatement consumé par les feux du ciel, c'est bien ça ?

L'ange répondit par la négative, puis ajouta :

— Si Joseph nous trahit, il ne pourra plus revenir de ce côté-ci. Il demeurera à jamais prisonnier dans la Jehenn, avec ses semblables, et devra dire adieu à ses espoirs de rédemption.

— Une rédemption ? Quelle rédemption ?

Samuel ignora la question.

— Joseph a accepté notre marché, fit l'ange. Et toi, Wendy, le feras-tu ?

— J'ai le choix ? Et si je dis non, qu'est-ce qui m'arrivera ?

— Je ne pourrai plus contenir ta maladie. À la fin de la semaine, tu seras morte.

Il fallut peu de temps à Wendy pour réfléchir. Quelles étaient ses options, en réalité ? Se rebeller contre Dieu ? Envoyer promener ses anges ? Ce n'était pas l'envie qui manquait, mais au bout du compte, ça ne lui aurait rien apporté. La question était simple : souhaitait-elle mourir à la fin de la semaine ou pas ?

— Tu es plutôt coriace comme négociateur, déclara la jeune femme à haute voix.

Samuel opina du chef, puis s'approcha de Wendy. Cette dernière eut envie de reculer, de s'éloigner de l'ange, mais elle n'en fit rien. Cette soudaine proximité la rendait mal à l'aise. Que lui voulait-il ? Pourquoi s'être avancé ainsi vers elle ? Samuel leva lentement ses mains et les posa doucement sur les joues de la jeune femme.

— Je promets de veiller sur toi, assura-t-il. Tu peux me faire confiance, Wendy, en voici la preuve…

Les lèvres de l'ange touchèrent celles de Wendy. Pendant une seconde, la jeune femme se crut de retour à Rochdale, en compagnie du mystérieux inconnu. Se pouvait-il que l'homme qui l'avait embrassé ce soir-là soit Samuel ? « Je suis là depuis toujours, Wendy Wagner… » Samuel était-il son ange gardien ?

Son odeur délicieuse et le goût fruité de ses lèvres étaient presque identiques à ceux de l'inconnu. Crispée et nerveuse au début, Wendy finit par se laisser aller et répondit au baiser de Samuel. Elle fut incapable de dire combien de temps dura leur étreinte, mais ressentit un profond sentiment de solitude, une désagréable impression de vide, lorsque leurs bouches se séparèrent.

— À Rochdale, c'était toi?

Samuel la fixait de ses yeux bleu clair, presque cristallins.

— C'est ce que tu crois? lui demanda-t-il avec un sourire.

— Je ne sais pas.

— Que dit ton cœur?

Wendy prit quelques secondes pour réfléchir.

— Je pense que c'était toi, oui.

Si la jeune femme avait raison, ça impliquait forcément que Samuel était amoureux d'elle. Non, ce n'est pas possible, conclut Wendy. Il ne peut pas m'aimer, du moins, pas comme je l'entends. L'amour était interdit aux anges, c'est ce que lui avait expliqué Rita Montambault, un soir, alors qu'elles préparaient toutes les deux le dîner : « Si un ange aime une femme, il sera exclu du paradis. Cela fera de lui un déchu. » Comme Joseph? pensa immédiatement Wendy. Alors, Joseph avait déjà été amoureux?

Joseph, amoureux? Cette seule éventualité déprimait la jeune femme. Que ressentait-elle au juste, de la jalousie? Non, c'était peu probable. Qu'était-ce, alors, que cette étrange sensation qui lui serrait la poitrine? Refusait-elle d'admettre que Joseph puisse un jour avoir été amoureux? Cette éventualité l'embêtait, elle dut en convenir, même que ça l'irritait profondément.

— Tous les déchus ont été amoureux un jour ou l'autre, déclara Samuel.

Encore une fois, l'ange avait intercepté les pensées de la jeune femme.

— À part peut-être l'Adversaire et les rebelles de la première heure, crut-il bon d'ajouter, tel qu'Abaddon et Asmoday.

C'était donc pour l'amour d'une femme que Joseph était «tombé», qu'il était passé d'ange céleste à ange déchu. Wendy jugea qu'il lui fallait vite chasser cette idée de son esprit et penser à autre chose. Elle se demandait si elle avait blessé Samuel en songeant ainsi à Joseph aussitôt leur baiser terminé. Comment allait-il réagir? Allait-il lui en vouloir?

— Joseph est mauvais, la prévint plutôt Samuel. Il a tué et tuera encore. Sa condition de déchu le prive de toute conscience, de tout remords. Il ne fait plus la différence entre le bien et le mal. Il est instable et impulsif. C'est un déséquilibré, Wendy, comme tous les déchus.

Joseph, déséquilibré? Wendy avait du mal à le croire.

— Lorsque les anges se laissent tenter par l'amour, ils sont alors exclus du royaume des cieux. Reniés par leurs semblables, on les condamne à vivre parmi les hommes. Cet état de disgrâce est appelé « déchéance ». La part lumineuse qui faisait d'eux des êtres sereins et lucides s'estompe peu à peu. Privés de bons sentiments, les déchus finissent par se laisser gagner par la colère et la haine. Ils n'ont plus qu'une seule envie : défier Dieu, en répandant le mal. Voilà pourquoi on les définit parfois comme des « démons ».

— Donc, si je comprends bien, Joseph finira un jour ou l'autre comme Dantay Sterling ?

— Il n'est pas aussi affecté que Dantay, mais il n'en est pas loin. Ce n'est qu'une question de temps avant que Joseph ne soit entièrement consumé par son côté sombre. Mais s'il arrive un jour à transcender cet état, à apaiser sa haine, il pourra alors renoncer à sa nature angélique et devenir humain. C'est le seul espoir possible pour les déchus.

— C'est ce que tu voulais dire en parlant de… rédemption ?

Samuel approuva du chef.

— Mais Joseph est encore loin du compte : il lui reste plusieurs épreuves à surmonter avant d'en arriver là. Tout comme Dantay, c'est un jeune démon, et c'est aussi l'un des plus puissants.

— Et c'est obligatoirement un démon qui doit m'accompagner dans la Jehenn ? demanda Wendy.

— C'est un mal nécessaire, répondit simplement Samuel.

— Et je fais quoi s'il décide de s'en prendre à moi ?

Wendy doutait que Joseph puisse réellement lui faire du mal. N'empêche qu'il était préférable de ne pas négliger cette possibilité.

— Jazzman a promis de veiller sur toi lorsque tu seras dans la Jehenn, tenta de la rassurer Samuel. Il interviendra en cas de danger.

— Comment ferai-je pour le reconnaître, ce Jazzman ?

— Il sait qui tu es. C'est lui qui prendra contact avec toi au besoin.

Samuel s'interrompit un bref instant, puis reprit :

— Alors, Wendy, acceptes-tu mon offre ? demanda-t-il de nouveau, avec beaucoup plus d'insistance cette fois. Nous aideras-tu ? Je dois savoir maintenant.

Son air et sa façon de parler avaient changé. Ses traits s'étaient durcis, et il s'exprimait sur un ton beaucoup moins clément. Wendy n'avait plus de doutes à présent : ses pensées à propos de Joseph avaient blessé le jeune ange.

Après un moment, la jeune femme finit par acquiescer à la demande de Samuel :

— Oui, je vous aiderai.

Pour quelle raison avait-elle accepté aussi rapidement ? Était-ce par culpabilité envers Samuel ou parce que l'idée de partager cette aventure risquée avec Joseph lui plaisait bien ? Non, en vérité, c'était parce qu'elle ne voulait pas mourir. Pas d'ici la fin de la semaine, en tout cas.

Samuel la remercia en silence, d'un simple signe de tête, puis disparut. Il s'éclipsa de manière abrupte et imprévue, tel un fantôme.

16.

Le soleil était sur le point de se lever lorsque Dantay se présenta seul au cimetière de la ville. Une fois le portail franchi, il marcha jusqu'à l'extrémité du terrain, puis se réfugia derrière un arbre, à l'abri des regards. L'air frais et la présence des morts lui faisaient du bien. Il inspirait par le nez et expirait par la bouche, comme son ancien régent le lui avait appris. Dantay avait été répudié pour avoir ouvertement défié Dieu et s'être élevé contre lui après la mort violente de son amoureuse. Marqué du signe de Caïn, il avait écopé de l'exil éternel, mais c'était bien peu comparé à la douleur qu'il ressentait tous les jours en repensant à Laurence, la jeune femme qu'il avait aimée peu de temps après son arrivée dans l'Éden.

Rares étaient les anges qui ne succombaient pas au charme des humains lorsqu'ils étaient envoyés en mission sur la Terre. C'était pour cette raison que l'on y expédiait seulement les plus forts et les plus loyaux d'entre eux. Dantay, Samuel et Asfaël faisaient partie de ceux-là ; de jeunes lieutenants de l'Armée céleste qu'aucune tentation ou force obscure ne semblait parvenir à corrompre. La mission que leur avaient confiée les Archanges Michaël, Gabriel et Raphaël consistait à protéger une jeune fille du nom de Wendy Wagner. Une humaine au destin peu commun, avait précisé Michaël avant le départ des trois anges pour l'Éden. Dantay fit de son mieux pour s'acquitter de sa tâche, mais ne put résister à l'attirance qu'il ressentit pour une jeune femme à l'air timide qui croisa son chemin trois jours seulement après son arrivée sur la Terre. Le nom de cette femme était Laurence McMahon, et elle travaillait comme caissière dans une petite épicerie de quartier, sur la rue Sterling, là où la famille d'accueil de Wendy Wagner avait l'habitude de faire ses courses.

Dantay ne put chasser la jeune caissière de son esprit, malgré tous ses efforts. Il commença à la suivre partout, sans se préoccuper des mises en garde émises par Samuel et Asfaël. Il tenta bien sûr de lutter contre les sentiments étrangers qui prenaient lentement possession de lui, mais ne réussit pas à se débarrasser de leur emprise. Laurence McMahon était devenue une véritable obsession pour Dantay. Lui qui, au départ, s'était cru plus fort que ses deux compagnons fut donc le premier à tomber, c'est-à-dire à éprouver un sentiment amoureux envers une mortelle. Dès qu'il en prit conscience, il décida de se révéler à la jeune femme, ce qui lui valut aussitôt la disgrâce. D'ange céleste il passa à ange déchu, mais Dantay n'en avait que faire, car ses vœux étaient exaucés : Laurence était tombée follement amoureuse de lui et c'est tout ce qui importait à ses yeux.

Dantay était sur le point de renoncer définitivement à son Dieu lorsque Laurence fut assassinée par un jeune voyou lors d'un braquage à l'épicerie. L'ange déchu qu'était devenu Dantay se mit alors dans une colère terrible. Une colère démesurée, qui demeurait inapaisable, et qui le poussa à se révolter contre ses frères et contre son dieu. Le jeune ange entreprit de gravir la plus haute montagne du monde afin de se rapprocher du royaume des cieux. Une fois au sommet, tel que l'avaient fait les Nephilims sur la tour de Babel, il décocha une flèche en direction du ciel, tout en maudissant le Grand Créateur. Lorsqu'il redescendit de la montagne, l'ange Dantay n'était plus le même. Tout l'amour qu'il avait pu ressentir un jour pour son dieu était mort.

Il y avait maintenant trois ans que Laurence était décédée et que Dantay parcourait le monde, la vengeance au cœur. S'il était revenu dans cette région, c'était pour contrecarrer non seulement les plans de Samuel et de Joseph, ses deux anciens compagnons, mais aussi ceux des Archanges, que Dantay détestait presque autant que Dieu lui-même. Malgré la haine qu'il ressentait envers les Archanges, il avait accepté de rencontrer celui qui l'avait convié ici. Dantay ignorait pourquoi, mais sentait que cette rencontre lui serait profitable d'une manière ou d'une autre. Son instinct ne le trompait que très rarement : il devait écouter ce que l'Archange avait à lui dire.

— Heureux que tu sois au rendez-vous, déclara soudain une voix sépulcrale.

Dantay se tourna vers l'allée centrale du cimetière et vit l'Archange qui s'approchait. Il était accompagné d'un autre de son espèce, un ange de moindre importance, que Dantay connaissait bien.

— Que fait-il ici, celui-là? demanda Dantay à l'Archange tout en désignant celui qui l'accompagnait.

— Tu auras besoin de lui pour accomplir la tâche que je souhaite te confier, expliqua l'Archange.

— Tu souhaites me confier une tâche? s'étonna Dantay. Ha! ha! Elle est bien bonne. Depuis quand les Archanges recourent-ils aux services des anges rebelles?

L'Archange sourit.

— Depuis qu'ils ont des intérêts communs.

Dantay parut étonné de la réponse.

— Ah oui? Lesquels?

Il y eut un court silence.

— Il vaut mieux pour nous, mais aussi pour toi, qu'aucun mal ne soit fait à Wendy Wagner, expliqua l'Archange.

Dantay secoua la tête, tout en continuant d'afficher un sourire narquois.

— Wendy Wagner, j'en fais mon affaire, déclara-t-il, résolu. Il est hors de question que je vous laisse expédier cette jeune idiote dans la Jehenn pour espionner l'Adversaire.

— S'il était au courant de son existence, Satan interdirait que le moindre mal soit fait à Wendy. Il a besoin d'elle pour quitter la Jehenn, tout comme mes frères Archanges et moi avons besoin d'elle pour le retenir prisonnier là-bas. Tu ferais une erreur en tuant Wendy, ton maître ne te le pardonnerait pas. S'il savait réellement qui elle est, il l'accueillerait à bras ouverts, tu peux me croire.

Dantay ne comprenait pas où l'Archange voulait en venir. Ce dernier considéra la méfiance du jeune déchu comme une invitation à poursuivre.

— Les oracles divins prétendent que l'Adversaire n'arrivera à découvrir l'identité de l'Ange noir qu'avec l'aide de la morte en sursis, qui n'est autre que Wendy Wagner.

Dantay s'esclaffa de plus belle.

— Ces oracles divins ne sont que des charlatans, des imposteurs. Vous leur faites encore confiance ? Ce sont des humains, bon sang ! De vieux débris qui passent leur temps à délirer dans leur monastère. Plus personne ne croit en eux, sauf vous !

— Les oracles sont les dépositaires de la pensée divine. Ils savent tout de ce qui est advenu, comme tout de ce qui adviendra. Ils puisent leur parole à même l'esprit divin... Ce sont les prophètes de Dieu.

— Dieu a plié bagage, il a pris des vacances, rétorqua Dantay avec cynisme. Et cet Ange noir, ce n'est rien de plus qu'un autre mythe.

— Tu fais erreur. L'Ange noir existe ou existera, et il est le seul qui puisse ouvrir un passage entre la Jehenn et l'Éden. Sans Wendy Wagner, Satan ne retrouvera jamais la trace de l'Ange noir et demeurera à jamais prisonnier de la Jehenn. Tu sais comme moi que les gardiens du passage, mes frères Archanges, ne laisseront jamais ton maître et ses suppôts revenir de ce côté-ci.

— Satan ne sait pas que l'Éden existe, répliqua Dantay avec véhémence. Comment pourrait-il se lancer à la recherche de cet Ange noir ? Pourquoi chercher celui qui peut vous conduire vers un autre monde alors que vous ignorez jusqu'à l'existence même de ce monde ? C'est illogique, mon vieux. Vous ne m'aurez pas comme ça.

Il y eut un silence, qui fut uniquement troublé par le vent qui soufflait entre les pierres tombales du cimetière.

— Satan est sur le point de découvrir la vérité, révéla l'Archange, non sans avoir tout d'abord hésité à lui transmettre cette information.

— Ah ouais ? Et comment ?

— Il sera prévenu. Mais nous ne savons pas encore par qui.

Dantay se mit à rire, tout en hochant la tête, comme s'il venait de comprendre quelque chose.

— C'est pour cette raison que la jeune Wagner doit être envoyée là-bas, n'est-ce pas ? Afin d'infiltrer l'entourage immédiat de Satan et découvrir l'identité de celui ou celle qui lui révélera l'existence de l'Éden ? Vous êtes tellement prévisibles, les anges… Comptez sur moi pour vous mettre des bâtons dans les roues, les prévint-il en fixant tour à tour les deux anges. Wendy Wagner mourra avant son départ pour la Jehenn, j'en fais une priorité. Sans elle, jamais vous ne connaîtrez l'identité du mouchard. Il est grand temps que Satan soit informé de la supercherie.

L'Archange s'approcha davantage de Dantay. Tous les deux s'observèrent pendant de longues secondes avant que l'Archange ne se décide enfin à parler.

— Et si je te proposais un marché ?

Dantay ne broncha pas. Il continuait de défier son interlocuteur du regard.

— Alors ? insista l'Archange.

— Il n'y a rien que tu puisses m'offrir, répondit Dantay.

— Tu en es certain ?

— Jamais je n'accepterai quelque chose qui vient des anges.

L'Archange lui adressa un sourire en coin.

— Pas même… Laurence ?

Pour le jeune déchu, le temps sembla s'arrêter.

— Qu'est-ce que tu as dit ? grogna Dantay sur un ton menaçant.

Il sentit la colère monter en lui. Il serra à la fois la mâchoire et les poings. À quoi jouait-il, ce fou ? Dantay se doutait bien qu'il n'était pas assez puissant pour se mesurer à un Archange, et en particulier à celui-là, mais peut-être réussirait-il à lui infliger quelques blessures. Pour cela, il lui faudrait tout d'abord engager le combat. C'était bien ce qu'il avait l'intention de faire si l'Archange s'obstinait à poursuivre sur cette pente dangereuse.

— Si tu revoyais ton amoureuse, proposa l'Archange, ça pourrait te convaincre de nous donner un coup de main?

Et voilà qu'il en rajoutait. En le bravant ainsi, de façon si ouverte, l'Archange espérait sans doute démontrer à Dantay qu'il ne le craignait pas. Mais pour le déchu, ça n'avait plus la moindre importance à présent : soldat de Dieu ou pas, il avait bien l'intention de lui régler son compte, à cet imprudent, même si pour cela il devait y laisser sa propre vie.

— Je vais te tuer, Archange! s'exclama Dantay, la rage au cœur.

— Tu ne le peux pas, et tu le sais très bien, répondit calmement l'Archange. Alors, tu souhaites revoir Laurence, oui ou non? Cette offre expirera sous peu, mon ami, alors je te conseille de faire un choix, et vite.

— Laurence est morte! s'écria le déchu d'une voix tremblante, qui trahissait non seulement sa colère, mais également ment sa douleur.

L'Archange approuva d'un signe de tête.

— Une Laurence est bien morte, tu as raison, admit ce dernier. Celle qui naquit et vécut dans l'Éden. En revanche, sa contrepartie de la Jehenn est toujours vivante. Que dirais-tu si je t'autorisais à aller là-bas?

La colère de Dantay se dissipa d'un coup, ne laissant place qu'à un profond chagrin, celui qu'il ressentait chaque fois que l'image de Laurence revenait hanter son esprit. À ce moment, il était beaucoup trop ébranlé par les propos de l'Archange pour engager le combat ou même pour répliquer avec sa rudesse habituelle.

— Vous… Vous ne pouvez pas faire ça… dit-il simplement, incapable de cacher son trouble.

Tout au fond de lui, il espérait que l'Archange le contredise.

— Évidemment que nous le pouvons, affirma ce dernier avec aplomb, répondant aux espoirs de Dantay. À condition que tu nous aides, bien entendu.

Revoir Laurence, sa bien-aimée, n'était-ce pas ce que Dantay souhaitait par-dessus tout ? Ce ne sera pas la même, tenta de se raisonner le déchu. Ta Laurence est bien morte et enterrée. Cette version de Laurence que l'Archange lui proposait de revoir n'était pas celle que Dantay avait connue. Elle avait vécu dans la Jehenn et était sans doute très différente de sa jumelle de l'Éden.

— Différente, mais bien vivante, intervint l'Archange, qui pouvait lire les pensées du jeune déchu. Ça vaut mieux que rien du tout, non ?

— Et qui vous dit que je ne renseignerai pas moi-même Satan une fois dans la Jehenn ?

— Tu n'as pas choisi de t'opposer au royaume des cieux par loyauté envers l'Adversaire, mais bien à cause de ta haine pour Dieu. Tes motivations sont donc très personnelles, Dantay. Si tu songes, ne serait-ce qu'un seul instant, à évoquer l'Éden en présence de l'Adversaire ou de l'un de ses suppôts, je me verrai dans l'obligation de te ramener ici illico presto. Et tu pourras dire adieu à tout jamais à ta belle Laurence. J'ai la certitude que tu feras le bon choix.

Dantay soupesa les arguments de Michaël pendant quelques secondes, puis demanda :

— Qu'attendez-vous de moi exactement ?

L'Archange hocha la tête, satisfait.

— Pour que tout fonctionne comme prévu, une jeune femme doit accompagner Wendy Wagner dans la Jehenn. Son nom est Juliette Foster. Elle est l'amie de Wendy. Toutes les deux vont à la même école.

C'était donc cette tâche que l'Archange souhaitait lui confier depuis le début.

— Je dois la supprimer ?

— Tu dois seulement la blesser, rectifia l'Archange. Tu la laisses dans un sale état, mais elle ne doit pas mourir, c'est primordial. Et n'oublie pas : ce projet doit rester secret. Comme tu le sais, mes frères et moi n'aimons pas les déchus bavards.

— Et quand dois-je accomplir ce boulot ?

— D'ici quelques heures à peine.

— Quoi ? Mais je dois me préparer et…

— Non, le coupa sèchement l'Archange, tu te rendras à l'école secondaire d'Havilah dès ce matin. Personne ne doit savoir que tu cherches à t'en prendre uniquement à Juliette Foster. Fais croire à une fusillade s'il le faut, l'important est que tu laisses cette jeune femme dans un état proche du coma, tu as bien saisi ?

— Pourquoi ne pas le faire vous-même ?

L'Archange déposa une main sur l'épaule du déchu, puis lui dit, sur le ton de la confidence :

— Comme tu le sais, mon ami, il y a des choses que même les anges célestes ne peuvent accomplir. C'est pourquoi les déchus existent.

L'Archange se tourna ensuite vers le second ange, celui qui était venu avec lui. Ce dernier se tenait légèrement en retrait.

— Il t'accompagnera, annonça l'Archange en désignant son compagnon. Afin de s'assurer que le boulot soit fait correctement.

— Pas question de traîner cet idiot avec moi, protesta Dantay.

— Ce n'est pas une demande, répondit l'Archange sur un ton qui n'admettait pas de réplique. Tu n'as pas le choix. C'est nous qui dictons les règles. Si tu tiens toujours à revoir Laurence, bien sûr. Alors, tu acceptes ou pas ? lui demanda-t-il avec une pointe d'impatience.

Dantay poussa un long soupir. Il dut se rendre à l'évidence : qu'il s'agisse ou non de la véritable Laurence, ça n'avait plus d'importance. La seule pensée de tenir de nouveau la jeune femme dans ses bras, de sentir encore sa peau contre la sienne, de respirer les doux effluves de son odeur, aurait suffi à le convaincre d'assassiner n'importe qui sur terre.

— Juliette Foster, hein ?

« Au plus fort de l'orage, il y a toujours un oiseau pour nous rassurer. C'est l'oiseau inconnu, il chante avant de s'envoler. »

René Char

17.

Wendy peinait à terminer son petit-déjeuner lorsqu'elle fut surprise par une série de coups qui retentirent contre la porte de son appartement : *Bang ! Bang ! Bang !* Le bruit était atroce. Elle avait l'impression que c'était sa tête qu'on martelait ainsi.

Bang ! Bang ! Bang !

— Ouvrez ! ordonna soudain une grosse voix rauque. Nous savons que vous êtes là, mademoiselle Wagner ! Ouvrez la porte !

C'était un matin pénible pour Wendy. Depuis qu'elle avait quitté son lit, tout son corps lui faisait mal. La jeune femme était brûlante de fièvre et devait lutter contre une migraine carabinée. Prise de nausées, elle devait s'accrocher à sa chaise pour conserver un semblant de stabilité. C'était insupportable. Wendy aurait voulu sortir de son corps. Gare à ce que tu souhaites, ma belle, la prévint une petite voix intérieure, tu pourrais l'obtenir plus vite que tu ne le crois !

— Tu vas mourir, Wagner, si on ne se rend pas tout de suite à l'hôpital.

C'était une voix bien réelle qui s'était adressée à elle cette fois. Une voix chaude et suave, appartenant à un homme. Malgré son état, Wendy parvint à tourner la tête et à lever les yeux vers celui qui avait parlé. C'était Joseph. Apparemment, il était revenu veiller sur la jeune femme après le départ de Samuel. Les bras croisés, une épaule appuyée contre l'un des murs du salon, il observait Wendy avec un petit sourire malicieux. À quoi d'autre aurait-elle pu s'attendre de la part d'un ange déchu ? Bien sûr qu'il se moquait de sa douleur !

Bang ! Bang ! Bang !

Encore ces bruits d'explosions qui résonnaient dans la tête de Wendy comme des coups de canon.

— Qu'est-ce que c'est que ça ?

— Ils vont défoncer la porte si tu ne leur ouvres pas, l'informa Joseph. Ce sont des policiers. Ils veulent t'interroger à propos de ce qui s'est passé hier, à l'école. C'est ton ami Patrick, le *courageux* Patrick, qui a pris contact avec eux.

Joseph faisait allusion à l'incident impliquant Dantay Sterling, qui s'était déroulé la veille. En parlant ainsi, le déchu insinuait que Patrick Müller avait démontré beaucoup plus de lâcheté que de courage face à Dantay. Cette réaction de son ami, Wendy l'avait comprise, même si cela ne correspondait pas à l'opinion qu'elle s'était faite de lui au cours des années. Tôt ou tard, il lui faudrait admettre la vérité : Patrick l'avait bel et bien abandonnée. Il avait pris la poudre d'escampette, la laissant seule avec ce fou furieux de Dantay. Wendy trouvait d'ailleurs curieux que le Patrick de la Jehenn ait choisi d'étudier à l'académie militaire. Du moins, c'est ce qu'avait prétendu Samuel. Le Patrick de l'Éden s'affichait au contraire comme un pacifiste et s'opposait à toute forme de conflit armé. Elle en conclut que les habitants de l'Éden et leurs doubles de la Jehenn étaient des êtres très différents, avec des personnalités bien distinctes. À quoi peut bien ressembler la Wendy Wagner de la Jehenn ? Est-elle tout le contraire de moi ? songea la jeune femme.

— Tu peux m'aider ? demanda-t-elle ensuite à Joseph.

En fait, c'était davantage une supplication qu'une demande. Wendy devait se lever, quitter la cuisine, sinon elle était certaine de s'évanouir. Joseph s'approcha d'elle et la prit dans ses bras. La tête lourde et fiévreuse de la jeune femme roula dans le creux de son épaule. Il sentait bon. Wendy se serait attendue à autre chose de la part d'un ange déchu ; une odeur de soufre, par exemple, qui rappelait le diable et l'enfer. Mais l'odeur du mal était-elle réellement mauvaise ? Non, c'était une fausse croyance, et Wendy en avait la preuve à cet instant. La plupart des plaisirs interdits sur cette terre n'avaient-ils pas un goût exquis, une fragrance exaltante ? Bien sûr que si, se dit la jeune femme, et il en allait de même pour les déchus. Jamais le diable et ses disciples n'auraient commis l'erreur de se présenter aux humains sous des formes répugnantes. Ce qu'ils voulaient, c'était séduire, afin de pousser l'être humain au péché. C'était pour cette raison que Joseph paraissait beaucoup plus séduisant que Samuel. Parce qu'il était fondamentalement mauvais et que les choses mauvaises étaient attirantes. En tout cas, pour les détraquées dans mon genre, songea Wendy. Depuis qu'elle était toute petite, elle avait le goût du risque, et ce rapprochement avec Joseph en faisait bien la démonstration. Les paroles de Samuel lui revinrent alors en mémoire : « C'est un déséquilibré, Wendy, comme tous les déchus. » D'accord, mais ne l'es-tu pas toi-même, déséquilibrée, Wendy Wagner ? demanda la petite voix. Bien sûr que si, elle l'était. Entre le bon et le mauvais ange, elle allait certainement choisir le mauvais. Samuel avait prétendu que Joseph était dangereux. Possible. C'était tout de même lui qui avait permis à Wendy d'échapper à Dantay, non ? Si c'était d'un homme dangereux qu'elle avait besoin pour la tirer de situations semblables, eh bien soit, elle acceptait volontiers de fréquenter Joseph Heywood. Un détail qu'elle semblait négliger cependant : si Samuel était réellement l'inconnu de Rochdale, cela ne remettait-il pas tout en question ? C'est envers Samuel qu'elle aurait dû démontrer de l'intérêt, et non envers Joseph.

— Je peux te faire confiance, Joseph ? demanda Wendy d'une voix affaiblie.

La jeune femme se sentait de plus en plus lasse. Elle allait bientôt perdre connaissance. La proximité de Joseph lui apportait néanmoins une chaleur réconfortante. L'ange était fort, et malgré tout ce qu'on avait pu lui raconter à son sujet, elle se sentait en sécurité dans ses bras, comme jamais auparavant.

— Me faire confiance ? Pourquoi pas ! répondit le déchu sans la moindre hésitation.

Bang ! Bang ! Bang ! Cette fois, les policiers étaient à bout de patience. Sans plus attendre, Joseph se dirigea vers la porte opposée, celle du salon, qui donnait sur la cour arrière. Il l'enfonça d'un seul coup de pied, pour ensuite entraîner Wendy avec lui vers l'extérieur. Une fois sur le balcon, Joseph serra la jeune femme contre lui, puis bondit par-dessus la balustrade et tous les deux s'envolèrent vers le ciel. Wendy reconnut le battement des grandes ailes noires qui s'agitaient dans le dos de Joseph. Plus les battements étaient puissants, plus ils gagnaient en altitude. Je suis Lois Lane, pensa alors Wendy, et j'ai mon Superman !

Plusieurs mètres plus bas, la jeune femme aperçut un couple de policiers surgir dans la cour arrière. Ils avaient fait le tour du bâtiment en toute hâte pour les surprendre. Les policiers étaient incapables de croire à ce qu'ils voyaient :

— Nom de Dieu, mais tu as vu ça ? C'est dingue !

— Qu'est-ce que c'est ? On dirait un grand oiseau !

— Mais non, idiot, c'est un homme, tu vois bien !

— Un homme ?

— Un homme avec… des ailes.

Un homme avec des ailes… se répéta Wendy, certaine qu'elle allait bientôt sombrer dans l'inconscience. Mais ce ne fut pas le cas.

— Tu connais Benny Goodman ? lui demanda brusquement Joseph.

Il avait dû crier, pour couvrir le bruit du vent, mais sa passagère l'avait très bien entendu.

— Benny Goodman ? répéta Wendy en criant à son tour.

Elle était surprise par sa question, et ne savait pas quoi lui répondre.

— Le roi du swing! s'exclama Joseph. J'adore le swing!

Était-ce le bon moment pour discuter musique, alors qu'ils venaient tout juste d'échapper aux flics, pareils à des fugitifs, et qu'ils filaient vers les nuages à tire-d'aile, et devant témoins?

— *And the Angels Sing*, chantée par Martha Tilton, poursuivit Joseph avec enthousiasme. C'est ma chanson préférée de Benny Goodman. Tu la connais, Wagner?

Wendy s'apprêta à répondre qu'elle n'avait rien d'une mélomane, mais n'en eut pas le temps; porté par sa fougue, le jeune déchu s'était déjà mis à chanter :

— *We meet, and the angels sing! The angels sing the sweetest song I ever heard!*

« La sagesse des autres n'a jamais servi à rien. Quand arrive le cyclone – la guerre, l'injustice, l'amour, la maladie, le voisin –, on est toujours seul, tout seul, on vient de naître et on est orphelin. »

Amélie Nothomb

18.

Lorsqu'ils se posèrent derrière l'hôpital, dans un coin discret, la chanson de Joseph résonnait encore aux oreilles de Wendy : « *We kiss, and the angels sing. And leave their music ringing in my heart!* » Leur vol avait pris fin, mais l'ange déchu tenait toujours la jeune femme dans ses bras et ne semblait avoir aucune intention de la déposer. Après avoir contourné une construction de moindre importance, ils pénétrèrent dans le bâtiment principal et traversèrent quelques couloirs avant d'atteindre enfin le département des urgences. Une fois les portes franchies, ils furent entourés par une cohue affolée et bruyante, qui fourmillait autour d'eux. Apparemment, quelque chose de grave s'était produit; infirmières et médecins couraient dans tous les sens.

— Faites de la place ! Faites de la place ! criait une infirmière.

— Ils ne sont pas tous arrivés ! lança une autre. Préparez des civières ! Le prochain transport sera ici dans cinq minutes !

Les patients de l'urgence demeuraient assis sur leur siège et observaient le branle-bas de combat d'un air ahuri. Tout ce remue-ménage les surprenait autant que Wendy.

— Qu'est-ce qui se passe ? demanda-t-elle à Joseph.

— Il y a eu une fusillade ce matin, à ton école.

— Mon Dieu, non…

— Deux morts et une demi-douzaine de blessés.

— Mes amis… Juliette, Sophia, Patrick, ils vont bien ?

Joseph hésita avant de répondre.

— Je ne sais pas.

— Qui est le tireur ?

Cette fois, Joseph conserva le silence, se contentant de secouer la tête. Toujours en proie à la nausée et à une forte fièvre, Wendy reposa sa tête contre l'épaule de l'ange et se laissa transporter à travers la salle d'attente. Ils passèrent devant la salle de triage et le poste des agents de sécurité, puis Joseph s'arrêta devant une grande vitrine, qui faisait au moins la moitié du mur. Derrière se trouvait une vieille femme à chignon, vêtue d'une veste de laine beige. Un stylo sur l'oreille et un autre fiché dans son chignon, elle était assise devant un ordinateur et tapait de façon effrénée sur son clavier. Au-dessus de la vitrine, on pouvait lire en lettres peintes : RENSEIGNE-MENTS ET ADMISSIONS.

— Madame ? fit Joseph.

La femme ne bougea pas. Tête baissée, elle continuait de taper frénétiquement sur son clavier d'ordinateur.

— Madame?

— Un instant, répondit-elle cette fois sur un ton agacé, sans même prendre la peine de les regarder.

— Mon amie est très malade. Elle risque de tomber dans le coma d'un instant à l'autre…

La femme soupira, mais ne releva toujours pas les yeux.

— Une fois admis, récita-t-elle sur un ton las, il vous faudra passer par le poste de triage, ce sont eux qui décideront si votre cas est prioritaire ou non. Mais ce matin, peu de cas sont plus urgents que les victimes de la fusillade.

— Regardez-moi, exigea alors Joseph.

La vieille femme fit mine de ne rien entendre. Ses petits yeux gris, derrière ses lunettes démodées, demeuraient fixés au clavier. Elle ne les relevait que très brièvement, pour jeter un coup d'œil à l'écran de l'ordinateur, puis les replongeait aussitôt vers le bas.

— REGARDEZ-MOI!

Joseph avait crié. Non, il avait plutôt rugi. Sa voix avait brusquement changé : elle avait pris un ton grave et caverneux, une voix de monstre ou de revenant, comme dans les films. Elle avait résonné avec tant de puissance que la vitrine les séparant de la vieille secrétaire avait tremblé. Wendy crut même, pendant un instant, qu'elle allait se fracasser sous leurs yeux. La pauvre femme cessa immédiatement de taper et releva la tête. Les yeux écarquillés, elle fixait Joseph avec autant de surprise que de crainte.

— Cette jeune femme a un cancer en phase terminale, lui indiqua Joseph d'une voix redevenue plus douce. Si elle n'est pas hospitalisée tout de suite, elle va mourir ici, dans mes bras. Croyez-moi, Molly, vous ne souhaitez pas que cela se produise.

Comment connaissait-il son nom ? Wendy se dit qu'après tout, Joseph Heywood était un ange. Un ange déchu, certes, mais un ange tout de même ; s'il arrivait à voler, il pouvait certainement maîtriser quelques petits tours de magie tout aussi surprenants.

La femme commença par acquiescer en silence.

— Oui… Oui… je-je comprends, balbutia-t-elle ensuite.

Elle avait changé de ton soudainement, et se montrait beaucoup plus affable.

— Euh, votre amie, elle a une assurance ?

— On verra ça plus tard, répondit Joseph sur un ton brusque.

La femme acquiesça docilement. Elle inscrivit quelque chose sur une feuille de papier bleu, puis tendit la feuille à Joseph par une ouverture circulaire dans la vitrine.

— Prenez l'ascenseur à droite, expliqua-t-elle à Joseph, et rendez-vous au troisième étage. C'est là que se trouve le département de radio-oncologie. Donnez-leur ce formulaire, ajouta-t-elle en désignant timidement la feuille de papier. Ils… Ils comprendront.

Joseph prit le papier et se dirigea ensuite vers l'ascenseur. Une fois à l'intérieur de la cabine, Wendy perdit connaissance. Lorsqu'elle se réveilla, elle se trouvait étendue sur un lit d'hôpital. Il n'y avait personne d'autre que Joseph et elle dans la chambre.

— Merci, Joseph, souffla la jeune femme. Merci de m'avoir conduite jusqu'ici.

L'ange ne dit rien. Il était confortablement installé dans l'unique fauteuil de la chambre et observait Wendy d'un air détaché, imperturbable.

— J'ai… J'ai beaucoup moins mal.

Wendy ne mentait pas : la souffrance avait pratiquement disparu, et la fièvre aussi. Ne restaient que les étourdissements et les nausées, et une douleur dans son avant-bras, localisée en un point précis.

— Tu as reçu des injections intraveineuses de morphine, lui expliqua Joseph.

Voilà pourquoi elle ressentait cette douleur au bras. On lui avait injecté un puissant analgésique à l'aide d'une seringue : « La morphine soulage presque toutes les douleurs occasionnées par le cancer, lui avait un jour expliqué le docteur Ramsay.

Elle provoque de la nausée et de la somnolence, mais ne crée pas de dépendance, en tout cas, lorsque la posologie est respectée. S'il y a surdose, des cauchemars ou des hallucinations peuvent survenir. »

Cauchemars ? Hallucinations ? songea Wendy. Rien de bien nouveau à l'horizon, n'est-ce pas ?

« Il n'est point de secrets que le temps ne révèle. »
Jean Racine

19.

— Mon médecin a été prévenu ? demanda Wendy.

Joseph fit non de la tête.

— Un autre médecin est venu ?

— Plusieurs médecins, en fait, l'informa-t-il.

— Alors, qu'est-ce qui m'attend ?

— Ils ont dit que ton état est stable pour l'instant, mais qu'il peut se détériorer à tout moment. Tes organes vitaux sont en très mauvais état. Tes reins ont cessé de fonctionner correctement. Ils ne filtrent plus les substances toxiques qui s'accumulent dans ton corps. Tu es en train de t'empoisonner, tranquillement.

— Et le coma, c'est pour quand ?

— Pour bientôt, répondit Joseph. Ensuite, nous pourrons procéder à l'échange.

— L'échange?

— Entre la Wendy Wagner de la Jehenn et toi. C'est bien ce qui était convenu, non?

— Une minute! protesta la jeune femme. Je croyais que je la remplaçais, pas que nous changions de place! Je ne veux pas qu'elle s'ingère dans ma vie. Oh non, pas question! J'aurais trop peur qu'elle fasse du mal à mes amis… ou même à moi, tiens!

Joseph se mit à rire, puis tenta de la rassurer en lui faisant comprendre qu'elle avait mal interprété ses paroles.

— C'est un échange d'âmes, tu saisis? Tu te retrouveras dans son corps et elle dans le tien.

Wendy fit une moue de dédain.

— Son âme dans mon corps, tu es sérieux? Mais c'est absolument dégoûtant!

— Ce qui importe, c'est que ton corps sera alors plongé dans le coma. La Wendy de Jehenn n'aura aucune possibilité de «s'ingérer dans ta vie», comme tu dis. Elle n'aura aucune emprise sur toi. Ton corps sera comme une prison pour elle. Le temps que tu passeras là-bas, dans la Jehenn, à jouer la méchante fille de Charlie Wagner, elle le passera prisonnière de ton corps.

— Et si le coma prenait fin et qu'elle s'éveillait?

— Ça ne se produira pas, répondit Joseph. Samuel et ses copains n'ont pas l'intention de te laisser reprendre conscience. En tout cas, pas avant que tu n'aies réussi ta mission. De puissants Archanges veilleront sur ton corps, ici, dans l'Éden, afin de s'assurer que ton état demeure stable. Aucun médecin ne pourra te sortir du coma ou même te débrancher, et ce, aussi longtemps que tu seras là-bas.

— Et si j'échouais ? Si je n'arrivais pas à l'accomplir, cette mission ?

— Ça n'arrivera pas.

— Supposons que oui.

Joseph serra les lèvres. Répondre à cette question lui pesait.

— Alors dans ce cas, ils abandonneront définitivement ton corps à la maladie. Tous tes organes vitaux cesseront de fonctionner et tu mourras, ici comme dans la Jehenn.

La jeune femme secoua la tête, déçue et amère.

— Et moi qui pensais que Samuel était mon ange gardien…

— Les anges gardiens ne préservent pas leur protégé de la mort, Wagner. Sinon, plus personne ne mourrait.

— Ah non ? Qu'est-ce qu'ils font ici alors ?

— Ils sont là pour guider et non pour sauver. Ils guident leur protégé en fonction du Plan divin.

— Et j'en fais partie, de ce Plan divin ?

— Ça me paraît évident. Qu'en dis-tu, Wagner ?

— Tu te moques de moi ? Et cesse de m'appeler Wagner. J'ai un prénom, au cas où tu ne l'aurais pas remarqué !

— Me moquer de toi ? Jamais ! Je suis un chic type, quoi que tu puisses en penser.

Wendy marqua un temps, puis déclara :

— Samuel dit que tu es dangereux.

— Et il a raison.

— Il dit que tu as tué des gens.

— C'est vrai. Mais toujours pour de bonnes raisons.

— Tu as déjà été amoureux ?

Cette fois, Joseph parut surpris par la question.

— Tu veux écrire ma biographie ?

— Je suis curieuse, c'est tout.

— Eh bien oui, j'ai déjà été amoureux.

— Elle était ta protégée ?

— Elle l'était, oui.

— C'est à cause d'elle si tu as perdu ton statut d'ange céleste ?

— Si j'ai été chassé des cieux et de ma confrérie, c'est de ma faute et uniquement de la mienne.

— Elle n'a rien fait pour encourager cet amour?

Joseph hésita un moment.

— Elle n'a jamais su, dit-il finalement.

— Tu ne lui as jamais dit que tu l'aimais?

— Pourquoi aurais-je fait ça?

— Pour savoir si elle partageait tes sentiments.

— Tu tomberais amoureuse d'un ange déchu?

Une fille normale aurait répondu non, bien sûr. Mais Wendy ne se considérait pas comme une fille normale. Il lui arrivait de prendre pour les méchants dans les films, et elle se sentait souvent attirée par les rebelles et par les jeunes filous. Alors, oui, sans doute qu'elle aurait pu tomber amoureuse d'un ange déchu.

— Tu aurais pu choisir de te montrer à elle, observa la jeune femme.

— Mais alors j'aurais dû renoncer à la protéger.

La réponse de Joseph étonna Wendy, qui lui demanda aussitôt :

— La protéger de quoi?

— De « qui » serait plus juste.

— Elle était en danger ?

— Elle l'est toujours, répondit simplement Joseph.

Visiblement, il n'en dirait pas plus. Un lourd silence s'installa entre eux deux, que Wendy s'empressa de briser en posant la première question qui lui vint à l'esprit :

— Pourquoi les déchus portent-ils des noms de famille humains ?

Joseph souleva un sourcil intrigué, mais consentit tout de même à répondre :

— Parce qu'une fois déchus, nous nous éloignons de Dieu pour nous rapprocher des hommes. C'est pourquoi nous sommes plus vulnérables que les célestes. Les Archanges ont décidé de nous imposer ces patronymes pour nous humilier. C'est la marque du mal, du déshonneur, qui nous différencie des autres anges.

— Pourquoi Heywood ?

— Ma foi, c'est l'heure des confidences !

Wendy haussa les épaules.

— Nous allons faire équipe pour cette mission dans la Jehenn, pas vrai ? Alors, pourquoi ne pas profiter de ces merveilleux instants, avant mon indispensable coma, pour faire connaissance ?

Joseph avait décelé l'ironie de ses propos, la jeune femme le devina juste à son air. L'ange déchu observa Wendy pendant un moment, comme s'il réfléchissait à la question, puis finit par acquiescer :

— Ici, dans l'Éden, les déchus doivent prendre le nom de l'endroit où ils sont tombés, où ils ont failli à leur serment envers Dieu.

— Donc, c'était à Heywood ? C'est une ville ?

Joseph se montra tout d'abord réticent à répondre, puis finit par se lancer :

— Non, Heywood est le nom d'une rue. Une rue de la ville de Rochdale, dans le comté du Grand Manchester, en Angleterre.

Sa réponse prit Wendy de court. Jamais elle n'aurait pu se douter qu'il lui sortirait un truc pareil. Rochdale ? La ville où elle avait embrassé le mystérieux inconnu ?

— Tu as bien dit… Rochdale ?

— C'est bien ce que j'ai dit.

— Tu étais là, toi aussi ? Avec Samuel ?

Wendy ignorait pourquoi, mais savait ce que Joseph allait répondre. Soudain, cela lui parut évident, comme si elle l'avait toujours su, mais que, pour une raison inexpliquée, elle avait refusé de le voir.

— Samuel n'était pas à Rochdale, lui confia l'ange déchu. Ce soir-là, au coin des rues Mavis et Heywood, il n'y avait que toi et moi, Wagner.

« Le coma : la mort comme si vous y étiez. »

Serge Mirjean

20.

La rue Heywood ?… Il avait bien dit la rue Heywood ?

Wendy se sentit faiblir. Une grande fatigue s'empara d'elle. Elle éprouvait de plus en plus de difficulté à garder les yeux ouverts. Il se passait quelque chose d'inhabituel dans son corps. Ses membres s'engourdissaient lentement, l'un après l'autre. Elle ne ressentait plus la douleur dans son avant-bras, celle causée par l'injection de morphine. C'était le coma qui se manifestait. Un coma de « cause tumorale », comme le lui avait expliqué le docteur Ramsay lors d'une consultation. La tumeur s'en prenait aux tissus organiques de son cerveau. Ça signifiait quoi, au juste ? Que le cancer pourrissait sa matière grise ou, pire, qu'il la dévorait ? Misère… pensa la jeune femme. Elle gardait espoir de sortir un jour de ce coma, mais dans quel état ? Pour ça, il fallait savoir à quel stade du coma elle allait s'arrêter. Déjà, au stade un, on n'arrivait plus qu'à pousser des grognements. Le stade deux, c'était celui de *La Belle au bois dormant*. Passé le troisième stade, on risquait de se retrouver avec le quotient intellectuel d'une fougère. Le quatrième et dernier stade, quant à lui, était appelé « état de mort cérébrale », un autre mot pour « mort clinique ». Mais le plus grave, c'est qu'une fois inconsciente, Wendy était certaine que les médecins et les infirmières allaient l'intuber. Elle ne voulait pas de leur saleté de boyau dans sa gorge. Ce qu'elle craignait par-dessus tout, c'était de suffoquer, pendant le coma et même au réveil. Sa pire phobie. Joseph décela certainement la panique dans son regard, car il quitta son fauteuil et s'approcha d'elle.

— Calme-toi, il est inutile de résister, fit-il d'une voix détendue et rassurante, ce dont Wendy ne le savait pas capable. Tout se passera bien, tu verras.

Il repoussa une mèche rebelle sur le front de la jeune femme, puis se pencha et déposa un baiser sur sa joue.

— Le mystérieux inconnu de Rochdale, c'était toi, n'est-ce pas ?

Joseph sourit, puis acquiesça de la tête.

— Je suis là depuis toujours, Wendy Wagner, dit-il, reprenant les mots exacts de l'inconnu.

Le fait d'entendre à nouveau ces paroles troubla profondément Wendy. Ses yeux se remplirent aussitôt de larmes. Des larmes de réconfort et de soulagement. Elle n'était pas folle et n'avait pas rêvé : cet homme, qui représentait pour elle l'idéal du grand amour, avait bel et bien existé. Mieux encore : il était ici, dans la même pièce qu'elle.

— Je suis là depuis toujours, répéta Joseph, mais aujourd'hui, tu me vois enfin.

C'est à ce moment que Wendy cessa de lutter. Ses paupières, devenues trop lourdes, se refermèrent lentement.

— C'est moi… réussit-elle à articuler, malgré l'état de léthargie dans lequel elle ne cessait de s'enfoncer. C'est moi… moi qui ai causé ta chute…

— Depuis ta naissance, j'étais ton ange gardien, murmura Joseph à son oreille. Mais je suis tombé amoureux de toi, Wendy Wagner. Les Archanges m'ont puni, et je ne peux les en blâmer.

Cette fois, ce n'est pas sur le front de la jeune femme qu'il posa un baiser, mais sur sa bouche. Tout de suite Wendy reconnut son parfum, ainsi que le goût de ses lèvres. Il était clair à présent dans son esprit que Joseph Heywood et le mystérieux inconnu de Rochdale ne faisaient qu'un. Elle avait cru, plus tôt, qu'il avait pu s'agir de Samuel. Elle s'était trompée. Les souvenirs de sa rencontre avec l'inconnu remontaient tranquillement à la surface. Certes, le parfum de Samuel se rapprochait de celui de l'homme de Rochdale, mais jamais autant que les doux effluves émanant de Joseph, elle le réalisait maintenant.

Lorsque le visage de l'inconnu lui revint en mémoire comme par magie, Wendy ne put s'empêcher de faire la comparaison et constata avec bonheur que c'était bien celui de son ange déchu. « Asfaël est mon nom », avait dit l'inconnu ce soir-là, chose que la jeune femme avait oubliée ou que l'on avait volontairement effacée de sa mémoire. Et elle comprenait enfin pourquoi elle s'était immédiatement sentie en sécurité auprès de lui. En cet instant, il était toujours son ange gardien. Et elle l'avait désiré autant que lui l'avait désirée. Les yeux de

Joseph étaient verts à l'époque, il n'avait pas encore le regard noir et froid des déchus. Tous les deux s'étaient embrassés brièvement, mais avec passion. Le genre de passion qui ne se rencontre qu'une fois dans une vie, qui vous fait découvrir ce qu'est le véritable amour, une passion qui est si vive et si profonde qu'elle vous habite jusqu'à la fin des temps. Après leur baiser de Rochdale, Wendy avait ouvert les yeux et constaté que l'homme avait disparu, la laissant seule avec cette pensée : « Je suis là depuis toujours, Wendy Wagner… » Oui, il était bien là et, comme il l'avait lui-même ajouté, aujourd'hui, elle le voyait enfin.

L'instant d'après, commençait la lente dérive de Wendy vers le coma, et peut-être vers la mort. Au bout du voyage l'attendait certainement l'enfer de la Jehenn, cette copie de la Terre où régnaient en maîtres Satan et tous ses anges rebelles. Toutefois, avec Joseph Heywood à ses côtés, elle se sentait soudainement prête à affronter tous les enfers, ainsi que tous leurs démons.

Étendue sur son lit d'hôpital, proche de l'inconscience, Wendy essaya de se souvenir du visage de son père et de sa mère, mais en fut incapable. Elle sentit la main de Joseph sur son visage. Il lui caressa doucement la joue, avant de poser un masque à oxygène sur sa bouche et son nez, afin de l'aider à mieux respirer. La jeune femme réalisa alors qu'il ne lui restait que très peu de temps. Quelques minutes, peut-être moins. Elle avait peur. Elle était terrorisée. Que se passerait-il une fois son dernier souffle expiré ? Allait-elle s'éteindre comme la flamme d'une bougie sur laquelle on souffle ? Wendy refusait que sa vie soit réduite à une simple volute de fumée, elle n'acceptait pas de disparaître sans laisser de trace. Ça ne pouvait pas se terminer ainsi. Son existence terrestre ne pouvait lui être enlevée comme ça, du jour au lendemain. Elle savait pourtant qu'il existait un autre monde au-delà du sien, mais cela n'arrivait plus à la rassurer. Voilà qu'elle doutait de ce qu'elle avait vu et entendu, et craignait maintenant que tout n'ait été qu'un rêve. La Jehenn, l'Adversaire, Dantay, Samuel et Joseph n'existaient-ils que dans son imagination ? Non, ce serait trop horrible. Wendy implora Dieu : si ce dernier existait réellement, ne pouvait-il pas prendre sa main et la libérer de ses craintes ? Permets-moi de me souvenir, le supplia-t-elle alors. Laisse-moi avoir confiance à nouveau.

Elle respirait péniblement, malgré le masque à oxygène qui se trouvait collé à son visage. Elle eut l'impression que l'air ne se rendait plus jusqu'à ses poumons. La jeune femme éprouvait une profonde fatigue, qui l'empêchait de garder les yeux ouverts. La vie l'abandonnait, lentement, comme l'avait prévu le docteur Ramsay. Ses faibles murmures ne se rendaient pas jusqu'à Joseph, qui était toujours présent dans la chambre. Il lui avait conseillé plusieurs fois de ne pas parler. Je ne le peux plus de toute façon… songea-t-elle alors, mais je peux encore penser et je refuse de mourir ! Elle devait combattre jusqu'au dernier moment, s'accrocher jusqu'à la toute fin. Ils ne m'auront pas aussi facilement, se jura-t-elle. Il y avait des gens qu'elle aimait, ici, sur cette terre, et elle n'avait plus l'intention de les quitter. Elle devait éviter de fermer les yeux. Elle ne devait pas céder.

Une série de bips se fit entendre sur sa droite. Une machine s'emballait. Une infirmière surgit dans la chambre et se précipita vers le lit. Elle hurla quelque chose que Wendy ne put comprendre. Des larmes roulèrent alors sur les joues de la jeune femme. Cette fois, c'était la fin : elle ne pouvait plus respirer ; l'air n'entrait plus dans ses poumons. Ses paupières s'alourdirent, au point de se sceller. Elle ne pouvait plus les rouvrir. Elle ne contrôlait plus son corps. Ses membres ne lui obéissaient plus, et elle éprouvait une intense douleur au niveau de la poitrine, qui se propagea dans tout son être. Le néant qu'elle craignait tant commença à l'entourer. Joseph n'était plus là. Il n'y avait plus personne, elle était seule, on l'avait abandonnée. Recroquevillée sur elle-même, frissonnante et vulnérable, elle attendait que des bras puissants l'entourent, qu'une voix s'adresse à elle pour la rassurer, pour lui dire de ne pas s'inquiéter, que tout irait bien à partir de maintenant, mais rien ne venait.

Alors qu'elle s'apprêtait à perdre tout espoir et à crier en silence, une chaleur se manifesta. La chaleur se concentra en un point précis, puis se transforma en petit cercle de lumière, qui à son tour prit de plus en plus d'ampleur et finit par encercler Wendy. Elle était enveloppée par lui et sa chaleur lui faisait un bien énorme. Si elle avait pu, elle aurait souri. Cette lumière chaude et rassurante était-elle l'entrée du paradis ? Le rayonnement s'intensifia et le fameux tunnel apparut enfin devant elle. Elle s'avança à l'intérieur, persuadée que c'était la chose à faire. Lentement, avec précaution, elle se dirigea vers l'extrémité du passage. Ce faisant, elle remarqua la silhouette d'un homme qui s'était dessinée dans la lumière éclatante. Il semblait l'attendre à l'autre bout du tunnel. D'un pas de plus en plus rapide, elle se porta à sa rencontre. L'homme la prit alors dans ses bras, la souleva, puis l'embrassa avec tout l'amour et la tendresse dont elle avait besoin.

— Je suis là, lui dit-il.

Wendy jeta un coup d'œil derrière elle. Le tunnel se refermait et la lumière faiblissait tout doucement. La jeune femme appuya alors sa tête contre l'épaule de l'homme. Elle se savait en sécurité maintenant, et se souvenait enfin que ce voyage n'était pas la fin de tout, mais une simple limite à franchir, pour ceux qui en étaient capables ou qui aimaient suffisamment. L'homme lui caressa la joue, puis releva légèrement son menton et l'embrassa de nouveau. Qui était-il? Était-ce l'un de ses anges gardiens? C'est alors que les traits du garçon se précisèrent devant ses yeux. Wendy le voyait très bien à présent. C'était bien lui, l'ange déchu qui veillait sur elle depuis des années et dont elle avait reconnu la voix. Il y avait quelques instants à peine, il se trouvait avec elle dans sa chambre d'hôpital. S'il l'attendait ici, c'est qu'il l'avait devancée. L'essentiel était que tous les deux se trouvaient de nouveau réunis, et c'était tout ce qui comptait réellement. Leurs cœurs ne faisaient plus qu'un désormais, et Wendy n'avait plus peur.

21.

Wendy se trouvait toujours dans les bras de Joseph à son réveil. Il la déposa lentement par terre et fixa son regard au sien. Étonnamment, Wendy ne ressentait plus la moindre douleur. Elle était bien, comme jamais auparavant. Elle était habitée par un profond sentiment de paix, comme si tout était en ordre, comme si elle se trouvait à l'endroit où elle devait être, avec l'homme qui lui était depuis toujours destiné. La jeune femme aurait souhaité que ce moment dure une éternité.

Autour d'eux s'étendait une vaste plaine. Une steppe de la zone arctique, sans relief, à la limite du cercle polaire. Il n'y avait pas de neige sur le sol, seulement de l'herbe sèche et quelques pierres recouvertes de mousse et de lichen. Quelques frêles arbrisseaux poussaient çà et là, leur taille ne dépassant pas les quarante centimètres, ce qui rendait encore plus étrange la présence de ce gros arbre derrière eux. Un arbre mort et dénudé, qui s'élevait à plusieurs mètres de hauteur. Certaines de ses branches s'étaient brisées et pendaient. Wendy était pourtant convaincue qu'aucun arbre de ce genre ne pouvait pousser dans la toundra. Le climat hostile ne permettait pas aux végétaux d'atteindre une taille aussi imposante. Comment expliquer qu'il ait pu se trouver là alors ?

— Tu es belle, déclara soudain Joseph. De toutes les façons possibles.

Wendy délaissa l'arbre mort, puis se tourna vers son compagnon.

— Ne dis pas ça… le supplia-t-elle avec un sourire gêné.

— Pourquoi ?

— Mon cœur n'est pas aussi bon que tu le crois.

La température, en cet endroit isolé du reste du monde, devait être glaciale ; étonnamment, la jeune femme ne ressentait rien. Elle se sentait au chaud : on aurait dit qu'une bulle protectrice la préservait du vent et du froid. Peut-être que cette bulle émanait de l'arbre et que sa seule proximité suffisait à les protéger tous les deux du climat ?

— Et le mien, mon cœur, tu le crois charitable ? répliqua Joseph. Je suis un déchu, ne l'oublie pas.

Wendy fit mine d'être offusquée.

— Alors, tu insinues qu'on se vaut l'un l'autre ?

— Ce que j'insinue, c'est que tu n'es pas la pire des humaines et que je ne suis pas le meilleur des déchus. Mais personne n'est parfait.

Ils rirent ensemble, puis Wendy lui demanda s'ils se trouvaient enfin dans la Jehenn.

— Non, pas encore, répondit Joseph. Avant, tu dois rencontrer quelqu'un de très important. Celui qui est à l'origine de toute cette « opération ».

Lorsque la lumière se fit plus intense, Wendy réalisa qu'elle n'était pas seule avec Joseph. Deux autres hommes leur tenaient compagnie en ce lieu étrange. Ces derniers faisaient face à Wendy, de l'autre côté de l'arbre, et l'observaient. À peine quelques mètres les séparaient. Le premier, Wendy le connaissait bien, c'était Samuel. Quant au deuxième homme, la jeune femme n'avait aucune idée de son identité.

— Ça va ? lui demanda Samuel.

La jeune femme hocha la tête en silence, tout en continuant de fixer les deux hommes. À la gauche de Samuel, légèrement en retrait, se trouvait le deuxième homme, celui qu'elle ne connaissait pas. Il semblait plus vieux que Samuel. Dans la quarantaine, estima Wendy. Beau et solide, mais un brin trop sérieux.

— Voici Michaël, déclara Samuel en se tournant vers l'homme.

À part Joseph et Samuel, Wendy ne connaissait que trois autres anges : Gabriel, Raphaël et Michaël. Elle ne les connaissait que de réputation, et encore : elle avait dû entendre leur nom dans un film ou lire un passage à leur sujet dans la Bible. Mais peut-être était-ce Rita Montambault qui avait fait allusion à ce trio d'anges, pendant l'une de ses fameuses tirades ?

Oui, cette dernière hypothèse était certainement la plus plausible.

— L'ange Michaël ? fit Wendy, ne trouvant rien d'autre à dire.

— Michaël n'est pas qu'un simple ange, s'empressa de la corriger Samuel. C'est un Archange.

Wendy eut l'impression d'avoir commis un énorme impair, une faute irréparable.

— Il est le prince des anges, poursuivit Samuel, et il n'y a que lui qui puisse nous faire traverser de l'autre côté.

Nous ? se répéta Wendy, surprise. Apparemment, Samuel s'incluait dans le groupe, mais pour quelle raison ? Wendy croyait pourtant que l'unique personne autorisée à l'accompagner dans la Jehenn était Joseph.

— Samuel ira aussi, déclara soudain Michaël d'une voix grave et posée, répondant aux interrogations muettes de la jeune femme.

Wendy se trouva idiote : bien sûr qu'il pouvait lire dans ses pensées. N'était-il pas le prince des anges, après tout ?

— Je le suis, mais seulement depuis la trahison de Satan, précisa l'Archange sur le même ton solennel. Avant, c'était lui, le préféré de Dieu.

— Je croyais que seuls les anges déchus pouvaient se rendre dans la Jehenn, déclara Wendy. Ce n'est plus vrai ?

— Mais oui, très chère Gwendolyn, c'est encore vrai, répondit Michaël.

— Ne m'appelez pas comme ça.

Elle détestait son prénom. C'était ses parents qui l'avaient choisi, et elle leur en voulait – pour cela et pour un million d'autres raisons.

— Très bien, Wendy.

L'Archange s'éloigna de Samuel pour se rapprocher de la jeune femme.

— Il me faut vous informer, ma chère Wendy, que notre bon Samuel, ici présent, est tombé amoureux de vous. À cause de ce baiser, celui que vous avez échangé récemment. Son amour pour vous est si fort qu'il a dû renoncer à tous ses privilèges angéliques. Depuis, il a rejoint les rangs des déchus et porte un nouveau nom : Samuel Fish, du nom de la rue sur laquelle se trouve votre appartement. C'est là-bas que vous vous êtes embrassés, n'est-ce pas ? Joseph et lui vous accompagneront donc tous les deux dans la Jehenn.

Wendy ne s'attendait pas à une telle révélation. Bouche bée, elle se tourna aussitôt vers Joseph et chercha désespérément son regard. Lorsque leurs yeux se croisèrent enfin, Wendy crut réellement que tout était perdu, que cette histoire de baiser allait tout gâcher entre eux.

— Ça ne s'est pas passé comme ça, dit-elle à l'intention de Joseph.

Ce dernier ne répondit pas. Il fixait Wendy en silence, sans qu'aucune émotion ne transparaisse sur son visage. À quoi pensait-il exactement ? Comment se sentait-il ? En voulait-il à la jeune femme d'avoir embrassé Samuel ? Par pitié, mon Dieu, faites que non ! songea-t-elle alors.

— C'est lui… poursuivit Wendy en pointant Samuel, c'est lui qui m'a embrassée !

Cette fois, ce fut Samuel qui parut surpris par ces paroles.

— Mais tu as répondu à ce baiser, Wendy… dit-il, gêné.

— Parce que tu m'as fait croire que tu étais l'inconnu de Rochdale, Samuel ! Tu m'as menti !

Samuel baissa la tête. Apparemment, il s'en voulait pour quelque chose.

— C'est toi qui as affirmé que j'étais cet homme de Rochdale, répliqua le jeune ange sans la regarder. Je n'ai tout simplement pas nié.

Wendy se reprocha d'avoir été aussi naïve. Mais comment aurait-elle pu savoir à ce moment que Joseph était le véritable inconnu de Rochdale ? Elle était bouleversée. Elle se tourna une nouvelle fois en direction de Joseph. Ce dernier la fixait toujours. En silence et sans bouger.

— Joseph… murmura la jeune femme, ne sachant pas trop ce qu'elle souhaitait lui dire.

C'est alors que Michaël intervint :

— Nous réglerons cette question plus tard, si vous le voulez bien. L'important, pour le moment, est de vous expédier tous les quatre dans la Jehenn. Le temps presse.

— Tous les *quatre*? fit Wendy, excédée.

Joseph, Samuel et moi, ça ne fait que trois, se dit-elle. S'agissait-il d'un autre changement de dernière minute? Un autre déchu s'était-il ajouté à la liste? Bon sang, c'était toute une armée de chaperons qu'ils envoyaient là-bas pour la protéger!

— L'autre personne qui vous accompagnera n'est pas un ange déchu, expliqua Michaël. C'est un humain, tout comme toi.

Un humain? Mais qu'est-ce qu'il racontait?

L'instant d'après, une autre personne apparut brusquement aux côtés de Samuel. Comment pouvait-on surgir ainsi de nulle part? Peut-être que cette personne avait toujours été là, et que Wendy venait à peine de la remarquer? Quoi qu'il en soit, elle reconnut immédiatement la nouvelle arrivante. C'était Juliette, sa meilleure amie! Elle était vêtue d'une jaquette d'hôpital et ne semblait pas comprendre ce qu'elle faisait là, pas plus que Wendy, d'ailleurs.

— Elle a été blessée pendant la fusillade qui a eu lieu à ton école, l'informa Michaël. Elle repose dans un état critique à l'hôpital. Je vais m'assurer que son état se stabilise, ainsi, elle pourra se rendre avec toi dans la Jehenn. Là-bas, elle sera ta servante. Tu pourras donc la côtoyer tous les jours. Nous l'avons renseignée sur la mission. Elle est au courant de tout.

— Juliette ? fit Wendy à l'intention de son amie.

Elles échangèrent un regard, puis les yeux de Juliette se remplirent de larmes. Elle courut vers Wendy et toutes les deux s'enlacèrent.

— Ils ne t'ont pas laissé le choix, hein ?

Wendy se tourna ensuite vers Michaël, tout en le foudroyant du regard.

— C'est vous qui êtes derrière cette fusillade, n'est-ce pas ? Pourquoi avoir fait ça ? Il était inutile de mêler Juliette à cette histoire !

— Ils m'ont demandé si je souhaitais t'accompagner, lui confia alors Juliette, et j'ai dit oui. La décision m'appartenait.

Non, ce n'était pas possible ; elle ne pouvait avoir fait ce choix consciemment.

— Mais tu es folle ? ! Tu sais où ils nous envoient ?

— Je ne pouvais pas te laisser aller là-bas seule !

— Nous ne sommes pas à l'origine de la fusillade, intervint Samuel, en espérant ainsi se racheter aux yeux de Wendy. Le tireur était Dantay Sterling.

Sterling ? songea Wendy. Le même type qui, à deux reprises, avait tenté de la tuer ?

— Mais nous sommes en partie responsables, précisa Michaël, ce qui parut déplaire à Samuel. Puisque c'est moi qui ai demandé à Dantay de se rendre là-bas en compagnie de Samuel et de s'en prendre à Juliette, afin qu'elle puisse t'accompagner. Ton amie nous servira, en quelque sorte, de police d'assurance. Elle sera notre garantie, tu comprends? Avec elle à tes côtés, tu mettras tous les efforts nécessaires pour accomplir ce qui doit être accompli. Voilà pourquoi Dantay a débarqué à votre école en compagnie de Samuel. J'ai exigé de Dantay qu'il prenne un de mes hommes avec lui. J'espérais qu'ainsi, nous arriverions à limiter les dégâts.

— Tu étais là, Samuel? lui demanda Wendy.

— Joseph et moi connaissons bien Dantay, répondit l'ange.

Samuel hésita à poursuivre. Wendy aurait juré que son visage, habituellement impassible, avait pris un air triste.

— Jamais je n'aurais pu prévoir qu'il tuerait autant de personnes seulement pour avoir Juliette, expliqua-t-il. J'ai sous-estimé son penchant pour la mort et la destruction, conclut Samuel, visiblement embarrassé.

Wendy et Juliette échangèrent un regard où se mêlaient tristesse et confusion.

— Je ne peux pas, Juliette. Je ne peux pas te laisser venir avec moi. C'est très dangereux là-bas. C'est un monde peuplé de démons.

— Il est trop tard, intervint Michaël. J'ai pris ma décision. Juliette part avec toi. Vous ne serez pas trop de deux pour réussir cette mission. Ce soutien moral, tu en auras besoin, Wendy.

— Je ne la laisserai pas risquer sa vie pour réparer vos erreurs, vous m'entendez?

— Si elle ne part pas avec toi, elle meurt.

— Quoi?

— Nous lui accordons une seconde chance, lui dit Michaël, mais si elle ne va pas avec toi, je la laisserai succomber à ses blessures.

Wendy n'en croyait pas ses oreilles. Frémissant de rage, elle serra la mâchoire, de façon machinale, puis fixa l'Archange d'un regard rempli de haine et de mépris.

— Espèce de… Mais qui êtes-vous? Tout ce chantage, toute cette manipulation. Vous agissez comme des anges déchus et non comme des célestes! Une fusillade? Vraiment? N'y avait-il pas d'autre moyen?

Michaël éclata de rire.

— Le Bien doit triompher, chère Wendy. Coûte que coûte. Au début de la Création, Dieu voyait ses anges comme des agneaux. Aujourd'hui, il les autorise à être des lions. Tu comprends ce que ça veut dire? Votre monde est en péril, Wendy. Si Satan découvre la vérité, il trouvera un moyen de revenir sur la Terre et de tous vous réduire à l'esclavage. Sans les anges, vous êtes perdus. Vous devriez nous remercier.

— Dieu ne laissera pas faire Satan !

Michaël cessa de rire et s'empressa de rétorquer :

— Dieu ne s'inquiète plus de vous. Gabriel et Raphaël l'ont convaincu de vous accorder une autre chance, comme lors du Déluge. Sans ce plaidoyer en votre faveur, Dieu vous aurait abandonnés à votre sort. C'est pourquoi nous sommes ici, pour aider les hommes une dernière fois. Si ça ne fonctionne pas, et que l'Adversaire parvient à découvrir l'existence de l'Éden et à s'en emparer, Dieu renoncera définitivement à vous et ira créer un nouveau jardin ailleurs, dans un autre univers. Il vous laissera tomber, tu comprends ?

L'Archange marqua un temps, puis ajouta :

— Dieu ne vous aime plus.

*« On peut répandre la lumière de deux façons :
être la bougie, ou le miroir qui la reflète. »*

Edith Wharton

22.

Dieu ne nous aime plus ?... se répétait Wendy. Même si elle n'avait jamais été une fervente croyante, cette éventualité la troublait. Les humains n'étaient pas les créatures les plus faciles, il fallait en convenir. Méritaient-ils pour autant un dieu qui les aimait de façon conditionnelle ? Un père est-il un père s'il cesse d'aimer ses enfants ?

— Je n'ai pas besoin de Juliette, insista Wendy, sur un ton plus calme cette fois.

Sa colère n'était d'aucune aide. Ce n'est pas de cette manière qu'elle parviendrait à convaincre l'Archange de laisser Juliette retourner sur la Terre.

— Je suis une grande fille, je peux me rendre seule dans la Jehenn.

Michaël n'était pas d'accord.

— Si tu y vas seule, tu ne tiendras pas le coup. Personne n'y est jamais arrivé. Même Jazzman, notre meilleur homme là-bas, a eu besoin de ce genre de soutien. Sans rien qui te rattache à ton monde d'origine, tu abandonneras ta mission. Tu en viendras à réduire l'importance de ta propre vie et tu finiras par abandonner. C'est une réaction humaine. Avec la présence de cette amie, tu n'auras cependant pas le choix : tu ne pourras plus baisser les bras, tu devras réussir ta mission, sinon elle mourra et ce sera de ta faute.

— Vous êtes complètement tordus.

— Nous ne sommes pas humains, voilà toute la différence. Pourquoi crois-tu qu'il est interdit aux anges d'aimer ?

Une voix d'homme résonna soudain dans la steppe, comme si elle était portée par le vent : « *Nous sommes prêts pour l'échange.* »

— C'est Jazzman, déclara Samuel en cherchant à découvrir d'où provenait la voix.

Jazzman, l'agent infiltré parmi les forces de l'Adversaire, le précieux espion qui travaillait pour les forces du Bien, si une telle force existait réellement. Jazzman ne se trouvait pas avec eux. Son corps physique était ailleurs, probablement quelque part dans la Jehenn. Pour l'instant, Wendy, Juliette et les anges n'avaient droit qu'à sa voix. Il ne voulait sans doute pas être identifié. « *Voici les deux âmes à remplacer*, ajouta-t-il. *Nous sommes prêts à recevoir leurs substituts.* » Deux autres personnes se matérialisèrent alors près du groupe. Deux jeunes femmes aux traits familiers : les jumelles de Wendy et de Juliette. Des copies identiques en provenance de la Jehenn.

Wendy et Juliette éprouvèrent d'étranges sensations à la vue de ces deux jeunes femmes, qui leur ressemblaient en tous points. Elles se sentaient à la fois proches et éloignées d'elles. Leurs corps étaient identiques, certes, mais pas leurs âmes. Chacune d'entre elles avait un esprit distinct. Et il y avait fort à parier que leur mémoire et leur personnalité étaient fort différentes, et même à l'opposé les unes des autres. Ces filles étaient originaires d'un monde où le mal régnait en permanence. Elles ne pouvaient avoir échappé à cette influence. Quel genre de personnes étaient-elles ?

Wendy et Juliette avaient l'impression de s'observer dans un miroir, ou plutôt de voir leurs réflexions prendre vie sous leurs yeux.

— Qu'est-ce que tu as à me regarder comme ça ? demanda soudain la Wendy de la Jehenn à sa vis-à-vis. Tu veux ma photo ?

Il fallut quelques secondes à Wendy pour réagir.

— Ta photo ? Non, pas du tout… J'en ai tout un tas chez moi.

La Wendy de la Jehenn tenta de s'avancer vers celle de l'Éden, mais Joseph s'interposa rapidement.

— Du calme, lui dit-il.

Joseph dévisagea le sosie de Wendy avec une telle froideur, un tel mépris, que la pauvre n'eut pas le choix : elle baissa la tête et les yeux, et fit un pas en arrière pour regagner sa place.

— C'est quoi, tout ce cirque ? demanda alors la Juliette de la Jehenn, prenant ainsi le relais de sa maîtresse.

La jumelle de Juliette s'était adressée à Michaël, qui faisait sans doute figure d'autorité, mais l'Archange ne lui accorda aucune attention. Il la regarda à peine, avant de s'adresser de nouveau à Wendy :

— La Wendy de la Jehenn est dans le coma depuis trois mois maintenant. Sa famille et ses amis sont tous très impatients de la voir reprendre connaissance. Et ça se produira très bientôt, dès que tu prendras possession de son corps. La jeune femme que tu vois là n'est qu'une représentation spectrale de la véritable Wendy de la Jehenn. Son corps est toujours là-bas, comme le tien et celui de ton amie Juliette sont toujours dans l'Éden. Nous ne ferons qu'échanger vos esprits. Juliette et toi vous retrouverez dans le corps de vos sosies, et vice-versa. Seule différence : vous pourrez vous éveiller une fois parvenues dans la Jehenn, contrairement à vos deux jumelles, qui demeureront prisonnières de vos corps inanimés. Pour vous, ce transfert sera une libération. Pour elles, ce sera un emprisonnement.

— Vous ne pouvez pas faire ça ! s'écria brusquement la Wendy de la Jehenn. Vous savez qui je suis ? Lorsque mon père apprendra comment vous m'avez traitée, il vous châtiera ! Mon père est l'un des conseillers spéciaux de l'empereur, et c'est aussi l'un de ses proches amis !

Une fois de plus, la jumelle de Wendy essaya de se rapprocher du groupe, et une fois de plus, Joseph se hâta d'intervenir. Il agrippa la jeune femme par la gorge, la souleva de terre, puis la rejeta violemment au sol. L'autre Juliette, la servante, voulut aider sa maîtresse, mais fut arrêtée par Samuel, qui lui barra la route.

— Qui êtes-vous ? demanda la Wendy de la Jehenn en tentant de se relever, sans y parvenir. Qu'est-ce que vous nous voulez ? C'est quoi, ces histoires d'Éden et de transfert ? Et pourquoi ces greluches nous ressemblent-elles autant ?

— Ce n'est rien, répondit Samuel. Vous êtes en train de rêver.

— Rêver ?

— Les rêves du comateux, vous connaissez ?

— Sale petit insolent !

La Wendy de la Jehenn fixa Samuel d'un regard assassin, avant de lui cracher dessus. Plutôt que de déclencher la colère de l'ange, ce geste provoqua son rire.

Michaël ne s'était pas laissé distraire par cet incident. Il poursuivit, à l'intention de Wendy :

— À ton réveil, tout te paraîtra étrange, mais ne t'en inquiète pas. Tout le monde s'attendra à ce que tu sois un peu perdue et désemparée, après ces trois mois passés dans le coma. Ils ne se méfieront pas de toi, même si ton comportement leur paraît étrange, même si tu ne connais pas toutes les réponses à leurs questions. Joue les égarées, et les médecins concluront à une amnésie partielle. Quant à la Juliette de la Jehenn, ajouta l'Archange en observant brièvement la principale intéressée, elle vient tout juste de perdre connaissance.

Les causes : stress et surmenage. Elle se trouvait au chevet de sa maîtresse lorsque ce fâcheux incident s'est produit. Les infirmiers l'ont installée dans la même chambre que Wendy, sur un lit pliant. En ce moment, la maîtresse et sa domestique sont toujours inconscientes, mais elles s'éveilleront bientôt. Ce sera votre ticket d'entrée pour la Jehenn.

Michaël fit une pause, avant d'ajouter :

— Les Wendy et Juliette de la Jehenn ne sont pas amies. Elles ont une relation semblable à celle qu'ont tous les maîtres avec leurs valets : respectueuse, mais distante. Votre convalescence vous permettra de créer des liens, de vous rapprocher. Du moins, c'est ainsi que le comprendront les membres de la famille Wagner. De retour au château, vous pourrez donc entretenir cette amitié. Elle sera, disons, vraisemblable. Mais faites tout de même preuve de retenue. Dans la Jehenn, il est hors de question que vous soyez les « deux meilleures amies du monde », ce serait beaucoup trop suspect, vous ne venez pas du même milieu. Il faudra vous contenter d'être de bonnes compagnes, sans plus. Vous pourrez vous fréquenter, mais avec modération, vous comprenez ? La discrétion est votre meilleur alliée, ne l'oubliez jamais.

Wendy et Juliette s'observèrent l'une l'autre pendant quelques secondes, puis finirent par acquiescer ensemble, sans grand enthousiasme cependant. L'Archange paraissait néanmoins satisfait. Il leur sourit, ce qui étonna Wendy, avant d'enchaîner :

— Il est temps de partir maintenant. Joseph accompagnera Wendy, et Samuel ira avec Juliette.

Cette idée sembla déplaire à Samuel, qui s'empressa de protester :

— Mais, Michaël, je croyais que…

L'Archange n'allait certes pas s'en laisser imposer, et surtout pas par un subalterne.

— Ma décision est prise, Samuel. Allez, que Shamshiel vous protège.

— Shamshiel… répéta Juliette. Qui c'est, celui-là ?

— Il est le protecteur du paradis terrestre, répondit Michaël. Dieu a détourné son regard des hommes, je vous l'ai déjà dit. Le seul qui vous accorde encore un peu d'importance est Shamshiel. Il est responsable de la survie de l'humanité. Priez pour qu'il continue de vous écouter et de regarder dans votre direction.

Michaël se détourna alors des deux jeunes femmes, puis leva la tête vers le ciel afin d'interpeller son agent dans la Jehenn :

— Jazzman, vous êtes toujours là ?

« *Oui, Michaël !* répondit la voix éloignée de Jazzman. *J'ai deux corps ici, qui sont prêts à accueillir leurs nouvelles âmes !* »

— Très bien ! Joseph, Samuel, c'est à vous.

Les deux anges obéirent prestement au commandement de leur maître et se rapprochèrent de Wendy et de son amie. Joseph se positionna face à Wendy et Samuel face à Juliette.

Les deux anges échangèrent un regard, puis hochèrent la tête simultanément, comme s'ils cherchaient à coordonner leurs mouvements. Une seconde plus tard, ils s'inclinaient vers les deux jeunes femmes.

— Embrasser un déchu qui s'apprête à partir pour la Jehenn est la seule façon pour un humain de s'y rendre aussi, murmura Joseph à l'oreille de Wendy.

La jeune femme acquiesça avec le sourire.

— Comme désagrément, j'ai connu pire, dit-elle.s

Samuel posa ses lèvres sur celles de Juliette au même moment où Joseph posait les siennes sur celles de Wendy. Du coin de l'œil, Wendy vit le baiser échangé entre Samuel et Juliette. Elle le trouva plutôt froid comparé à celui que lui offrait Joseph, qui était beaucoup plus fougueux, beaucoup plus passionné. Tout en l'embrassant, Joseph passa ses bras autour de Wendy et la serra contre lui. Avant de fermer les yeux et de se laisser entièrement posséder par l'ange déchu, Wendy jeta un dernier regard en direction de l'arbre qui les surplombait tous les deux. L'arbre est un symbole de vie, se dit-elle, mais celui-là est mort. Il laisse néanmoins une trace de son passage. Un jour, contre toute attente, il a émergé de ce sol rocailleux, il s'est développé, a grandi, puis a vieilli et s'est éteint. Aujourd'hui, il n'est plus, mais une certitude demeure : il a vécu.

Il a vécu, se répéta Wendy. Et toi, vivras-tu ? Auras-tu la force de te frayer un chemin dans ce sol rocailleux ?

L'instant d'après, la jeune femme et son ange étaient ailleurs. Elle et lui, fusionnés en un seul baiser. Joseph était un déchu, Wendy en était consciente, et malgré cela, elle était rassurée ; elle se sentait en sécurité auprès de lui. Rien ne pouvait lui arriver. Il la défendrait au prix de sa vie s'il le fallait. L'inconnu de Rochdale, c'était lui. Sachant cela, Wendy était convaincue que Joseph ne lui ferait jamais de mal. Il était fort et brave pour elle. Uniquement pour elle.

« Si Dieu est le commencement et la fin de l'histoire,
il n'est pas l'histoire. L'histoire, c'est nous. »

Christian Chabanis

23.

Pendant le bref intervalle que dura leur voyage vers la Jehenn, Wendy eut une vision. Ou plutôt un songe, qu'elle crut partager avec Joseph Heywood. Il était là, à ses côtés, et ils voyageaient ensemble vers cet autre monde dominé par le diable et ses anges déchus. Même si Wendy ne pouvait voir Joseph, elle arrivait à sentir sa présence et savait qu'il la protégeait. Mais contre qui ou quoi devait-il la protéger ? Existait-il une menace quelconque dans ce passage sombre et nébuleux, dans ces espèces de limbes reliant l'Éden et la Jehenn ? L'âme, ou la conscience, de Joseph servait-elle de bouclier à l'esprit de la jeune femme ? Car c'est bien ce qu'elle était devenue à ce moment-là : une âme sans corps, dépossédée de sa chair, en route vers un monde dont elle ne connaissait pratiquement rien.

— À quoi ressemble la Jehenn ? demanda-t-elle à Joseph sans avoir à remuer les lèvres.

Normal, car de lèvres, elle n'avait plus. Pour l'instant, du moins. C'est par la pensée qu'elle communiquait avec son ange protecteur. Cela se faisait d'instinct, le plus naturellement du monde.

— La Jehenn est semblable à ton monde, commença Joseph.

Wendy arrivait à déceler la présence du jeune ange autour d'elle, sans pouvoir la situer exactement.

— Excepté que les gens qui vivent là-bas sont mauvais, ajouta Joseph. Pour la plupart.

Mauvais?... Wendy devait-elle s'attendre à autre chose? Bien sûr que non. Elle était terrifiée à l'idée de découvrir de quoi était faite la Jehenn, mais qui ne l'aurait pas été? Elle se préparait donc au pire et se répétait sans cesse que ce monde hostile lui réservait certainement son lot de mauvaises surprises.

— Presque tout y est mauvais, en réalité, poursuivit la voix enveloppante de Joseph, et contrairement à ce qu'on pourrait penser, ce n'est pas si évident à voir et à sentir. Le mal est insidieux, il est trompeur. Plutôt que d'être motivés par l'atteinte du bien, les habitants de la Jehenn cherchent à faire le mal, et à bien le faire. C'est leur mode de vie. Pour eux, le bien est dangereux. C'est un concept qu'ils ne comprennent pas, et qui leur paraît très menaçant. Mais ne crains rien, tenta de la rassurer Joseph. Même si ta famille et toi vivez en Amérique, vous êtes de descendance allemande. Ton ancêtre était un membre important du parti nazi, le régime politique dont s'est inspiré l'Adversaire pour fonder les bases de son Imperium. Grâce à son nom et à sa réputation, ton père est parvenu à se hisser dans les plus hautes sphères du pouvoir. Le nom et l'influence de la famille

Wagner suffiront à dissiper tout soupçon à ton égard. Pour un temps, du moins, si tu joues bien tes cartes.

« *Souviens-toi de l'homme de Mâcon* », murmura soudain une voix familière à l'oreille de Wendy, alors qu'elle s'apprêtait à quitter le monde des esprits pour celui des vivants.

— L'homme de Mâcon ? répéta la jeune femme, surprise.

« *Au dernier instant, tout dépendra de lui et de toi.* »

Cette voix, Wendy ne la connaissait pas, mais ces paroles, elle les avait déjà entendues par le passé. Elles avaient servi de conclusion à l'une des nombreuses visites nocturnes de Samuel et Joseph. Qu'essayait-on de lui dire exactement avec ce message ? Voulait-on l'aider à comprendre quelque chose, à déchiffrer une énigme ou un autre truc du genre ? Ou peut-être s'agissait-il d'un avertissement, qui visait à la prévenir d'un éventuel danger ? Wendy ne savait pas, elle n'en avait aucune idée. Et qui était cet « homme de Mâcon » ?

— Expliquez-moi, je ne comprends pas.

Mais le propriétaire de la voix n'était plus là, pas plus que Joseph, d'ailleurs. Son garde du corps, l'ange déchu qui devait la protéger dans la Jehenn, avait disparu. Du moins, la jeune femme ne sentait plus sa présence.

— Joseph ?…

Aucune réponse. Non, c'était impossible, il ne pouvait pas l'avoir abandonnée ainsi, alors qu'ils étaient si près de leur destination.

— Joseph, tu es là ?

Rien.

Que le silence, encore une fois.

L'ange avait disparu. Jusque-là, Wendy n'avait pas eu l'impression d'exister réellement, seulement de flotter quelque part dans le néant, entre deux réalités, pareille à une âme errante. Depuis le départ de Joseph, elle sentait néanmoins son corps et ses sens revenir lentement à la vie. Le moment de l'incarnation était venu. Elle allait intégrer un nouveau corps, celui de l'autre Wendy. Cette perspective lui donnait froid dans le dos. Son cœur qui recommençait à battre dans sa poitrine, et son sang qui recommençait à circuler dans ses veines. Elle percevait de nouvelles odeurs et distinguait enfin des ombres. Tandis qu'elle reprenait tout doucement le contrôle de ses membres, son épiderme discernait à nouveau les variations de température survenant autour d'elle. Wendy était sur le point de se matérialiser quelque part, elle en était convaincue, comme dans les films de science-fiction lorsque les personnages se téléportent sur une nouvelle planète. Sauf que la jeune femme n'allait pas atterrir sur une nouvelle planète, mais bien dans la Jehenn, l'enfer terrestre.

Bonjour les vacances, se dit-elle.

« *Souviens-toi de l'homme de Mâcon, Wendy… Cette loi révolte ta justice, mais ce n'est pas à moi de t'expliquer le monde. Ce n'est pas à moi…* »

PARTIE 2

La Jehenn, l'enfer terrestre

« Le discours politique est destiné à donner aux mensonges l'accent de la vérité, à rendre le meurtre respectable et à donner l'apparence de la solidité à un simple courant d'air. »

George Orwell

24.

L'une des politiques les plus abominables de l'Imperium fut appelée le Programme d'euthanasie des plus faibles. Les gens malades ou handicapés devaient obligatoirement être signalés pour « traitement sanitaire ». Après évaluation, si le formulaire d'un individu était marqué d'un « A », ce dernier survivait. Si son formulaire était marqué d'un « B », il mourait. Les personnes condamnées étaient généralement admises à l'hôpital de leur ville. Les visites étaient permises, mais au bout d'un certain temps, les proches du patient finissaient par remarquer que quelque chose n'allait pas : leur parent ou ami faiblissait de visite en visite. L'issue, dans ce genre de cas, était toujours la même : quelques jours plus tard, on leur annonçait que le patient était décédé d'une maladie infectieuse, sans donner davantage de détails.

Récemment, une nouvelle politique fut mise de l'avant par les autorités de Germania, siège de l'Imperium. Selon cette nouvelle directive, les employés des hôpitaux n'avaient plus à respecter les consignes provenant de quelque formulaire. Médecins et infirmières étaient libres, désormais, d'assassiner les pauvres gens placés sous leur garde. Ils choisissaient de façon arbitraire qui devait mourir et qui devait survivre.

Ils jouaient à Dieu.

« Je me crois en enfer, donc j'y suis. »

Arthur Rimbaud

25.

Wendy ouvrit les yeux dès l'instant où elle se sentit revivre, heureuse de constater qu'elle avait bien intégré son nouveau corps.

« Nica espère ton retour. Reviens-lui, Bird, reviens-lui… »

Le transfert d'âme avait donc fonctionné. Elle avait quitté la steppe et ses grands vents pour se réveiller ici, à l'intérieur, dans un espace beaucoup plus restreint, mais certainement plus familier. Encore une fois, elle se trouvait étendue sur un matelas. Un matelas d'hôpital. Ces derniers jours, elle avait l'impression de les avoir passés au lit : tout d'abord dans le sien, celui de son appartement, puis dans celui du département d'oncologie, à Havilah, puis enfin dans celui-ci, dans cet hôpital de la Jehenn.

De prime abord, il n'y avait rien de différent. La chambre d'hôpital ressemblait à n'importe quelle autre chambre d'hôpital. Non, ce n'est pas tout à fait exact, se ravisa Wendy après un examen plus minutieux. La pièce dans laquelle elle

se trouvait ressemblait plutôt à une chambre d'hôpital
« pour riches ». Elle était beaucoup plus luxueuse que les
chambres habituellement réservées aux gens comme elle, on
le voyait au fastueux décor et à l'ameublement sophistiqué.
Sans doute s'agissait-il d'un hôpital privé, et cette chambre
était assurément la plus belle, la plus grande et, par le fait
même, la plus chère. Malgré son vaste espace, la pièce ne
contenait qu'un seul véritable lit, celui occupé par Wendy.
Le corps de Juliette – ou plutôt celui de « l'autre » Juliette,
celle de la Jehenn – reposait sur un modeste lit de camp. Un
préposé avait dû le livrer en vitesse, afin qu'on puisse le
déployer et y étendre la jeune domestique après son éva-
nouissement. Si tout avait fonctionné comme prévu, si le
transfert s'était bien déroulé, c'était maintenant la Juliette
de l'Éden qui occupait ce corps. Cette dernière était toujours inconsciente, et Wendy n'avait pas l'intention de la
réveiller, pas tout de suite, du moins : elle espérait que son
amie profite encore un peu de la paix et de la quiétude que
procure le sommeil.

Quant à Wendy, elle en avait marre de dormir : il fallait
qu'elle se lève, qu'elle bouge, mais la jeune femme réalisa bien
vite que les membres de son nouveau corps s'étaient anky-
losés. Elle essaya de bouger ses bras, puis ses jambes, sous les
draps, mais ils semblaient peser des tonnes. Elle dut fournir
des efforts considérables seulement pour remuer les doigts
et les orteils. Le simple fait de bouger un peu les mains et les
pieds la vida du peu d'énergie dont elle disposait. Wendy venait
à peine de s'éveiller, comment pouvait-elle être déjà si fatiguée ?
Sans doute était-il normal de faire face à une pareille faiblesse.
Après tout, le corps dans lequel elle se trouvait ne venait-il pas
de passer les trois derniers mois dans le coma ? Il était donc

normal que son retour à la vie soit lent et pénible. La jeune femme remarqua assez tôt qu'aucune machine n'était branchée sur elle : aucun moniteur cardiaque, aucun respirateur artificiel. Peut-être était-elle sortie du coma depuis un bon moment déjà? Le coma avait certainement été suivi d'un sommeil profond, celui duquel Wendy venait de s'éveiller. Les instruments nécessaires à sa survie ainsi qu'à la surveillance électronique de son état étant devenus inutiles, le personnel médical avait probablement jugé bon de les lui retirer.

Laissant donc Juliette à son sommeil, Wendy tourna la tête vers la droite, lentement et avec précaution. Les muscles de son cou étaient encore rigides. Les yeux mi-clos, elle découvrit à ses côtés la présence de deux jeunes gens. Ils étaient installés sur des fauteuils et l'observaient en silence. Un garçon et une fille. Ils avaient le même âge, environ quinze ou seize ans, et se ressemblaient beaucoup. Ils étaient frère et sœur, à n'en pas douter, et peut-être même jumeaux. Wendy ne les connaissait pas; elle ne les avait jamais vus auparavant. Mais peut-être étaient-ils de proches parents? Sinon, pourquoi étaient-ils tous les deux à son chevet? La jeune femme aurait plutôt cru y trouver son père et sa mère, enfin, ceux de la Jehenn, et non ces deux jeunes inconnus.

— Je suis tellement heureuse que tu sois de retour, Wendy, déclara soudain la jeune fille. Jusqu'à ce matin, nous avions perdu tout espoir.

Wendy avait donc raison : il y avait quelques heures qu'elle était sortie du coma. Elle sourit à la jeune fille, sans savoir quoi lui répondre. Le garçon quitta son fauteuil à ce moment-là et s'approcha du lit.

— Ça va, Wendy?

Il la fixa d'un regard froid. Visiblement, il ne ressentait aucune compassion pour la jeune femme. Wendy devait s'habituer à ce genre de comportement, et le plus vite serait le mieux. Si le mal régnait réellement dans la Jehenn, il était peu probable que ses habitants ressentent de la compassion pour quiconque. Pourtant, la jeune fille, contrairement au garçon, paraissait beaucoup plus sensible à sa condition.

— Ton ancien garde du corps a été tué dans l'accident de voiture qui t'a mise dans cet état, lui révéla la jeune fille. Les SS de l'Imperium t'en ont assigné un autre.

Elle parlait de Joseph, assurément. Wendy entrouvrit la bouche et tenta de dire quelque chose, mais en fut incapable. Les muscles de sa mâchoire manquaient d'entraînement. Elle éprouvait de la difficulté à bouger la langue ainsi que les lèvres. Articuler convenablement les mots qu'elle souhaitait prononcer constituait un défi.

— Où… Où… est-il? réussit-elle néanmoins à demander, au prix de pénibles efforts.

— Il monte la garde à l'entrée de ta chambre en ce moment, répondit la jeune fille. Tu veux que je lui dise d'entrer?

Wendy fit oui de la tête. La fille se dirigea alors vers la porte et discuta avec celui qui se trouvait de l'autre côté. Peu de temps après, le nouveau garde du corps fit son entrée. Wendy s'attendait à voir Joseph, mais c'est Samuel qui apparut dans l'encadrement de la porte. Il était vêtu de noir, de la tête aux pieds. Ses vêtements ressemblaient à un uniforme de soldat. Il portait un brassard rouge sur lequel était imprimée une croix gammée, comme celle qu'arboraient les nazis.

— Fräulein Wagner, déclara-t-il sur un ton solennel, je suis heureux de faire votre connaissance. Je m'appelle Samuel Fish, et je suis votre…

— Je sais… le coupa Wendy, en constatant que sa mâchoire s'était dégourdie et bougeait maintenant avec beaucoup plus d'aisance.

Samuel, qui faisait semblant de ne pas connaître Wendy, jouait son rôle à la perfection. Mais la déception de ne pas voir Joseph à sa place mit la jeune femme de mauvaise humeur. Elle ne se gêna pas pour le laisser paraître, en se disant que cette attitude revêche devait sans doute être de mise dans la Jehenn. Et elle n'avait pas tout à fait tort.

— Je suis votre nouveau garde du corps, compléta tout de même Samuel.

— Je sais très bien qui tu es, ajouta Wendy sur un ton sec.

La jeune femme avait parlé de manière ferme et assurée, et fut elle-même surprise de voir avec quelle rapidité son élocution s'était améliorée. De plus, elle était très fière de sa réponse, mais surtout, de ses talents d'actrice. Cette attitude méprisante et effrontée faisait très Jehenn, selon elle. L'autre Wendy était une petite fille de riches, à n'en pas douter, et avait certainement un caractère égocentrique qui s'agençait parfaitement avec sa condition. Il avait fallu seulement quelques secondes à Wendy pour cerner sa jumelle : en plus d'être égoïste et narcissique, cette dernière était antipathique, intolérante et capricieuse. Une sale chipie, quoi. C'est ce qu'il me faut devenir, pensa Wendy. C'est ce personnage qu'il me faut jouer pour éviter d'éveiller les soupçons et conserver ma crédibilité.

— Je vois que votre *frère* vous a dit qui j'étais, déclara Samuel en fixant son regard sur le garçon.

Il avait bien dit son frère ? L'ange avait dû se tromper, Wendy était fille unique. Mais si Samuel avait tant insisté sur ce mot, c'était sûrement pour lui faire comprendre quelque chose. Et si elle avait effectivement un frère, non pas dans l'Éden, mais dans la Jehenn ? Un frère et une sœur, en vérité, puisque la jeune fille était la jumelle du garçon, Wendy en aurait mis sa main au feu. Était-ce possible, elle qui n'avait jamais eu de vraie famille ? Elle était certaine que ses parents, ceux de l'Éden, n'avaient pas eu d'autres enfants après elle. Comment auraient-ils pu, de toute façon ? Son vrai père était mort en prison, quelques années après sa naissance, et sa mère, depuis ce jour-là, était folle à lier.

— Alors tu es… mon frère ? lança Wendy au garçon, qui l'évaluait toujours d'un regard sévère.

— Tu ne te souviens pas de moi ? répliqua le jeune homme en prenant un air soupçonneux.

— Et moi ? s'inquiéta immédiatement la jeune fille. Tu te souviens de moi, hein, Wendy ?

La principale intéressée n'eut pas le temps de répondre. Un autre homme fit son entrée dans la chambre. La mi-quarantaine, il était vêtu d'un sarrau blanc et portait un stéthoscope autour du cou.

— Un coma prolongé entraîne parfois des pertes de mémoire, affirma l'homme d'un ton ferme.

Il savait de quoi il parlait. Un médecin, assurément.

— Mais très vite, tout reviendra à la normale, ajouta-t-il. Vous retrouverez bientôt votre sœur, les enfants.

Le garçon lui jeta un regard furieux.

— Nous ne sommes plus des enfants.

Le médecin perdit aussitôt de son assurance; il commença à jouer nerveusement avec ses mains, comme s'il éprouvait de la crainte envers le garçon.

— Oui, bien sûr, marmonna le médecin, confus. Pardon-nez-moi, je ne voulais pas…

— Mais non, docteur, ce n'est rien, le rassura la jeune fille. Mon frère est un peu soupe au lait, il s'emporte facile-ment, voilà tout.

Le médecin acquiesça, certes, mais ne paraissait pas moins inquiet. C'était lui, à présent, qui avait l'air d'un gamin tant son trouble était grand. Un gamin, penaud, qui s'était fait prendre à dire des bêtises et qui le regrettait amèrement. Ces adolescents sont dangereux, en conclut Wendy. Ils détiennent beaucoup de pouvoir, assez pour faire craindre le pire à ce pauvre médecin.

C'est à ce moment que Juliette s'éveilla.

— Wendy? Wendy, tu es là?

— Tout va bien, Juliette, s'empressa de répondre son amie. Il y a des gens avec nous, ajouta Wendy pour l'informer qu'elles n'étaient pas seules.

— Depuis quand cette servante t'appelle-t-elle par ton prénom ? demanda le garçon, qu'une telle chose semblait offusquer.

Juliette devait faire preuve de prudence. Elle devait à tout prix contrôler ses émotions et éviter de dire quelque chose qui les trahirait toutes les deux. Elle devait vite entrer dans son personnage et jouer son rôle de servante, car c'est bien ce qu'elle était pour la Wendy de la Jehenn : une domestique.

« La guerre arrivée, le diable agrandit son enfer. »
Proverbe espagnol

26.

Lorsque leurs regards se croisèrent, Wendy comprit tout de suite que son amie était soulagée de la trouver à ses côtés. Le corps et les sens de Juliette répondaient beaucoup mieux que ceux de Wendy. Elle ne sortait pas d'un profond coma, comme c'était le cas pour son amie, mais reprenait simplement connaissance après être tombée dans les pommes.

— Est-ce normal, docteur, que la mâchoire et le crâne me fassent aussi mal? demanda Wendy.

— Oui, c'est normal, la rassura le médecin.

Il contourna le lit de Wendy, de façon à se placer entre Juliette et elle.

— N'ayez crainte, Fräulein Wagner, poursuivit-il, depuis votre réveil, vous vous remettez à une vitesse incroyable. Votre rétablissement est l'un des plus rapides auquel j'ai pu assister. Ça tient presque du miracle. J'ai même pris des notes pour un article que je prévois écrire pour le *Journal of Medecine*, ça vous embête ?

Un rétablissement exceptionnel, presque miraculeux ? Cette convalescence rapide, à qui ou à quoi Wendy la devait-elle ? À la médecine moderne ? À sa solide constitution ? Non, c'était beaucoup plus simple que cela en vérité. Lequel d'entre vous dois-je remercier pour cette guérison minute ? songea alors Wendy. Joseph ? Michaël ? Samuel ?

— Quand pourrai-je rentrer chez moi ?

« Quand ta mission dans la Jehenn sera terminée. » auraient certainement répondu Michaël et Samuel.

— J'ai promis à votre père que vous seriez de retour au château dans les prochains jours, répondit quant à lui le médecin. Si vous continuez à récupérer aussi rapidement, bien entendu. Nous vous avons fait passer des tests, alors que vous étiez toujours endormie. Les résultats nous confirment que tout est parfaitement en ordre : vos signes vitaux sont normaux et nous n'avons décelé aucune séquelle neurologique. Il en va de même pour votre servante : elle a été victime d'un simple vertige. Un coup de chaleur, c'est la seule explication que nous ayons pu trouver. Quelques jours de repos et elle sera de nouveau sur pied.

Il s'arrêta un moment pour balayer la pièce du regard.

— Si j'osais, murmura-t-il, en faisant montre de prudence, je dirais que cette chambre a des propriétés curatives. Nos futurs clients vont se l'arracher !

— Cette chambre appartient à mon père, ne tarda pas à répliquer le garçon sur le ton de la réprimande. Vous semblez oublier que seuls les membres du clan Wagner ont le droit de venir ici !

Le médecin réalisa qu'il venait de commettre un autre impair et se dirigea vite vers la sortie.

— Bien sûr, bien sûr, s'excusa-t-il, encore une fois mal à l'aise. Je suis désolé, je… euh, j'ai d'autres patients à rencontrer, mais je reviendrai dans une heure pour voir si tout va bien, d'accord ?

Le médecin quitta la chambre de façon précipitée, comme si sa vie en dépendait, ce qui provoqua le rire de la jeune fille.

— Pauvre homme, ricana-t-elle avec malice. Papa va lui faire perdre son boulot.

— Quel est ton nom ? demanda Wendy au garçon, sans se préoccuper de sa sœur.

Tous les deux se fixaient intensément, avec un air de défi. Wendy comptait soutenir le regard du garçon coûte que coûte. La jeune femme se demanda si Michaël et les autres avaient eu raison de la choisir pour ce séjour dans la Jehenn. Pourquoi leur fallait-il une rebelle, une insoumise, une fille avec du caractère qui ne s'en laisserait pas imposer, qui irait là où elle devait aller, quitte à tout raser sur son passage ? Parce que dans la Jehenn, pour survivre, il fallait se comporter en véritable prédateur et non se défiler comme une proie. C'est en réalisant cela que Wendy commença à s'inquiéter pour Juliette. Comment son amie survivrait-elle dans un monde pareil, investi d'autant de malveillance ? Saurait-elle se débrouiller ? Qu'importe, se dit alors Wendy, résolue, je l'aiderai à traverser tout ça. Elles allaient s'en sortir indemnes toutes les deux, se promit la jeune femme. Après tout, elle devait bien ça à Juliette, non ? C'était de sa faute si son amie se trouvait bloquée ici, avec elle, dans ce monde pourri. En forçant Juliette à l'accompagner, Michaël s'assurait ainsi de sa loyauté. Il savait que Wendy ferait tout ce qui était en son pouvoir pour accomplir leur satanée mission. Et c'était vrai, Wendy espérait bien réussir. Surtout pour Juliette ; elle n'avait pas à payer pour tout ça.

— Tu te souviens de ta servante, mais pas de ton frère ? fit le garçon.

— Arrête, Erik ! implora sa jumelle.

— Alors, tu t'appelles Erik ? demanda Wendy. Erik Wagner ?

— Évidemment.

— Et toi ? fit Wendy en s'adressant cette fois à la jeune fille.

— Ada, répondit cette dernière avec enthousiasme. Ada Wagner.

Au moins, se dit Wendy, elle semble me faire confiance, celle-là.

— Notre sœur ne nous aurait jamais oubliés ! affirma soudain Erik, qui ne manifestait toujours pas le moindre signe de souplesse.

Wendy ragea intérieurement : il lui tapait réellement sur les nerfs, ce petit idiot !

— Je ne vous ai pas oubliés, expliqua Wendy en essayant de garder son calme. Vous êtes toujours là, dans ma mémoire, mais pour l'instant, c'est plutôt brumeux là-dedans. Je ne vous vois pas, mais le soleil reviendra bientôt.

— Moi, grande sœur, je te trouve toujours aussi sympa, observa Ada, ce qui lui valut un regard réprobateur de la part de son frère.

Était-ce de bon augure ou non ? Tout compte fait, Wendy devait-elle se montrer « sympa » avec eux ? Que ferait la Wendy de la Jehenn ? Agirait-elle en véritable tyran avec son frère et sa sœur, ou les traiterait-elle en égaux ?

— Donnez-lui du temps, déclara Samuel, qui était demeuré plutôt discret depuis que Wendy l'avait brusqué. Votre sœur retrouvera sa mémoire, et plus vite que vous ne le croyez.

— Oh toi, la ferme, le déchu ! s'exclama aussitôt Erik en se tournant vers Samuel. On ne t'a pas autorisé à parler, que je sache !

Samuel baissa la tête en signe de soumission. Quelle humiliation ! Wendy se sentait gênée pour lui.

— Je m'excuse, dit Samuel à mi-voix, tentant ainsi de se justifier, je ne voulais pas…

— Ça suffit ! Tais-toi !

Le garçon fit ensuite un signe à sa sœur jumelle.

— Allez, il est temps de partir.

Ada laissa son fauteuil et rejoignit son frère près de la porte. La jeune fille s'adressa à Wendy tout juste avant qu'Erik et elle ne quittent la chambre :

— Los, le chauffeur de père, viendra vous prendre toutes les deux, Juliette et toi, demain matin. Quoi qu'en disent les médecins, père souhaite que vous rentriez à la maison. Sa propre équipe médicale s'occupera de vous si nécessaire.

— Ada, où sont-ils ? ne put s'empêcher de demander Wendy. Maman et papa, ils sont venus… me voir ?

Wendy se trouva pathétique. Depuis quand était-elle devenue aussi fleur bleue ? « Maman et papa », c'est bien ce qu'elle avait dit ? Ces mots sonnaient tellement faux dans sa bouche.

Comme la jeune femme s'y attendait, la question provoqua le rire d'Ada. Preuve supplémentaire, s'il en fallait une, que Wendy se montrait beaucoup trop naïve.

— Tu sais bien que père et mère sont beaucoup trop occupés avec les affaires de l'État pour venir ici. Le conseiller de l'empereur lui-même, Herr Abaddon, arrive ce soir par avion pour une inspection de sécurité. Père prend cette visite très au sérieux.

Ce ne fut pas Wendy qui réagit, cette fois, mais Juliette.

— Tellement au sérieux qu'il néglige de visiter sa propre fille à l'hôpital?

Ada ne sembla pas comprendre la réaction de Juliette. Elle jeta un regard interrogateur en direction de Wendy. Qu'attendait-elle pour remettre cette petite servante à sa place? Wendy comprit immédiatement ce qu'elle devait faire. Pour demeurer fidèle à son rôle, il n'y avait qu'un seul comportement à adopter.

— Comment oses-tu t'adresser à ma sœur sur ce ton? demanda-t-elle à Juliette, tout en prenant un air hautain, presque dédaigneux.

L'intervention de Wendy parut surprendre Juliette.

— Mais, je…

— Je te conseille de t'excuser, si tu ne veux pas finir aux cuisines.

Juliette hésita un moment, jusqu'à ce qu'elle comprenne enfin ce que Wendy attendait d'elle.

— Oui, évidemment… Je… je vous demande pardon, maîtresse Ada. Je n'aurais pas dû… Vous m'en voyez désolée. Je ne suis qu'une pauvre idiote de servante et…

— D'accord, d'accord, j'ai compris, la coupa froidement Ada. Mais ne recommence plus, sinon je serai forcée d'en glisser un mot à mon père.

— Je… Je vous le promets, maîtresse. Ce sont les événements des derniers jours qui m'ont ébranlée. Pardonnez ce manque de jugement. Je suis une étourdie, une écervelée…

— Ça suffit, Juliette, l'arrêta Wendy. Ma sœur doit partir.

Wendy revint à Ada et l'observa silencieusement, dans l'attente d'une quelconque réaction. Alors, satisfaite ? songea Wendy en continuant de fixer sa jeune sœur. Me suis-je comportée en véritable Wagner ? Ada se contenta de sourire, puis de hausser les épaules, avant de sortir de la chambre et d'aller retrouver Erik, qui l'attendait dans le couloir. Wendy se trouva enfin seule avec Juliette et Samuel.

— C'est pas croyable… souffla Juliette en s'adressant à ses deux compagnons. Non, mais vous l'avez entendue, cette petite pimbêche ?

— Ce monde est différent du nôtre, lui rappela Wendy. Les gens qui vivent ici ne sont pas…

Mais son amie ne la laissa pas finir, trop offusquée pour entendre quoi que ce soit.

— Et ton père, ce Charles Wagner ! Sa fille sort d'un coma et il ne prend même pas la peine de venir la voir ?

— Ça aurait pu être pire, expliqua Samuel. Ici, dans la Jehenn, la vie et la mort sont des questions politiques. Ils ont fait une exception pour Wendy, parce qu'elle est la fille de Charles Wagner. Habituellement, ils n'attendent pas trois mois avant de débrancher les patients comateux. Ils les euthanasient de manière aussi expéditive que les vieillards, les personnes handicapées et les malades chroniques.

— Tu es sérieux? s'indigna Juliette.

L'ange fit oui de la tête.

— Bienvenue dans la Jehenn, lança-t-il simplement, après quoi il prit une grande inspiration.

Wendy sentait chez Samuel autant de désarroi et d'angoisse que chez son amie Juliette. Lui qui paraissait toujours aussi calme et sûr de lui, démontrait à présent des signes de nervosité. Sa récente condition d'ange déchu lui procurait une toute nouvelle gamme d'émotions; des émotions beaucoup plus… humaines.

— Que fais-tu ici, Samuel? lui demanda Wendy.

La question était aussi soudaine qu'inattendue. Le jeune ange fronça les sourcils, ne sachant pas trop où elle voulait en venir.

— Que veux-tu dire?

Maintenant qu'ils étaient tous les trois seuls, Wendy pouvait enfin l'interroger à sa guise. Et un sujet la préoccupait plus que toute autre chose.

— Où est Joseph?

Samuel commença par se figer, puis baissa les yeux, incapable de soutenir le regard de Wendy. Sa mine défaite fit craindre le pire à la jeune femme.

— Écoute…

— Réponds-moi, Samuel !

L'insistance de Wendy sembla fouetter le jeune ange, qui releva aussitôt les yeux.

— Je n'en ai aucune idée. Je ne sais pas où il est.

« Les hommes ont inventé le destin afin de lui attribuer les désordres de l'univers, qu'ils ont pour devoir de gouverner. »

Romain Rolland

27.

L'enfer et le paradis étaient uniquement séparés par une largeur de main, disait-on, l'enfer se situant à la gauche de Dieu, et le paradis, à sa droite. Mais cette proximité prit fin en 1932, lorsque les Archanges détruisirent le royaume de Satan. Ce fut aussi en 1932 que la Jehenn fut créée par Dieu pour y attirer l'Adversaire et ses anges rebelles. Subissant très tôt l'influence néfaste de ces derniers, la Jehenn n'hérita pas du même destin que l'Éden, son royaume jumeau. Le cours normal de l'histoire ayant été modifié dès l'arrivée de l'Adversaire, les habitants de la Jehenn menèrent une existence radicalement différente de celle que connurent leurs contreparties de l'Éden, ce qui contribua entre autres à redéfinir leur conception du bien et du mal.

Le premier grand bouleversement survint en 1934, alors que l'Adversaire et ses disciples truquèrent les élections législatives aux États-Unis. Plutôt que de laisser la victoire au Parti démocrate, ils donnèrent une large majorité aux républicains dans les deux chambres du Congrès. Jusque-là désuni, le Parti républicain reprit de la vigueur et nomma Charles Lindbergh pour remplacer l'insipide Alfred Landon comme candidat aux élections présidentielles de 1936. L'Adversaire promit richesse et gloire à Frank Nitti, un célèbre gangster américain, en échange de quoi le mafioso s'engageait à faire assassiner Franklin Delano Roosevelt, le président américain de l'époque – le même qui, en décembre 1941, devait déclarer la guerre aux forces de l'Axe après l'attaque des Japonais sur Pearl Harbor.

Nitti parvint à faire assassiner Roosevelt en avril 1936. Le vice-président Garner assura l'intérim jusqu'aux élections, en novembre de la même année, où il fut battu par Charles Lindbergh, le candidat de l'Adversaire. Lindbergh prétendait sans gêne qu'Adolf Hitler était un grand homme, et défendait l'idée selon laquelle les fascistes étaient beaucoup moins dangereux que les communistes, opinion que partageaient bon nombre d'Américains, malheureusement. L'Adversaire n'appréciait pas particulièrement Lindbergh, qu'il jugeait trop « tiède », et le fit assassiner en 1937, encore une fois par les hommes de Frank Nitti. Lindbergh fut alors remplacé par son vice-président, un homme beaucoup plus extrémiste et foncièrement antisémite : Henry Ford. Le même Henry Ford qui, en 1903, avait fondé la Ford Motor Company. Peu de gens savent qu'il fut l'un des nombreux bailleurs de fonds étrangers d'Adolf Hitler. Pour le remercier de son soutien, on lui accorda même la plus haute décoration nazie pour les étrangers : la Grand-Croix de l'Aigle allemand. Ford hésita néanmoins à prendre la place de Lindbergh, prétextant son grand âge – il avait soixante-quatorze ans –, mais finit par accepter après avoir subi des pressions de la part de l'Adversaire lui-même. Ce simple changement dans l'histoire allait plus tard permettre la victoire des nazis, les futurs laquais de Satan.

28.

Ada n'avait pas menti. Une limousine vint les prendre le lendemain matin à l'hôpital. Sachant que les instructions venaient de Charles Wagner lui-même, aucun médecin ne s'opposa au congé de Wendy Wagner et de sa servante. Les formalités furent vite réglées, et c'est avec empressement que Wendy, Juliette et Samuel s'engouffrèrent dans l'habitacle de la limousine conduite par Los, le chauffeur personnel de Charles Wagner.

Wendy s'installa seule sur la banquette du fond. Celle qui longeait l'habitacle de la limousine, perpendiculaire à la jeune femme, fut vite occupée par Juliette et Samuel. Wendy se sentait très bien. Elle n'éprouvait plus la moindre fatigue. Si elle était sortie de ce coma sans trop de séquelles, c'était sûrement grâce à l'Archange Michaël ou à une autre force supérieure. Dans les faits, on ne peut se remettre d'une telle épreuve aussi rapidement, c'est impossible. Wendy éprouvait de la reconnaissance envers son guérisseur, certes, mais n'en était pas moins inquiète pour la suite des choses : elle craignait que cette guérison miraculeuse ne sème le doute dans l'esprit de ceux qu'elle s'apprêtait à côtoyer. Son corps, ou plutôt celui de l'autre Wendy Wagner, était exempt de tout cancer ; les métastases ne le dévoraient pas de l'intérieur. Ici, elle était en parfaite santé, et aurait pu avoir une vie normale si ce n'était de son nouveau statut d'espionne. À condition, bien entendu, qu'il soit possible d'avoir une vie « normale » dans la Jehenn. Déjà, le fait de savoir qu'elle avait un frère et une sœur la troublait passablement. Quelle autre surprise l'attendait donc ?

— Comment mon père a-t-il pu avoir deux autres enfants dans la Jehenn ? demanda Wendy. Ada et Erik n'existent pas dans l'Éden, si c'était le cas, j'en aurais certainement entendu parler…

— Non, ils sont uniques, ils n'ont aucun sosie dans l'Éden, répondit Samuel. Depuis l'arrivée de l'Adversaire dans la Jehenn en 1932, le destin de plusieurs hommes et de plusieurs femmes a été modifié. La plupart des gens qui sont nés dans l'Éden sont aussi nés dans la Jehenn, mais ça n'est pas toujours le cas. Il peut arriver qu'un couple formé dans l'Éden ne se soit jamais uni dans la Jehenn, et cela pour différentes raisons : la mort prématuré de l'un des éventuels partenaires, par exemple, ou le fait que leur destin a pris un autre chemin et qu'ils ne se sont jamais rencontrés. En conséquence, les enfants qui devaient naître de ces unions n'ont jamais vu le jour. Et l'inverse est aussi vrai : de nouveaux couples se forment dans l'Éden et dans la Jehenn. Des couples uniques, distincts, qui ne trouvent pas leur contrepartie dans l'un ou l'autre des deux royaumes. Les enfants issus de ces unions singulières sont donc exclusifs à leur monde d'origine, comme c'est le cas d'Ada et d'Erik.

Il marqua un temps, puis ajouta :

— Si tes vrais parents avaient eu la possibilité d'avoir d'autres enfants, il est probable que tu aurais également un frère et une sœur dans l'Éden, mais ça ne s'est pas produit. Tes parents ont été séparés avant d'avoir pu engendrer leurs deuxième et troisième enfants.

Que c'est compliqué, tout ça… songea Wendy. Un coup d'œil en direction de Juliette lui confirma que son amie était en proie à la même confusion. Il serait toujours temps plus tard de réfléchir à cette histoire de frère et sœur. Pour l'instant, mieux valait ne plus y penser.

Depuis l'intérieur de la limousine, tous les trois pouvaient apercevoir le château Wagner. Il était érigé sur la plus haute colline d'Havilah, au nord, et surplombait la ville, en contrebas. Le bâtiment était immense, aussi noble et solennel qu'un palais royal. La limousine les conduisait vraisemblablement là-bas. Ils y seraient dans quelques minutes, d'après l'évaluation de Wendy. Cela leur laissait le temps d'admirer la nouvelle Havilah.

La ville ressemblait à celle que Wendy avait connue dans l'Éden, mais on y notait tout de même bon nombre de différences, qui concernaient davantage l'architecture des bâtiments que leur emplacement. Ils étaient tous plus hauts et plus larges que les originaux, comme si on avait voulu leur donner un aspect plus imposant. Il n'y avait pas que leur dimension qui était étonnante : les nouveaux édifices étaient construits dans un style tout à fait nouveau et inusité. Certains avaient la forme de temples grecs ou romains. Plusieurs possédaient d'immenses galeries ouvertes, en béton, dont le plafond était supporté par des colonnes, un peu comme le Lincoln Memorial, à Washington, ou encore le Parthénon d'Athènes.

— Nous sommes toujours aux États-Unis ? demanda Juliette. J'ai peine à le croire.

— Les choses ont beaucoup changé de ce côté-ci, répondit Samuel avec un léger sourire. Mais n'ayez crainte : aux dernières nouvelles, la Havilah de la Jehenn se trouvait encore située dans l'état du Maine.

— Mais les maisons et les édifices sont si différents… observa Juliette.

— On note diverses influences, bien sûr, commenta Samuel, alors qu'il contemplait les mêmes bâtiments que Wendy et Juliette. Mais la plupart de ces constructions sont de style néoclassique, comme ceux du Troisième Reich.

Il expliqua aux deux jeunes femmes que l'aspect « monumental » servait à imposer le respect, à donner une impression de puissance. Presque tous les grands empires avaient adopté cette stratégie, non seulement pour décourager leurs ennemis, mais aussi pour éviter les rébellions, en rappelant aux peuples conquis qu'ils appartenaient désormais à une grande nation.

Les pays nazis regorgeaient de ce genre de monuments érigés à la gloire de la race aryenne. En Europe, et plus particulièrement en Allemagne, on trouvait des trophées militaires et des statues de toutes sortes, des monuments commémoratifs, tous plus gigantesques les uns que les autres.

— À voir tous ces édifices, là dehors, conclut Samuel, on dirait bien que les idées de grandeur d'Adolf Hitler et d'Albert Speer se sont propagées jusqu'en Amérique.

— Albert Speer? fit Juliette, tout à coup songeuse. Ce nom me dit quelque chose.

— Il est l'architecte du Reich, répondit Samuel. Un proche d'Adolf Hitler. C'est à lui que l'on doit la magnificence de la capitale mondiale, Germania. C'est le nom que porte doré-navant la ville de Berlin. Selon les dires de Speer lui-même, la majorité des monuments que l'on retrouve là-bas sont le résultat de la mégalomanie d'Hitler. On peut y voir un pan-théon, un mausolée, et même une avenue d'apparat semblable aux Champs-Élysées. Sans compter le Grand Dôme, le stade olympique, la chancellerie et le palais de l'empereur. Dans l'Éden, Germania n'a jamais vu le jour. Elle n'est qu'une maquette, toujours conservée au Deutsches Bundesarchiv, les Archives fédérales d'Allemagne. Mais ici, dans la Jehenn, la maquette est devenue réalité: au lendemain de la guerre, Berlin a été remodelée selon les plans originaux d'Hitler et d'Albert Speer. Hitler trouvait Berlin trop «provinciale». Il la voulait aussi majestueuse, sinon plus, que les grandes métro-poles, telles que Paris, Londres et, surtout, Rome.

— Hitler et l'Adversaire étaient-ils des alliés? demanda Wendy.

— L'Adversaire s'est servi d'Hitler pour étendre son influence en Europe, puis au reste du monde. Il s'est ensuite débarrassé de lui, ne conservant que ce qu'il jugeait nécessaire : son régime politique. C'est la seule doctrine qui convenait à l'Adversaire. Tu imagines Satan en démocrate ou en socialiste ? Il n'est pas assez idiot pour jouer les tyrans, et il est trop brillant pour se proclamer roi. Le fascisme, le totalitarisme, l'autocratie, voilà qui lui sied bien. Il est empereur et exerce son pouvoir à la manière d'un commandant suprême. Comme les premiers empereurs romains, il est un général victorieux et respecté de son armée. S'il demeure au pouvoir, c'est qu'il bénéficie du soutien indéfectible de chaque ange rebelle qui s'est battu à ses côtés.

Ce que Wendy retenait de tout cela, c'est qu'il existait un lien étroit entre l'Adversaire et les visées belliqueuses du parti nazi. Elle comprenait maintenant pourquoi on voyait des militaires partout. Leurs uniformes ressemblaient à ceux que portent les soldats allemands dans les films de guerre, mais dans une coupe et un style beaucoup plus modernes.

— Les simples soldats portent des uniformes gris-vert, leur fit remarquer Samuel alors que la limousine ralentissait à l'approche d'un bâtiment qui ressemblait à un poste de police. Les uniformes SS, comme le mien, sont habituellement noir et gris.

Des étendards rouges arborant l'emblème du parti nazi, une croix gammée noire au centre d'un cercle blanc, flottaient sur le toit du poste de police, comme sur bien d'autres bâtiments officiels de la ville. La croix noire – un svastika incliné – représentait le combat, le cercle blanc représentait la pureté de la race aryenne, et le rouge représentait la pensée sociale.

— Et ces hommes qu'on voit là? demanda Wendy en désignant deux grands types à la mine sombre, vêtus d'imperméables noirs en cuir.

— Ce sont des anges déchus, répondit Samuel alors que la voiture reprenait de la vitesse. Certains font partie de la police secrète d'État, tandis que d'autres ont intégré la Schutzstaffel, l'escadron de protection de l'Adversaire, aussi appelé SS, ou encore sa branche militaire, la Waffenengel, que l'on connaît mieux sous le nom de Waffen-SS. Cette armée politique est réservée uniquement aux déchus. Quant aux humains, ils sont recrutés pour servir dans la Wehrmacht, l'armée régulière.

— Il y a des humains qui servent dans l'armée de Satan? s'étonna Juliette.

Samuel leur révéla que la grande majorité des nazis étaient restés fidèles à l'Adversaire, et ce, même après la mort d'Hitler.

— Et par « nazis », je n'entends pas seulement les nazis « allemands », précisa le jeune ange. J'inclus tous les nazis de la Jehenn, qu'ils soient allemands, français, anglais, espagnols, américains, canadiens, argentins, australiens, nommez-les!

Si leur doctrine haineuse avait fait son chemin jusqu'à Havilah, au point de transformer ses habitants ainsi que ses bâtiments, elle pouvait très bien s'être répandue dans d'autres villes et dans d'autres pays, en conclut Wendy. Il était même possible que toute la planète soit maintenant sous domination nazie. Mais ça, Wendy n'osa pas le demander à Samuel, de crainte que la réponse soit affirmative. Diable, anges déchus et nazis. Un sacré mélange, se dit la jeune femme. Peut-on réellement trouver un groupe de méchants pire que celui-là ? Maman, je veux rentrer chez moi !

Quelques secondes de silence s'écoulèrent, puis, sans aucun autre préambule, la jeune femme demanda à Samuel s'il était réellement tombé amoureux d'elle.

— Quoi ?

— Tu es amoureux de moi, oui ou non ?

Le nouvel ange déchu ne répondit pas tout de suite.

— Serait-ce si étonnant, Wendy ? déclara-t-il après un moment. Les anges n'ont besoin que d'un seul baiser pour tomber amoureux, je croyais que tu l'avais déjà compris.

— Et c'est supposé me convaincre ?

Devant l'évidente perplexité de Wendy, l'ange ajouta :

— Tu crois que j'aurais choisi de déchoir juste par caprice ? Il n'y a aucun avantage à passer du côté des déchus. Lorsque cela se produit, nous perdons notre immortalité. Les anges déchus peuvent mourir. Ils sont mi-hommes, mi-anges. Ils ont la puissance des anges, mais la faiblesse des humains, de corps comme d'esprit. Ils peuvent donc être tués par n'importe quelle arme.

— Pourquoi m'as-tu fait croire que tu étais l'homme de Rochdale ?

— Je n'ai rien fait de tel, protesta Samuel.

— C'est vrai, mais tu ne l'as pas nié, rétorqua Wendy. Tu m'as laissée croire que c'était une possibilité, alors que nous savons très bien tous les deux que l'inconnu de Rochdale est Joseph.

Samuel hocha la tête, comme s'il admettait ses torts.

— Je le regrette, crois-moi. Mon amour pour toi a causé ma déchéance, alors j'ai eu une réaction… d'humain. J'ai agi comme un homme amoureux et jaloux. Et ce baiser que tu m'as accordé chez toi n'a rien fait pour aider.

— Tu me tiens responsable de ta chute? de ton renvoi du paradis?

Samuel ne dit rien, et Wendy jugea que c'était beaucoup mieux ainsi; elle ne tenait pas réellement à obtenir une réponse.

— Tu peux toujours lire dans mes pensées? demanda la jeune femme.

— Non, j'en suis incapable dorénavant, répondit Samuel avec un semblant de regret dans la voix. Quelque chose m'en empêche. Peut-être s'agit-il des sentiments que je ressens pour toi? À moins que ce ne soit l'emprise néfaste de cette maudite Jehenn qui contribue à réduire mes pouvoirs.

Wendy sentait monter en elle une impatience grandissante. Elle n'en avait que faire de ses interrogations.

— Où est Joseph?

Samuel serra les lèvres. Visiblement, la question de Wendy l'agaçait. Était-ce une autre manifestation de sa jalousie? Sans doute, estima la jeune femme.

— Je te l'ai dit hier, répondit l'ange sur un ton beaucoup moins conciliant. J'ignore où il se trouve.

— Que s'est-il passé après notre départ? Pourquoi avons-nous été séparés?

— La seule chose dont je me souvienne, avoua Samuel, c'est d'avoir embrassé Juliette. Ensuite, c'est le néant total. J'étais seul lorsque je me suis matérialisé au quartier général des SS. Là-bas, j'ai trouvé un faux ordre de transfert, cadeau de Michaël. Immédiatement après avoir quitté le quartier général, je me suis rendu à l'hôpital, où je vous ai retrouvées. Voilà.

Après un bref moment de réflexion, il ajouta :

— Et si Michaël avait changé d'idée?… Il souhaite peut-être que je te serve de garde du corps à la place de Joseph, tu ne crois pas? Oui, c'est la seule explication possible. Écoute, Joseph est imprévisible. Tu seras beaucoup plus en sécurité avec moi et…

— Non, ce n'est pas logique, intervint Wendy. Pour quelle raison Michaël aurait-il fait ça? Et pourquoi ne pas nous avoir prévenus?

Samuel secoua la tête, sans cesser de regarder Wendy.

— Je l'ignore.

Elle acquiesça en silence.

— Je dois retrouver Joseph, affirma-t-elle en se détournant du jeune ange.

— Plus tard, si tu veux, lui proposa Samuel. Pour l'instant, notre mission est de…

— Je ne ferai rien tant que je ne saurai pas où se trouve Joseph, c'est clair ?

— C'est moi qui suis censé donner les ordres, Wendy.

— Plus maintenant.

29.

Ils arrivaient enfin. Devant eux s'élevait le majestueux château des Wagner. Le bâtiment avait des allures de temple olympien. Samuel descendit le premier de la limousine. Avant de sortir à son tour, Wendy demanda à Juliette si tout allait bien. Elle la trouvait plutôt discrète depuis leur départ de l'hôpital.

— Non, ça ne va pas, répondit Juliette. J'ai l'impression de vivre un cauchemar. La moitié du temps, j'ai envie de hurler comme une dingue, et l'autre moitié, de me rouler en petite boule et de pleurer. Le mieux que je puisse faire pour l'instant, c'est me contenir et ne pas trop penser à ce qui nous arrive, sinon je crois bien que je vais craquer. Et toi, comment te sens-tu ?

Wendy réfléchit un instant.

— J'ai peur. Je suis terrifiée, mais il faut avancer sans se poser trop de questions. Je vais réussir à te ramener chez nous, Juliette, je te le promets.

Son amie lui sourit.

— Je sais, ne t'en fais pas. Tu es ma meilleure amie, Wendy Wagner. Je te fais confiance. Tu es loyale et tu as toujours su tenir parole.

Wendy lui rendit son sourire, reconnaissante. Juliette croyait en elle, et pour l'instant, c'était tout ce qu'il lui fallait. Peut-être que l'Archange Michaël avait raison, après tout, quand il affirmait que la jeune femme avait besoin du soutien de son amie pour réussir sa mission. Si elle avait été seule, qui sait comment cette aventure aurait pu se terminer ? Wendy essayait de se montrer courageuse, d'accord, mais pour qui le faisait-elle réellement ? Pour elle-même ou pour son amie Juliette ? Il était préférable que la jeune femme ne découvre pas la réponse maintenant, et qu'elle se laisse plutôt porter par les événements, sinon elle craignait de devenir folle. Une chose était essentielle cependant : elle devait retrouver Joseph. Wendy faisait confiance à Samuel, mais se sentait beaucoup moins en sécurité avec lui qu'avec Joseph. Elle n'avait jamais vu Samuel en action, tandis que Joseph lui avait sauvé la vie par deux fois.

Il fallut que Wendy et Juliette descendent enfin de la limousine pour comprendre qu'un comité d'accueil les attendait. Il était composé principalement de domestiques et de quelques membres de « l'illustre » famille Wagner. Parmi les domestiques, on reconnaissait des femmes de chambre, des valets, des jardiniers et quelques cuisiniers. Tous se tenaient bien droits, comme au garde-à-vous, sur la première des nombreuses marches menant à la colonnade de l'entrée principale. La galerie sur la façade était si longue et si large qu'elle semblait s'étendre à l'infini. Sur celle-ci s'alignaient au moins une vingtaine de colonnes de marbre servant à supporter un unique fronton d'ardoise, dans lequel était gravée une gigantesque croix gammée. Par cet emblème pour le moins voyant – tous les habitants de Havilah devaient l'apercevoir de chez eux –, la famille Wagner proclamait sans ambiguïté son allégeance au régime nazi, mais plus probablement à l'Imperium de l'Adversaire et, pourquoi pas, à l'Adversaire lui-même. Derrière les domestiques, quelques marches plus haut, se trouvaient un homme et une femme d'âge mur, qui affichaient un air beaucoup plus sérieux que les autres, pour ne pas dire austère. Sans doute s'agissait-il de la gouvernante et du majordome, qui à eux deux assumaient la gestion des domestiques. Les membres de la famille Wagner étaient devant le grand escalier. Wendy reconnut parmi eux son nouveau frère et sa nouvelle sœur, Erik et Ada. Los, le chauffeur de la limousine et garde du corps de Charles Wagner, s'était joint à eux. Il y avait aussi une femme que Wendy n'arriva pas à identifier sur le coup, jusqu'à ce qu'elle réalise que c'était… sa mère. Enfin, pas sa vraie mère, plutôt celle de la Jehenn. Une mère beaucoup plus belle et gracieuse que sa version anémique de l'Éden.

Wendy l'observa longuement, sans pouvoir détacher son regard de son sourire et de ses yeux pétillants. Elle voyait enfin à quoi aurait pu ressembler sa mère si elle n'avait pas connu son père, si elle ne l'avait pas suivi dans ses aventures crapuleuses. Devant Wendy se trouvait une Veronica Mavis qui avait bien tourné, saine de corps et d'esprit, qui n'allait pas finir ses jours dans un asile, dans un état quasi végétatif, à fumer cigarette sur cigarette jusqu'à en crever.

Comme j'aurais voulu connaître cette femme, se dit Wendy. Comme j'aurais voulu connaître ma vraie mère.

Elle aurait tellement aimé que ses parents fassent des choix différents, que sa naissance les incite à donner un autre sens à leur vie. Elle aurait aimé qu'ils prennent le temps de la connaître, de s'occuper d'elle, de s'imposer quelques sacrifices en son nom. Elle aurait souhaité qu'ils l'aiment. Oui, qu'ils aiment suffisamment leur enfant pour changer leur vie et transformer la sienne par la même occasion.

Mais rien ne servait de s'apitoyer sur son sort. On ne choisit pas ses parents, songea-t-elle, on se débrouille avec ceux qu'on a. Et pour se consoler, la jeune femme se dit que la Wendy de la Jehenn n'était guère plus chanceuse qu'elle en ce domaine : apparemment, le Charles Wagner de la Jehenn n'appréciait pas davantage sa fille que sa contrepartie de l'Éden. Ce jour-là, il brillait encore par son absence. Trop occupé, certainement, par la venue de ce personnage important, cet Abaddon, un proche de l'Adversaire. Le retour de sa fille, à qui il n'avait pas parlé depuis plusieurs mois, ne comptait pas parmi ses priorités. Quant à Veronica Mavis Wagner, elle était magnifique, certes, mais sa beauté n'occultait en rien sa négligence : était-elle venue à l'hôpital pour réconforter sa fille nouvellement éveillée ? Non. Les seuls qui avaient jugé utile de se déplacer étaient Erik et Ada, mais Wendy demeurait néanmoins ambivalente à leur sujet. Pouvait-elle réellement leur faire confiance ? Erik s'était montré passablement hostile à son endroit. Et Wendy soupçonnait Ada de bien cacher son jeu : elle ne se montrait pas aussi inamicale que son frère, c'est vrai, mais on pouvait tout de même deviner chez elle une grande hypocrisie. Elle était moins agressive qu'Erik, mais semblait dissimuler un plus grand potentiel de malice. Des deux, Wendy soupçonnait que c'était elle, le cerveau, même si de prime abord ce rôle semblait revenir à Erik. Tout compte fait, Wendy se méfiait beaucoup plus d'Ada que de son jumeau.

Lorsque Wendy sortit de la limousine, Ada fut d'ailleurs la première à s'avancer vers elle et à l'embrasser sur la joue, comme Judas l'avait fait avec Jésus avant de le livrer à ses ennemis.

— Bienvenue à la maison, lui dit Ada.

Quant à Erik, il ne bougea pas. Il se contenta d'échanger un regard avec sa mère. Wendy décida donc de marcher vers eux. Samuel lui emboîta le pas, tout comme Juliette. Au passage, les domestiques saluèrent discrètement Wendy, en enchaînant les signes de tête. La gouvernante et le majordome posaient sur elle des regards tantôt sévères, tantôt scrutateurs. À quoi devaient-ils s'attendre ? Le retour de maîtresse Wendy allait-il provoquer des changements dans leur routine de travail ? Ignorant qu'elle se rétablirait aussi rapidement, les Wagner attendaient probablement de leurs domestiques qu'ils accordent davantage d'attention et de soins à leur fille durant les prochains jours. Et c'est parfait comme ça, pensa Wendy. Ainsi, il lui serait beaucoup plus facile de requérir la présence continuelle de Juliette à ses côtés. Dans ce monde, Juliette et Wendy n'appartenaient pas à la même classe sociale ; tôt ou tard, elles allaient donc être séparées. Une fois les retrouvailles officielles terminées, Wendy irait de son côté, celui des maîtres, tandis que Juliette irait du sien, celui des valets. Wendy était certaine que son amie appréhendait ce moment autant qu'elle-même.

— Bonjour, Wendy, lui dit Erik sur un ton glacial, alors que la jeune femme passait devant lui.

Elle le salua d'un simple hochement de tête.

— Je suis si heureuse de te revoir ! déclara Veronica Mavis Wagner en faisant un pas vers l'avant.

Wendy ne pouvait lui reprocher sa bonne volonté, mais l'enthousiasme de sa mère lui paraissait quelque peu fabriqué. La femme ouvrit grand les bras afin d'y accueillir sa fille. Elle étreignit fortement Wendy, mais cette dernière ne bougea pas. Tous ses muscles s'étaient raidis au premier contact. Il y avait longtemps qu'on ne l'avait pas touchée de cette façon. En temps normal, elle aurait probablement repoussé celle ou celui qui se serait approché ainsi, mais à ce moment-là, elle était beaucoup trop surprise pour réagir. Elle était pétrifiée sur place, incapable de gérer la myriade d'émotions qui se bousculaient en elle. Cette femme qui l'enlaçait tendrement n'était-elle pas sa mère ? Cette proximité et cette chaleur que Wendy avait tant souhaitées enfant, ne les obtenait-elle pas enfin ? Elle avait envie de se laisser prendre au jeu, même si elle était consciente que ce geste d'affection n'avait rien de spontané ou de naturel. Il était plutôt forcé, pour ne pas dire feint, et accompli dans un seul but : celui de préserver les apparences. La Jehenn était sans nul doute le royaume du faux-semblant. Wendy comprit dès cet instant qu'elle ne devait plus se fier à personne ; dans ce monde, les gentils étaient aussi redoutables, sinon plus, que les méchants.

*« Je connais maintenant la définition de la guerre :
la guerre, c'est la mort des autres. On ne la laisse
durer que parce que ce sont les autres qui la font et
qui en meurent. »*

Jean Guéhenno

30.

Le 22 juin 1941, l'opération Barbarossa marqua l'entrée
en guerre de l'Allemagne contre l'URSS. Le 7 décembre 1941,
les Japonais attaquèrent Pearl Harbor. Le lendemain, soit le
8 décembre, Henry Ford et le Congrès déclarèrent la guerre
au Japon. Contrairement à ce qui se passa dans l'Éden, l'Allemagne nazie et l'Italie fasciste de la Jehenn choisirent de ne
pas déclarer la guerre aux Américains le 11 décembre 1941, en
soutien aux troupes japonaises. Deux ans plus tôt, suivant les
conseils de l'Adversaire, Hitler avait signé des traités secrets de
non-agression avec Ford et Staline. Le président Ford et son
entourage, tous des antisémites et anticommunistes convaincus, signèrent cette entente avec grand soulagement. Heureux
de ne pas avoir à combattre sur deux fronts, ils firent la guerre
uniquement au Japon, sans jamais se joindre aux forces alliées
d'Europe, qui tentaient de mettre un terme aux visées expan-
sionnistes d'Hitler. Lorsque le führer rompit en juin 1941 le
pacte qu'il avait conclu avec Staline et attaqua l'URSS, les
Soviétiques n'eurent d'autre choix que de se défendre contre
l'envahisseur allemand.

L'Adversaire obligea le Hitler de la Jehenn à revoir son plan d'invasion de l'URSS. Selon lui, il était inutile de s'emparer de Moscou avant la fin de 1941. Plutôt que de poursuivre leur avancée, les soldats allemands établirent donc leurs quartiers d'hiver au début de novembre et attendirent le printemps pour attaquer de nouveau. L'Adversaire suggéra également de reporter l'offensive contre le Caucase. En fait, elle n'eut jamais lieu. L'Allemagne n'avait pas besoin du pétrole de ce pays, car elle avait déjà celui de la Roumanie. L'Adversaire conseilla à Hitler d'envoyer beaucoup plus de forces en Afrique du Nord, quitte à négliger la guerre de l'Atlantique et la défense de la Norvège. Plutôt que de perdre du temps à s'attaquer aux ressources naturelles et économiques des Soviétiques, les Allemands optèrent pour une approche plus agressive et choisirent d'anéantir rapidement l'Armée rouge. Sans armée, Staline ne put résister très longtemps. En 1942, Hitler prenait Stalingrad, puis Moscou, et gagnait la guerre contre l'Union soviétique. Chose qui n'arriva jamais dans l'Éden, fort heureusement.

« Le manque d'amour est la plus grande pauvreté. »
Mère Teresa

31.

Pendant qu'elle restait là, sans bouger, entourée des bras de sa mère, Wendy ne cessait de se poser la même question : si les habitants de la Jehenn cherchaient à faire le mal, comme l'avait affirmé Joseph, comment arrivait-on à créer des liens significatifs avec les gens que l'on côtoyait? Comment réussissait-on à se faire des amis, à accorder sa confiance à quelqu'un? C'était impossible. Si le mal dirigeait effectivement ce monde, alors on y vivait seul. Seul avec soi-même et contre tous les autres. C'était chacun pour soi, en toute situation. On pensait d'abord à soi, qu'importe si les autres avaient à souffrir de nos actes ou de nos décisions. C'était un peu dans ce genre d'univers que Wendy avait grandi dans l'Éden, bourlinguant de famille d'accueil en famille d'accueil, ne sachant pas à qui se fier véritablement, sauf à elle-même. Plus d'une fois, elle avait rencontré le mal durant ces longues années, sous les traits de femmes acariâtres, d'hommes pervers et d'enfants jaloux. Wendy ne doutait pas que le mal puisse exister. Ce dont elle doutait, par contre, c'était de pouvoir l'affronter à nouveau, et d'en sortir indemne.

Heureusement qu'elle avait Juliette et Samuel à ses côtés. Wendy se sentit soudain supérieure à toutes ces pauvres âmes prisonnières de la Jehenn : elle avait des personnes proches sur qui elle pouvait compter, qui feraient tout ce qui était en leur pouvoir pour l'aider en cas de problème. Et une fois Joseph retrouvé, elle aurait non seulement des amis en ce bas monde, mais aussi un protecteur. À l'époque de Rochdale, elle ignorait qui il était. Mais maintenant elle savait : chez les anges, on l'appelait Asfaël. Pour elle, il était Joseph Heywood, le jeune ange sur lequel elle était tombée au coin des rues Mavis et Heywood et qui l'avait conquise d'un seul baiser. Un baiser qui avait causé sa chute du paradis et fait de lui… un déchu.

— Tu m'as tellement manqué, ma chérie, déclara Veronica Wagner en entraînant Wendy avec elle vers les marches.

— Tu aurais dû venir me voir à l'hôpital alors, rétorqua la jeune femme sur le même ton que l'aurait sans doute fait son sosie de la Jehenn.

— Je sais, ma chérie, et j'en suis désolée, répondit Veronica. Mais ton père et moi avons été débordés depuis l'annonce de cette visite. Nous n'avons appris que très récemment la venue de Herr Abaddon et avons dû faire des pieds et des mains pour hâter les préparatifs. Tu connais ton père : il a exigé que je m'occupe de tout.

— Et lui, qu'est-ce qu'il a fait ? demanda Wendy avec un accent de reproche.

Veronica s'immobilisa, ce qui força la jeune femme à faire de même.

— Que dis-tu ? lui demanda sa mère, visiblement étonnée par la question. J'ai bien entendu ?

Sans doute avait-elle perçu le ressentiment de sa fille.

— Si c'est toi qui t'es chargée de tout, qu'a fait papa ? Il ne devait pas être aussi occupé que tu le dis, non ?

Veronica Wagner prit un air sévère.

— Wendy, je ne te permets pas de…

— Pourquoi m'a-t-il envoyé son chauffeur ? la coupa Wendy en jetant un coup d'œil en direction de Los. Pourquoi n'est-il pas venu me chercher lui-même à l'hôpital ?

— Comment oses-tu employer ce ton en parlant de ton père ?

Cette fois, Wendy conserva le silence. Elle ne savait pas quoi répondre. Était-elle allée trop loin ? La Wendy de la Jehenn était une sale chipie, d'accord, mais peut-être respectait-elle ses parents au point de ne jamais les confronter ?

— Elle n'est plus la même depuis qu'elle est sortie du coma, observa Erik, intraitable comme à son habitude.

— Mère, le médecin a dit que c'était normal, intervint alors Ada, se portant ainsi à la défense de sa sœur aînée. Elle a des problèmes de mémoire, mais tout rentrera bientôt dans l'ordre, pas vrai, Wendy ?

Cette dernière hésita un moment et finit par acquiescer :

— Oui, c'est vrai. Je m'excuse. Je ne voulais pas manquer de respect à mon père, admit Wendy sous le regard impitoyable d'Erik.

— Eh bien, tant mieux ! déclara une voix provenant de plus haut.

Même si c'était la première fois qu'elle entendait cette voix, Wendy savait très bien de qui il s'agissait. La jeune femme leva les yeux vers le portail d'entrée et croisa sans tarder le regard de l'homme qui venait de parler : c'était Charles Wagner, son père. Il était grand et beau et avait fière allure dans son chic costume noir. Ses cheveux étaient courts et sa barbe bien rasée. Ce look d'homme d'affaires prospère contrastait singulièrement avec l'image que Wendy s'était faite de son père au cours des années. Les seules photos de lui dont elle disposait, elle les avait trouvées par hasard en consultant le dossier de sa famille, celui que rédigèrent les services sociaux après l'arrestation de ses parents. Sur ces photos, son père apparaissait toujours avec la barbe et les cheveux longs, et la plupart du temps, vêtu d'un simple jean et d'une chemise défraîchie de couleur fade.

Aux côtés du Charles Wagner de la Jehenn se tenait un autre homme, plus jeune celui-là. Lui aussi paraissait fort différent de sa version de l'Éden. C'était Patrick Müller. Pas le Patrick que Wendy avait connu, mais plutôt celui de son rêve, cet horrible rêve qu'elle avait baptisé « le cauchemar de l'hôtel Lebensborn ». Le garçon qui l'observait en ce moment du haut des marches était bien le même qui la défendait dans son cauchemar contre l'homme nommé Carnivean. Il avait quitté le rêve pour s'incarner dans la réalité.

Les bras derrière le dos, le regard éteint, Patrick fixait la jeune femme d'un air impassible, presque détaché. Mais en même temps, Wendy crut discerner de la convoitise dans son regard. Les paroles de Samuel lui revinrent alors en mémoire. Selon lui, elle était la promise de ce jeune homme. Dans cette version-ci de la réalité, Patrick et Wendy étaient même fiancés. Il était le plus grand espoir de Charles Wagner et on s'attendait à ce qu'il devienne le premier humain à intégrer l'académie militaire des anges rebelles. Si elle se mariait avec lui, Wendy aurait éventuellement accès à d'importantes informations concernant les stratégies de l'Adversaire. Ça, c'était ce que prétendait et espérait Samuel, mais le pauvre ne se doutait pas que la jeune femme avait d'autres plans en ce qui concernait Patrick, et le mariage n'en faisait pas partie. Du moins, pas tant que Joseph Heywood était encore vivant. Joseph et elle étaient unis par un lien très fort. Leurs cœurs battaient au même rythme, Wendy en était certaine, mais cette harmonie ne touchait pas que leurs cœurs; leurs deux esprits s'étaient également mis au diapason. Bien qu'elle ignorât toujours où il se trouvait, Wendy sentait tout de même la présence de Joseph. Il était tout proche. Bientôt, ils seraient réunis, la jeune femme en était convaincue.

— Tu dois te reposer maintenant, affirma Veronica Wagner. Allez, ma fille, les domestiques t'accompagneront à ta chambre

Où es-tu, Joseph? se demanda Wendy alors qu'elle grimpait les marches en direction de son père et de Patrick. Une voix lui répondit, la même qui la réconfortait tant depuis quelques jours : « Je suis là… Je suis là depuis toujours, Wendy Wagner. »

32.

Ce soir-là, dans la grande salle à manger du château, on donna un dîner en l'honneur de Wendy, pour célébrer le retour de la fille prodigue. Eh bien, c'est toujours ça, non ? se dit Wendy en observant la cinquantaine d'invités assis autour de la table. Celle-ci faisait presque toute la longueur de la pièce et était magnifiquement dressée, en plus d'être garnie d'une quantité faramineuse de victuailles, toutes plus appétissantes les unes que les autres. Grâce à une cuisinière venue présenter les plats, Wendy apprit qu'on y trouvait surtout des mets allemands, tels que des saucisses de Bavière et de Francfort, des *maultaschen* (des espèces de grosses ravioles), des tomates farcies, des salades de couscous, des filets de cerf, des *bratkartoffeln* ou pommes de terre sautées allemandes. Il y avait aussi de la salade de cervelas, un *sauerbraten* (ni plus ni moins qu'un rôti de bœuf), des langoustines à la pâte de safran, des *knödel* de pommes de terre, du filet de sandre, du jarret de veau rôti, sans oublier la célèbre choucroute faite de porc, de chou en lanières, de saucisses et de pommes de terre. Le tout arrosé de vin blanc, les fameux rieslings, de vin bavarois, de bière ou encore de schnaps aux framboises. Pour le dessert, on leur annonça du gâteau Forêt-Noire, des *brownies*, des *vanillekipferl* (croissants vanillés), des strudels aux pommes, de la purée de fruits, des morceaux de mangue et de la gelée de citronnelle.

Durant ce dîner, Samuel et Patrick occupèrent respectivement les places situées à la droite et à la gauche de Wendy. En face se trouvaient son père et sa mère, et tout près d'eux, Ada et Erik. Juliette prenait aussi part au repas, mais en tant que servante. Plus tôt, Samuel avait expliqué à Wendy que son amie ne pouvait se joindre à eux, et ce, même si elle en faisait la demande explicite à ses parents. Wendy tenta néanmoins d'offrir son soutien moral à Juliette durant une partie du dîner, en la gratifiant de quelques sourires et de regards encourageants. La pauvre était sans expérience, et son amie voyait bien que le majordome, le chef cuisinier et les autres servantes lui faisaient des misères.

— Tu m'as manqué durant ces trois mois, dit Patrick au moment où ils entamaient les entrées.

— C'est gentil, répondit sa fiancée sans même le regarder.

Le Patrick Müller de l'Éden était l'ami de Wendy, mais celui de la Jehenn ne lui inspirait pas confiance. Elle éprouvait un profond malaise lorsqu'elle se trouvait en sa présence. Que ressentait-elle exactement, de la crainte ou du mépris ? Non, c'était autre chose, en fait. Ce qu'il faisait naître en elle, c'était de l'antipathie, probablement à cause du cauchemar. Il y avait plus que cela encore : il se dégageait de lui quelque chose de menaçant. Était-ce de l'instinct ou de l'intuition féminine, Wendy n'aurait su dire, mais chaque fibre de son être la poussait à s'éloigner de cet homme, à éviter son contact. Pour l'instant, c'était impossible; qu'elle le veuille ou non, ce dîner, Wendy devait le passer en sa compagnie.

— Ton frère prétend que tu as des problèmes de mémoire. C'est vrai?

— Oui, fit simplement la jeune femme, cette fois en lui adressant un bref regard.

Wendy préférait se concentrer sur l'assiette devant elle plutôt que de s'attarder trop longtemps sur Patrick.

— Tu te souviens de moi? De nous?

La question qui tue. Non, je ne me souviens pas de «nous», aurait voulu lui répondre sa voisine de table. Et elle ne tenait pas à s'en souvenir non plus. Il n'y avait jamais eu de nous, et il n'y en aurait jamais. Pour toute réponse, Wendy se contenta de hausser les épaules et de sourire maladroitement. De toute évidence, ce n'est pas la réaction à laquelle Patrick s'attendait.

— Je croyais t'avoir perdue pour toujours, Wendy.

— Eh bien, tu vois… je suis revenue.

Patrick prit une gorgée de vin.

— On dirait que tu m'en veux pour quelque chose, dit-il en reposant sa coupe.

— Tu te fais des idées.

— Vraiment? Je ne suis pas celui que tu crois, Wendy.

La jeune femme trouva cette dernière réplique bien étrange.

— Ah non ? Et qui es-tu ?

— Je ne suis pas ton ennemi, en tout cas.

Wendy se mit à rire, même si elle n'en avait aucune envie.

— J'espère bien ! Après tout, tu es mon fiancé, non ?

— Ce qui signifie que je suis aussi ton allié.

Peut-on réellement compter sur des alliés dans un monde qui est gouverné par le mal ? se demanda Wendy.

— Tu promets de me protéger et de me chérir ? fit-elle avec sarcasme.

— N'est-ce pas là le devoir d'un mari ?

Même ici, dans la Jehenn ? faillit-elle lui demander.

— Et moi, que devrais-je te jurer ? Obéissance et fidélité ?

— L'obéissance, ce n'est pas ta force, je le sais bien. Et ton père pourrait en témoigner. Mais si tu pouvais me promettre fidélité, j'aimerais bien, par contre. Est-ce trop demander ?

— Si je refuse, ça pourrait te faire renoncer au mariage ?

Cette fois, c'est Patrick qui éclata de rire.

— Ne me dis pas qu'il y a un autre homme dans ta vie, Wendy Wagner !

De toute évidence, il ne croyait pas la chose possible. Son manque de sérieux le prouvait bien.

— Non, tu as raison, répondit-elle sur un ton assuré. Il n'y a aucun autre homme.

Mais les hommes ne sont pas les seules créatures qui existent en ce monde, compléta-t-elle pour elle-même.

Samuel, qui entendait leur conversation, se pencha alors vers la jeune femme.

— C'est ton futur mari, murmura-t-il avec un large sourire, pour faire croire à un échange amical. Peux-tu te montrer un peu plus chaleureuse avec lui ?

— Je n'épouserai jamais ce garçon, rétorqua Wendy tout bas, avec le même sourire forcé. Pour quelqu'un qui se dit amoureux de moi, je te trouve bien impatient de me pousser dans les bras d'un autre.

— Ça fait partie de notre mission.

— Je me fous de la mission.

— Attends, Wendy…

— Avant tout, je dois retrouver Joseph. Il aurait fait la même chose pour moi.

— Il aurait fait ce qu'on lui aurait *dit* de faire. Et tu devrais prendre exemple sur lui.

— Sinon quoi ?

— Sinon, Michaël ne sera pas content.

— Je me fous de Michaël.

— Wendy, tu ne peux pas…

— Profite du repas, Samuel. C'est gratuit.

Après le dîner, prétextant un excès de fatigue, Wendy demanda à se retirer seule dans sa chambre. Les invités protestèrent, en particulier Patrick :

— Mais Wendy, il est si tôt !

Erik fit gentiment remarquer à sa sœur aînée que son comportement n'était pas des plus convenables; après tout, c'était elle, l'invitée d'honneur de cette soirée, et tous ces gens de haut rang s'étaient déplacés pour venir la voir. Wendy s'excusa auprès de chacun d'eux, après quoi Veronica et Charles Wagner l'autorisèrent à monter à sa chambre, ce qu'elle fit avec empressement, non sans avoir pris soin, bien sûr, de requérir les services de sa servante attitrée : Juliette. Une fois toutes les deux seules dans la chambre de Wendy, Juliette se hâta de défaire son tablier et de s'élancer sur le lit.

— Je… suis… épuisée… souffla-t-elle péniblement. Mon Dieu, c'est un cauchemar.

— À qui le dis-tu. Tu regrettes de m'avoir accompagnée ici ?

Juliette releva la tête pour regarder son amie, puis éclata de rire.

— Bien sûr que je le regrette!

Elle s'esclaffa de nouveau et Wendy ne trouva rien de mieux à faire que de l'imiter; son rire était contagieux.

— Tu as vu qui était assis à côté de moi? demanda Wendy à son amie entre deux fous rires.

— Comment aurais-je pu ne pas le voir? répondit Juliette qui avait très bien compris que Wendy faisait allusion à Patrick Müller. Il est encore plus beau que celui de l'Éden!

— Arrête, il n'est pas pour toi! C'est un militaire, un jeune officier. Samuel prétend qu'il se joindra à la Waffen-machin-truc, l'armée des déchus.

— Et alors? fit Juliette. J'ai toujours aimé les militaires!

Encore des rires. Elles étaient si fatiguées que les larmes leur montaient aux yeux.

— Quoique j'ai maintenant un petit faible pour Samuel, avoua la meilleure amie de Wendy. Ce baiser qu'il m'a donné dans les steppes pour me transporter jusqu'ici… Ouf! C'était torride, ma vieille!

Elles continuèrent à parler et à rire jusqu'à ce que la pauvre Juliette tombe de fatigue et s'endorme sur le lit. Sa soirée s'était révélée beaucoup plus pénible que celle de Wendy et cette dernière avait bien l'intention de laisser son amie se reposer. Si Juliette redescendait tout de suite, le majordome et la gouvernante étaient bien capables de la faire travailler encore, et jusqu'aux petites heures du matin.

Plus tard, lorsqu'on cogna à la porte, Wendy n'osa pas répondre immédiatement. C'était peut-être une domestique qui lui apportait des trucs, ou pire encore : Patrick qui voulait savoir comment elle allait. Wendy avait quitté la salle à manger sans lui dire au revoir.

— Qui est là ?

— C'est moi, Ada, murmura une petite voix de l'autre côté de la porte.

Juliette dormait toujours sur le lit et Wendy était toujours décidée à ne pas la réveiller.

— Qu'est-ce que tu veux ? demanda-t-elle en chuchotant à son tour.

Elle s'était rapprochée de la porte, pour éviter que Juliette ne l'entende.

— Ouvre ! fit sa jeune sœur. J'ai quelque chose à te dire.

— Ça ne peut pas attendre à demain ?

— Non ! Je dois te parler maintenant !

Son insistance intriguait Wendy. Elle ne lui faisait pas confiance, certes, mais Ada avait su piquer sa curiosité. Elle décida donc de lui ouvrir.

— Qu'est-ce qu'elle fait dans ton lit, celle-là ? demanda la jeune fille, sitôt après être entrée dans la chambre de Wendy.

Elle parlait de Juliette. Le ton de sa voix exprimait bien son mépris envers les domestiques.

— Elle n'a pas dormi depuis hier, mentit Wendy. Elle est demeurée à mon chevet toute la nuit. Elle est fatiguée, tu comprends. Je lui dois bien ça, non ?

— Mais… elle a une chambre.

— Elle a la mienne pour l'instant. Allons, sortons.

Une fois dans le couloir, Wendy demanda à Ada pour quelle raison elle était venue cogner à sa porte. Ada hésita un moment, puis se lança enfin :

— Hier, ils ont emmené un homme ici. Il était inconscient. Je n'étais pas censée voir ça.

— Un homme ? Quel homme ?

— Un beau jeune homme, répondit Ada. Plutôt grand et massif, avec des cheveux bruns et bouclés.

— Ils ont dit son nom ?

— Non… mais lui a dit le tien.

— Quoi ?

— Le jeune homme a prononcé ton nom. Enfin, je crois. Il délirait probablement.

Ça ne pouvait être que Joseph.

— Où l'ont-ils emmené?

— À la cave.

— Tu sais comment on peut s'y rendre? Tu peux m'y conduire?

Ada perçut sans doute l'excitation de sa sœur aînée, car son visage changea et elle recula d'un pas. Elle pressentait un danger, et Wendy s'en voulut alors de ne pas avoir su se contenir. En agissant ainsi, de façon si émotive, elle avait peut-être mis la vie de Joseph en danger. Non, mais quelle idiote tu fais, Wagner! se sermonna-t-elle.

— Bien sûr que je sais comment y aller, rétorqua Ada, mais c'est interdit. Erik et moi n'avons pas le droit d'y descendre. Tu ne te souviens pas? Il n'y a que père et ses hommes qui ont accès à la cave, et quelques SS.

— Personne d'autre?

— Les cuisiniers, et encore. Ils ne peuvent accéder qu'à une seule pièce de la cave : le garde-manger. Il leur est interdit de visiter les autres salles souterraines, sous peine d'être sévèrement punis.

— Ada, j'ai besoin de toi. Je dois m'y rendre.

— Où? À la cave? Tu es folle!

Wendy s'apprêtait à en dévoiler beaucoup trop. Toutefois, si c'était ce qu'elle devait faire pour sauver Joseph, alors soit, elle allait le faire.

— Tu as raison, Ada : cet homme me connaît. Et je crois que je le connais aussi. Je dois savoir ce qui lui est arrivé, tu comprends ? Je dois l'aider. Tu ferais la même chose pour moi, non ?

— Je suis ta sœur !

— Et si ce prisonnier est bien celui que je pense, il est comme mon frère. Peut-être même plus.

— Je ne peux pas… Non, je…

Il était temps pour Wendy d'entrer dans son personnage et de se comporter comme une résidante de la Jehenn. Allez, se motiva-t-elle, laisse parler la sale chipie en toi.

— S'il a besoin de moi et qu'à cause de toi je ne peux pas l'aider, alors je ne te le pardonnerai jamais, Ada, tu saisis ? Toi et moi ne serons plus sœurs ! Et je dirai à père que tu surveilles ses allées et venues !

— Mais c'est faux ! protesta la jeune fille avec énergie.

— Comment expliquer que tu aies vu cet homme alors ? Et que tu saches où il se trouve ?

— Wendy, ne fais pas ça…

C'était gagné, Wendy le devinait juste à son air défait. Ada allait céder. La crainte de décevoir son père était plus forte que tout.

— Je ne dirai rien si tu m'obéis : conduis-moi à la cave !

« Il en est des races comme des tribus : elles ne se mélangent pas, elles se combattent jusqu'à l'extermination. »

Dominique Blondeau

33.

Les Hitler et Henry Ford de la Jehenn ayant passé un pacte de non-agression, le débarquement de Normandie n'eut jamais lieu. L'Allemagne annexa les pays de l'Est, ainsi que la zone occidentale de l'Union soviétique, et plus tard la France et les pays scandinaves. Les nazis laissèrent l'Espagne aux Espagnols et l'Angleterre aux Anglais, conscients qu'un jour ou l'autre, ces pays se verraient forcés de traiter avec eux. La fin de cette guerre, dans la Jehenn, ressembla à celle que l'on connut dans l'Éden. Les dernières nations encore en guerre étaient le Japon et les États-Unis. Lorsque, en 1941, Hitler et Mussolini refusèrent de déclarer la guerre aux États-Unis, les Japonais s'étaient sentis trahis et avaient mis fin au pacte tripartite signé par les trois nations en 1940.

Les villes d'Hiroshima et de Nagasaki furent bombardées en août 1945, ce qui mit un terme définitif à cette Seconde Guerre mondiale, exactement comme dans l'Éden. Ces bombardements n'étaient pas l'œuvre des Américains, cependant. Les fusées V4 contenant les bombes à fission nucléaire qui frappèrent le Japon de la Jehenn furent plutôt lancées par des bombardiers allemands. En 1933, l'Adversaire avait empêché de brillants scientifiques de fuir l'Allemagne. Ces derniers mirent sur pied le Projet uranium, un programme de recherche qui leur permit de découvrir la fission nucléaire en 1938. Dès 1944, ils parvinrent à confectionner les premières bombes à fission. On se souvient particulièrement de deux d'entre elles : *Gadreel* et *Angel of Edom*, reconnues comme les armes les plus destructrices de l'histoire. Un mois après les bombardements d'Hiroshima et de Nagasaki par les Allemands, le Japon fut forcé de capituler. Les Américains, Ford en tête, démontrèrent leur reconnaissance aux nazis en signant avec eux un traité de réciprocité. Ce fut le début d'une longue série d'ententes diplomatiques qui fit de ces deux nations de puissants alliés. Comment le peuple américain put-il soutenir une telle alliance? En fait, depuis dix ans, la Jehenn subissait la présence et l'influence de l'Adversaire et de ses hordes de déchus. Les peuples occidentaux, tout comme la majorité des autres peuples, d'ailleurs, furent tous séduits par une chose : le mal. Et que représentait cette alliance entre l'Adversaire et le Troisième Reich d'Hitler, si ce n'est le mal à l'état pur ?

« Pour convaincre, la vérité ne peut suffire. »
Isaac Asimov

34.

— Il faut nous montrer prudentes ce soir, la prévint Ada alors qu'elles descendaient toutes les deux le grand escalier menant au rez-de-chaussée. Herr Abaddon et sa cohorte sont arrivés au château peu après que tu sois montée à ta chambre.

— Cet Abaddon, c'est bien le principal conseiller de l'Ad…

Wendy s'arrêta. Elle s'apprêtait à prononcer le mot « Adversaire », mais ici, dans la Jehenn, Satan portait le titre d'empereur.

— C'est bien le principal conseiller de *l'empereur*? se reprit la jeune femme. Celui dont tu m'as parlé à l'hôpital?

Ada fit signe que oui.

— Sa venue a provoqué tout un branle-bas de combat. Père semblait très nerveux. Ces Abaddon ne sont pas réputés pour leur amabilité, si tu vois ce que je veux dire. Pour l'instant, il vaut mieux réduire nos conversations au minimum. Il faut éviter de se faire remarquer. On peut se déplacer dans le château sans trop de problèmes ; la terrasse, la mezzanine, le rez-de-chaussée et la plupart des étages sont libres d'accès. Le seul endroit interdit, comme je te l'ai expliqué, c'est la cave. Et encore plus ce soir.

Deux sentinelles de la Waffen-SS qui terminaient leur ronde – probablement des anges déchus, se dit Wendy en les apercevant – s'immobilisèrent dans le grand hall au moment où les deux jeunes femmes franchissaient les dernières marches de l'escalier. Les SS portaient les uniformes noirs de l'armée, et à leur bras gauche était passé un brassard de couleur rouge arborant un svastika incliné. Des galons sur leurs épaulettes indiquaient leurs grades, et sur le col de leur veste étaient cousus des insignes de couleur argentée. Sur le premier insigne, on pouvait distinguer des symboles runiques représentant une paire de S au garde-à-vous, l'un des deux emblèmes de la SS. Le second emblème, l'insigne *Totenkopf* – une tête de mort traversée par deux tibias –, se retrouvait sur l'autre partie du col.

Les deux sentinelles paraissaient aussi sombres que leur uniforme. Les traits figés, le regard inquisiteur, ils suivirent Ada et Wendy jusqu'à ce qu'elles disparaissent dans l'un des nombreux couloirs liés au hall d'entrée.

— Ils me donnent la chair de poule, ces SS, murmura Ada. Ceux-là ne me sont pas familiers. Ils n'ont jamais été affectés au château et ne sont donc pas sous les ordres de père. Ils font probablement partie de la cohorte d'Abaddon. De véritables animaux, à ce qu'on raconte.

— Rassurant… fit Wendy, davantage pour elle-même.

Des odeurs de nourriture montaient aux narines de la jeune femme. Ce passage dans lequel elles s'étaient engouffrées pour échapper aux SS conduisait probablement aux cuisines. Ada le confirma en expliquant à Wendy que si elles voulaient accéder à la cave, il leur fallait absolument l'aide d'un sous-chef, et pas n'importe lequel.

— Il nous faut Hänsel, précisa Ada. C'est le seul que je puisse obliger à nous suivre.

Hänsel ? Ce nom rappelait quelque chose à Wendy.

— Pourquoi lui ?

— J'ai seize ans, Wendy. Et lui, près de vingt.

— Et alors ?

— Tu verras.

Une fois dans les cuisines, Ada fit signe à un jeune homme, lui commandant d'approcher. Celui-ci s'exécuta, visiblement à contrecœur. Il portait l'uniforme blanc des cuisiniers. Hänsel, présuma alors Wendy, et elle n'avait pas tort. Ce cuisiner était en fait le double de Jimmy Hänsel, le joueur de football qu'avait tenté de séduire Gretel, l'amie de Juliette, le soir où Wendy fut heurtée par la moto de Dantay.

— Qu'est-ce que tu veux, Ada ? soupira le jeune homme en s'approchant.

Il la connaissait bien, sinon il ne se serait jamais permis d'être aussi familier avec elle. Après tout, il n'était que cuisinier et Ada était l'une des jeunes maîtresses du château. Dans la Jehenn, comme dans l'Allemagne nazie, les maîtres avaient probablement droit de vie ou de mort sur leurs employés. Alors, soit Hänsel était fou, soit il était convaincu qu'Ada ne lui ferait pas de mal.

— Ma sœur et moi avons un petit creux, dit Ada.

Elle jeta ensuite un coup d'œil à Wendy, espérant sans doute que celle-ci confirme ses dires, ce qu'elle fit d'un hochement de tête.

— Je vous prépare quelque chose ? demanda Hänsel, qui paraissait soulagé que la demande ne soit pas d'une autre nature.

Que pouvait-elle bien l'obliger à faire en temps normal ?

— Non, se hâta de répondre Ada. Ce que nous voulons se trouve dans le garde-manger.

— Le garde-manger ? répéta Hänsel, qui ne voyait pas où elle voulait en venir.

— Celui de la cave, précisa alors Ada.

Hänsel laissa échapper un rire, qu'il s'empressa vite de contenir.

— La cave ? Tu es folle !

— Pas si fort, idiot, le réprimanda Ada en baissant la voix pour donner l'exemple.

— Tu es folle, Adie, réitéra le jeune sous-chef, cette fois en murmurant. Pas ce soir, je ne peux pas. La sécurité est à son maximum depuis l'arrivée de Herr Abaddon. Je vais me faire zigouiller si je descends à la cave!

Adie? s'étonna Wendy. Il l'avait bien appelée Adie?

— Pas si je t'accompagne.

— Quoi? Tu veux nous faire tuer tous les deux alors?

— Il n'y a aucune crainte à avoir, répondit Ada en balayant la cuisine du regard, afin de s'assurer que personne ne les observait. Il ne m'arrivera rien, ce qui ne sera pas ton cas si tu refuses de faire ce que je te dis.

— C'est du chantage? Tu te disais pourtant mon amie, non?

Un large sourire illumina le visage d'Ada.

— L'amitié a ses limites, mon grand. Si tu ne viens pas avec nous, je dirai à mon père que nous avons couché ensemble. Je ne suis pas certaine que ça lui plairait!

« Seule la force impose une vérité, et la force n'a rien d'intellectuel, elle contraint avec ses armes, par la torture, par le chantage, par la peur, par le calcul des intérêts, elle oblige les esprits à s'entendre sur une doctrine. »

Éric-Emmanuel Schmitt

35.

Hänsel se pétrifia sur place, tandis qu'une pâleur livide s'étendait sur son visage. Avait-il réellement fait l'amour avec Ada ? Le fait qu'il l'avait appelée Adie ne prouvait rien, bien entendu, mais cela laissait tout de même supposer que les deux jeunes gens se connaissaient bien. Wendy se demandait ce que recelait leur passé commun. Ada me semble un peu jeune pour le sous-chef, songea Wendy, quoique dans la Jehenn, on peut s'attendre à tout. « J'ai seize ans, Wendy, lui avait dit Ada plus tôt. Et lui, près de vingt. » Ce sous-entendu renforçait la thèse de la relation sexuelle. De toute évidence, Hänsel s'était montré imprudent ; il avait commis une faute grave et Ada menaçait de tout dévoiler à son père, à moins que le sous-chef n'accepte de les aider.

— Adie, tu ne peux pas me faire ça, supplia Hänsel.

— Bien sûr que je peux. Et ma sœur témoignera en ma faveur, pas vrai, Wendy ?

Ada se tourna une nouvelle fois en direction de Wendy, pour solliciter son soutien. Cette dernière décida de le lui accorder volontiers, sachant que c'était le seul moyen de vérifier si l'homme que l'on gardait à la cave était bien Joseph.

— Et j'irai même plus loin, ajouta Wendy à l'intention d'Hänsel : je dirai à mon père que tu as répété ton manège avec moi, mais que j'ai su repousser tes *odieuses* avances.

Décidément, Wendy commençait de plus en plus à apprécier cette Jehenn. Les choses qu'on pouvait y dire et y faire… Incroyable. Et la jeune femme se trouvait particulièrement efficace. Le cynisme et le sarcasme étaient des traits reconnus ici, et souvent bien utiles. Bref, les paroles de Wendy eurent l'effet escompté : la colère remplaça vite la détresse et l'angoisse sur le visage d'Hänsel.

— Ce sont mensonges ! protesta le sous-chef. Des mensonges qui pourraient me coûter la vie ! Sales petites…

— Attention à ce que tu vas dire, l'arrêta prestement Wendy.

Elle ne voulait surtout pas qu'il pousse Ada à bout, et que sa jeune sœur choisisse de faire punir le sous-chef plutôt que de le forcer à les aider.

— N'oublie pas qui nous sommes, hein ? ajouta Wendy. Et sache qu'il faut se montrer poli avec les dames.

Pour toute réponse, Hänsel émit un grognement de mécontentement.

— Allez, Casanova, tu ouvres la marche, lui ordonna Ada.

Tête baissée, épaules voûtées, Hänsel quitta la sécurité de ses cuisines pour prendre la tête du trio. Ada et Wendy le suivirent dans un dédale de couloirs jusqu'à ce qu'ils atteignent enfin l'entrée de la cave. Celle-ci était gardée par deux anges déchus, des Waffen-SS en uniforme noir. Selon Ada, l'un d'eux était un habitué du château. L'autre, elle ne l'avait jamais vu auparavant. Il s'agissait sans doute de l'un des hommes d'Abaddon.

— Halte là ! s'exclama soudain le SS qu'Ada disait connaître. Vous n'avez pas le droit d'être ici !

— Bonjour, Tophnar, lui dit Ada sur un ton mielleux, ça va bien ? C'est toi et ton ami qui êtes de corvée ce soir ? Dommage. Où sont tous les autres déchus ? Vous êtes si beaux dans vos uniformes !

— Fräulein Ada, il est tard, vous ne devriez pas…

— Tu reconnais ma sœur, n'est-ce pas ? La belle Gwendolyn !

— Bien sûr que je la reconnais, répondit le déchu, visiblement mal à l'aise, mais Fräulein Ada, écoutez-moi, je…

— Elle est rentrée aujourd'hui, l'interrompit aussitôt Ada. Tu sais qu'elle a passé les trois derniers mois dans le coma ? Mon père a donné une fête ce soir pour son retour, mais la pauvre n'a presque rien mangé au dîner. Et maintenant, elle a très faim.

— Les cuisines sont là pour ça, Fräulein, rétorqua l'autre déchu sur un ton beaucoup moins complaisant que son collègue.

— Oui, nous le savons, très cher, mais ce que ma sœur souhaite manger n'est disponible que dans le garde-manger de la cave.

— Et quel est ce mets si précieux qu'il doive être gardé à la cave ? demanda le SS.

Ada se mit à rire. Wendy ne la connaissait pas encore très bien, mais elle savait tout de même reconnaître un rire feint lorsqu'elle en entendait un.

— De la glace, voyons ! répondit sa jeune sœur, plus convaincante que jamais.

Apparemment, Ada excellait à ce genre de petit jeu.

— Elle veut de la glace à la vanille ! Et devinez à quel endroit on garde la glace dans ce château ?

D'un signe, Ada fit comprendre à Hänsel que c'était à lui de jouer.

— Je suis sous-chef, déclara Hänsel. Tophnar me connaît. J'ai une autorisation écrite pour aller à la cave.

— C'est vrai, confirma Tophnar. Il est réglo.

— Montre-moi ton autorisation, exigea l'autre SS.

Hänsel fouilla dans la poche de son pantalon et en sortit un bout de papier froissé qu'il tendit au SS. Après avoir examiné le papier, le SS s'éloigna de la porte donnant sur la cave et informa Hänsel qu'il pouvait descendre.

— Mais seulement toi, spécifia le SS. Les deux jeunes filles restent ici.

— Non mais, ça va pas ? fit Hänsel, simulant l'indignation. Vous savez combien pèse chacun de ces récipients, ceux qui contiennent la glace ? Je ne peux pas les monter seul. Elles doivent m'accompagner en bas si elles veulent manger !

— Pas question, répondit le SS. L'autorisation est uniquement pour toi.

Ada se tourna alors vers Tophnar et le supplia de les aider :

— C'est nous, Wendy et Ada ! lui dit-elle. Les deux filles de ton maître, Herr Wagner. On ne fait pas partie de la résistance, tout de même ! On veut juste manger de la glace !

Après quelques secondes d'hésitation, Tophnar accepta finalement de se soumettre à la volonté de sa jeune maîtresse.

— D'accord, d'accord. Vous pouvez y aller. Mais pas de casse, hein ? Sitôt après avoir avalé cette glace, vous remontez, c'est bien compris ?

Mais l'autre garde SS demeurait en complet désaccord.

— Tu es fou ! Nous ne sommes pas autorisés à…

— Relaxe, mon vieux, répondit Tophnar. Elles ont raison : un cuistot et deux gentilles demoiselles, non mais, de quoi as-tu peur ? Si c'est la réaction de Herr Abaddon que tu crains, eh bien, sache que tu n'as pas à t'en faire, il n'en saura rien. Et même s'il l'apprenait, mon maître prendra l'entière responsabilité de l'incident, tu peux me croire. Ce sont ses deux filles après tout, non ? Et cette glace, elle leur appartient.

L'autre SS demanda à réfléchir un moment, puis finit par céder :

— S'il y a le moindre problème, c'est toi qui en paieras le prix, Tophnar, on est bien d'accord ?

— Entendu.

Tophnar s'adressa ensuite à Ada, soulagé que tout soit enfin réglé :

— Vous pouvez descendre, mais soyez prudents. Surtout, n'allez pas vers les cachots. C'est dangereux.

Les cachots ? C'était forcément à cet endroit qu'ils gardaient Joseph. Combien de temps fallait-il pour manger une glace ? Pas beaucoup, malheureusement. Il leur faudrait trouver une autre excuse pour demeurer à la cave plus longtemps, afin de fouiller ces cachots.

— Tu peux nous faire confiance, parole de Wagner, répondit Wendy à la place de sa sœur. Et merci pour la glace. Je suis si affamée que j'en avalerais des tonnes !

*« Laissez la tyrannie régner sur un mètre carré,
elle gagnera bientôt la surface de la Terre. »*

François Mitterrand

36.

Hitler ne put savourer sa gloire et ses conquêtes que très brièvement. Si l'Adversaire avait aidé les nazis de la Jehenn à remporter la guerre, ce n'était certes pas pour leur permettre d'assouvir leur besoin d'« espace vital », mais bien pour étendre sa propre domination au monde entier. En réalité, ce que souhaitait l'Adversaire, c'était établir les bases de son futur empire. Un règne de mille ans était à prévoir, comme l'avait espéré Hitler, mais ce ne serait pas celui du grand Reich allemand; plutôt celui de l'Adversaire et de son empire du mal.

Au lendemain de la guerre, l'Adversaire fit éliminer Hitler et tous ses fidèles partisans. Étonnamment, ils furent peu nombreux à se prévaloir de ce titre. Plusieurs nazis de haut rang allèrent même jusqu'à répudier publiquement leur ancien führer, par crainte de subir le même sort que lui. L'Adversaire savait que la peur était sa meilleure arme de persuasion. Il épargna donc ceux qui lui prêtèrent serment de loyauté et les autorisa même à conserver leur fonction au sein du Reich. Il prit ensuite la tête du gouvernement et du parti nazi, puis se déclara *omnipotentis imperator*, ou empereur tout-puissant.

Hitler n'était plus là, mais tout ce qu'il avait bâti au nom de la race supérieure allemande servirait dorénavant à l'Adversaire et à ses suppôts. La Wehrmacht, composée exclusivement de soldats humains, conserverait son titre d'«armée officielle». La SS, l'escadron de protection, ainsi que le Waffen-SS, sa branche militaire, agiraient comme unité d'élite et garde impériale et n'accueilleraient plus dans leurs rangs que des anges rebelles. L'Allemagne et tous les autres territoires qu'elle avait annexés après la guerre devinrent le nouveau terrain de jeu de l'Adversaire, son nouveau royaume, qu'il baptisa lui-même l'Imperium.

« L'amour, c'est l'aile que Dieu a donnée aux hommes pour monter jusqu'à lui. »

Michel-Ange

37.

Tous les trois descendirent à la cave, puis Ada et Wendy suivirent Hänsel jusqu'au garde-manger. La température y était plutôt froide et humide, et il manquait d'éclairage. Wendy se serait crue dans une grotte. La cave avait fort probablement été creusée à même le roc de la colline, car les parois étaient faites de matière rocheuse. On avait tout d'abord foré des tunnels pour ensuite les transformer en galeries souterraines, après quoi on y avait installé les commodités usuelles : l'eau, l'électricité, le chauffage, etc.

— Je vous attends ici, leur fit savoir Hänsel en se plantant devant l'entrée du garde-manger. Je ne vais pas plus loin.

— Bel essai, champion, rétorqua Ada, mais tu viens avec nous.

— Ada, je…

La jeune fille l'interrompit avant qu'il n'ait le temps de manifester son opposition :

— Espèce de grand lâche ! Tu ne vas quand même pas laisser deux innocentes jeunes filles s'aventurer seules dans les cachots du château Wagner ? Tu connais leur réputation, tous les traîtres de la région sont envoyés ici !

— Il y a d'autres sentinelles de la Waffen-SS plus loin, protesta néanmoins le sous-chef, et je n'ai pas l'intention de me frotter à eux !

— Il n'y a aucun SS là où nous allons, le rassura Ada.

Son intervention réussit peut-être à calmer les inquiétudes du sous-chef, mais contribua également à provoquer quelques interrogations chez Wendy. Si aucun déchu SS ne gardait Joseph, qui était chargé de sa surveillance alors ?

— Il n'y a plus de temps à perdre, affirma Ada pour couper court aux discussions. Allez, suivez-moi !

Et elle avait raison : il fallait faire vite, sinon Tophnar et l'autre sentinelle postée là-haut allaient se demander ce qui les retardait autant. Cette fois, c'est Ada qui leur ouvrit le chemin. Tout en marchant, elle leur indiqua l'entrée d'un passage situé sur la paroi opposée au garde-manger.

— C'est par là !

Sans discuter, Wendy et Hänsel suivirent Ada à l'intérieur du passage. Ils marchèrent pendant encore une minute avant de s'arrêter devant un embranchement. La voie de droite menait aux cachots, ils en obtinrent confirmation en apercevant deux sentinelles Waffen-SS qui gardaient un grand portail. Derrière celui-ci, Wendy arrivait à distinguer une rangée de petites cellules, mais il faisait trop sombre pour voir si elles étaient occupées. Deux autres déchus en uniforme de SS circulaient derrière le portail. Ils étaient en patrouille.

— Tu as dit qu'il n'y aurait pas de SS ! grogna Hänsel en se tournant vers Ada.

— J'ai déjà manqué à ma promesse ? riposta la sœur de Wendy avant de les abandonner tous les deux et de disparaître dans l'embranchement de gauche.

— Hé ! s'écria alors Hänsel. Où vas-tu ?

— Pas si fort ! lui répondit Ada en se retournant. Tu veux nous faire repérer ou quoi ? Je vais là où il n'y a pas de SS !

Elle était déjà loin. Wendy et Hänsel pénétrèrent à leur tour dans le second passage. Au pas de course, ils tentèrent de rattraper Ada. Ce ne fut pas très difficile : au bout de trois cents mètres, le passage se terminait en cul-de-sac. Ada les attendait là, dans un recoin plutôt étroit.

— Pas de SS, hein ? fit Hänsel à bout de souffle. On se demande bien pourquoi. Il n'y a absolument rien ici ! ajouta-t-il en scrutant l'endroit.

Wendy ne se sentait pas très à l'aise. Elle ne l'avait jamais dit à personne, mais elle souffrait de claustrophobie. À cet instant, elle eut l'impression de se retrouver dans la galerie souterraine d'une mine, et non dans la cave d'un château.

— Je prendrais bien une glace à la vanille, fit Ada. Pas vous ?

Hänsel ne trouvait pas cela amusant du tout. Il était en pleine crise d'anxiété.

— Adie, si les sentinelles nous repèrent, il n'y aura pas moyen de nous échapper, et-et...

— Toi et tes foutues sentinelles ! le réprimanda aussitôt Ada. Tu n'as que ce mot à la bouche, ma parole !

Wendy se devait d'intervenir :

— Il n'a pas tort, sœurette. Je ne vois aucune trace de mon ami ici.

Ada hocha la tête, tout en adressant un sourire à sa sœur aînée. Mais qu'espère-t-elle au juste ? se demanda Wendy. Pourquoi nous avoir attirés ici ?

— Si tu ne vois aucune trace de ton ami, c'est que notre père s'est arrangé pour qu'il n'y en ait aucune. Ce jeune homme me semblait très important, Wendy. Je suis certaine que père ne l'aurait pas envoyé pourrir avec les autres petits traîtres dans les cachots. Il se trouve ici, derrière cette porte.

— Une porte ? répéta Hänsel, au bord de l'hystérie. Mais quelle porte ? Tu vois une porte, toi ?

— Celle-ci, répondit Ada en posant doucement sa main sur un petit rocher de forme arrondie qui dépassait de la paroi.

Elle fit pivoter le rocher d'environ quatre-vingt-dix degrés et attendit qu'un cliquetis de serrure résonne dans le passage. Ensuite, elle appuya sur le rocher, qui s'enfonça de quelques centimètres dans la paroi rocheuse. L'instant d'après, le mur de pierre qui se trouvait devant eux commença à bouger. Malgré son poids et sa grosseur, il glissa lentement sur une sorte de rail, puis alla se loger dans une brèche de la paroi, ouvrant ainsi un nouveau passage.

— Eh bien ! lança Hänsel, qui ne pouvait détacher son regard de l'ouverture.

— Un passage secret ?

— Comme tu dis, Wendy ! confirma Ada, satisfaite de l'effet produit. Honte à vous, mécréants, qui ne me faisiez pas confiance ! ajouta-t-elle en se moquant.

S'attendait-elle à des excuses ? Elle n'en aurait pas. Pas de la part de Wendy, en tout cas.

— C'est Erik qui m'a parlé de ce chemin, expliqua Ada. Il dit que père s'en sert pour dissimuler des trucs secrets. Des trucs qu'il ne veut pas nous montrer. Je te parie ce que tu veux que ton ami est caché là-bas, tout au fond !

Oui, Wendy avait la même certitude que sa sœur : Joseph était là, quelque part, à proximité. Elle sentait sa présence encore plus qu'auparavant. L'ouverture de cette porte avait libéré une espèce de force magnétique, un effluve envoûtant qui provenait de Joseph, et que Wendy était la seule à capter.

— Très amusant, mesdemoiselles Wagner, observa Hänsel, qui ne se laissait pas émouvoir. Mais vous ne croyez pas qu'il serait temps de remonter ? Les types là-haut ne sont pas des plus patients, vous savez.

— Non! rétorqua immédiatement Wendy. Nous sommes trop près du but. Vous pouvez remonter si vous le souhaitez, moi, je reste. Un ami a besoin de mon aide.

— Où Wendy va, je vais! soutint Ada avec enthousiasme.

Sans plus attendre, Wendy s'avança dans le nouveau passage. Elle avait peur, oui. Peur de ce qu'elle allait y découvrir. Joseph était bel et bien au bout de ce corridor, cela, elle n'en doutait plus, mais dans quel état se trouvait-il? Était-il mort ou vivant? Il fallait qu'il soit vivant, sinon comment expliquer toute cette chaleur, toute cette énergie vitale qui émanaient de lui?

Joseph? pensa-t-elle. Joseph, tu es là?

« *Nos raisons renoncent, mais pas nos mémoires.* »
Jean-Jacques Goldman

38.

Une sinistre pénombre s'installa autour de Wendy à mesure qu'elle progressait dans le passage. Cette partie de la cave était moins éclairée. On y voyait, mais comme au travers d'un voile. Plutôt étouffant comme sensation, songea la jeune femme. Elle n'aimait pas les endroits clos, et encore moins lorsque ceux-ci étaient plongés dans l'obscurité.

Wendy entendait des bruits de pas derrière elle : sans doute Ada et Hänsel, qui la suivaient.

— Pas si vite, l'implora Hänsel.

Elle marchait vite, c'est vrai, mais au bout de ce corridor se trouvait Joseph… *son* Joseph. Wendy avait franchi au moins une centaine de mètres lorsqu'une lumière apparut enfin, mais seulement d'un côté du passage. Elle allait bientôt arriver à un angle. Peu après cet angle, le passage débouchait sans doute sur une pièce mieux éclairée (et moins étroite, espérait la jeune femme de tout cœur). Wendy pressa le pas, plus nerveuse que jamais. « Aujourd'hui, tu me vois enfin… » répéta la voix de Joseph dans sa tête.

Débordante d'espoir, elle tourna le coin pour constater, avec soulagement, qu'elle ne s'était pas trompée : quelques mètres plus loin, le passage s'ouvrait effectivement sur une vaste salle. Wendy ralentit la cadence et s'approcha lentement de l'ouverture. L'endroit était éclairé par de gros néons, suspendus au plafond. Et là, elle le vit. Joseph Heywood. Les yeux de la jeune femme n'étaient pas encore habitués à la lumière, mais elle parvint tout de même à reconnaître son bel ange. Le pauvre était enchaîné au mur, les jambes écartées et les bras en croix. Ses poignets et ses chevilles étaient retenus par de larges bracelets en fer, eux-mêmes fixés au mur par de solides chaînes. Joseph était inconscient. Sa tête penchait mollement d'un côté. Wendy ne voyait pas ses yeux, seulement la ligne bien définie de sa mâchoire. Ses cheveux humides tombaient sur son front, cachant ainsi une partie de son visage.

— Joseph ! s'écria-t-elle.

Elle quitta le passage et se précipita vers lui. La voie était libre : rien ne l'empêchait d'aller retrouver le jeune ange, ni barreaux, ni mur, ni vitre, et même s'il y en avait eu, Wendy était si heureuse à l'idée de le revoir, si fébrile, qu'elle aurait assurément pulvérisé tout obstacle se plaçant entre elle et lui. De puissants projecteurs étaient braqués sur Joseph, et Wendy ressentit une vive sensation de chaleur en pénétrant dans l'enceinte où il était gardé. Quant à l'ange, il était trempé de sueur. Il ne portait que son pantalon, on lui avait retiré tout le reste. Les courbes de son corps musclé luisaient sous la puissante lumière. Il était si beau, mais en même temps paraissait si vulnérable.

— Je suis là, Joseph, murmura la jeune femme lorsqu'elle fut enfin devant lui.

Il était mal en point; on lui avait fait subir de multiples sévices. Wendy se rappela que le corps des déchus était aussi fragile que celui des humains. Le sachant, ses tortionnaires en avaient profité pour lui infliger les pires tortures. Sa chair était couverte de contusions et de lacérations. Certaines de ses blessures s'étaient déjà refermées, d'autres non, et continuaient de saigner. Wendy aurait tant voulu s'occuper de lui. Elle aurait aimé le laver, le soigner et le réconforter. Mais tout ça, ce serait pour plus tard. L'important, à ce moment-ci, était de lui faire reprendre connaissance.

Elle posa doucement ses mains sur le visage de Joseph. Elle écarta les mèches de cheveux imprégnées de sueur et de sang qui cachaient ses yeux, puis tenta de lui parler, en espérant que ce serait suffisant pour le sortir de sa léthargie :

— Joseph… C'est moi, Wendy.

Il ne réagissait pas.

— Joseph…

Soudain, Wendy crut entendre un murmure.

— C'est toi qui as parlé, Joseph ? lui demanda-t-elle. Réponds-moi. Allez, réponds-moi, s'il te plaît ! Tu dois te réveiller. Il faut te sortir d'ici avant qu'ils ne reviennent. Car ils vont revenir, Joseph. Ceux qui t'ont fait ça vont revenir. Je ne veux pas qu'ils te fassent encore du mal, je ne le supporterais pas.

Il se produisit alors quelque chose d'extraordinaire : Wendy vit les yeux de Joseph s'entrouvrir, légèrement, puis se refermer.

— Wagner… dit-il faiblement. C'est… C'est toi ?

— Oui ! s'exclama la jeune femme, les yeux remplis de larmes. Oh oui, Joseph, c'est bien moi, Wendy !

— Tu… tu dois partir.

— Non, Joseph !

— Partir… et me laisser…

— Jamais ! Pas question ! Je ne t'abandonne pas ici. Tu viens avec moi !

— Trop tard… Il est… trop tard.

— Non, il n'est jamais trop tard.

— Va… Va-t'en, Wendy. Va-t'en vite.

— Bon sang ! Mais qu'est-ce qu'ils lui ont fait ? s'écria Hänsel derrière Wendy.

Le jeune homme s'avança à son tour dans la pièce. Ada ne devait plus tarder.

— Vite, Hänsel! lança Wendy au sous-chef. Aide-moi à délivrer Joseph de ses liens!

— Non… protesta Joseph. Je t'ai dit de me laisser…

Une autre voix d'homme se fit alors entendre :

— Tu te crois plus maligne que la sorcière, belle enfant? L'heure du repas vient de sonner. Qui mangera-t-on pour le dîner? Asfaël ou toi?

Wendy se retourna vers l'entrée du passage. Un homme venait d'en sortir. Il se tenait derrière Hänsel. C'était lui qui avait parlé. Wendy ne le connaissait que trop bien, et se trouva idiote de ne pas avoir reconnu sa voix plus tôt. Le pauvre Hänsel ne paraissait pas moins surpris que la jeune femme; lui aussi s'était attendu à voir surgir Ada du passage, et non cet homme.

— Tes parents t'ont abandonnée dans la forêt, Wendy, se moqua l'homme. Pour retrouver ton chemin, tu as semé des morceaux de pain, mais les oiseaux se sont empressés de les manger. Maintenant tu es seule et égarée. Transie de peur et tenaillée par la faim, tu t'es approchée de la maison en pain d'épice, alors qu'il ne le fallait pas.

— Qui c'est, ce bouffon? demanda Hänsel.

Ada ne se montrait toujours pas. Elle avait menti en prétendant vouloir accompagner Wendy. Tout ce qu'elle souhaitait depuis le début, c'était l'attirer ici. Elle a bien réussi son coup, la sale petite menteuse, songea Wendy. Comment avait-elle pu lui faire confiance? Elle s'en voulait d'avoir été aussi bête et comprenait maintenant pourquoi le plan d'Ada avait si bien fonctionné.

— Son nom est Samuel, répondit Wendy sans cesser de fixer le nouvel arrivant. C'est mon nouveau garde du corps. Je le croyais digne de confiance, mais il ne l'est pas.

Hänsel dévisagea Wendy pendant un moment, perplexe, puis s'éloigna prudemment de Samuel. Il y avait de la crainte dans ses yeux, ainsi que de la colère.

— Tous des cinglés, ces Wagner, marmonna le sous-chef pour lui-même. Tu es dans la merde, mon vieux Hänsel… une merde pas possible. Pourquoi il a fallu que tu te laisses manipuler par cette petite garce d'Ada, hein?

« Les mêmes craintes, les mêmes calamités ramènent les mêmes terreurs. »

Jules Michelet

39.

La Schutzstaffel, plus simplement appelée la SS ou encore l'ordre noir, signifie en allemand « escadron de protection ». Elle fut mise sur pied en 1925 afin d'assurer la protection d'Adolf Hitler, qui se servait de ses membres comme d'une garde rapprochée. Le chef le plus connu de la SS demeure encore à ce jour le SS-*reichsführer* Heinrich Himmler. Lorsqu'il fut nommé à la tête de l'organisation en 1929 par Hitler lui-même, la SS était composée d'à peine trois cents membres, tous de fiers représentants de la race aryenne.

Quinze ans plus tard, la Waffen-SS – la branche armée de la SS – comptait dans ses rangs plus d'un million deux cent mille soldats. Les Waffen-SS ont servi sur le front, où ils étaient réputés pour leur brutalité, mais aussi dans les camps de concentration et d'extermination, où ils étaient chargés d'appliquer la « Solution finale » échafaudée par Himmler, qui visait l'extermination massive des Juifs, généralement par fusillade ou gazage. La SS ne s'en prit pas qu'aux Juifs, mais également à tous ceux que le Troisième Reich considérait comme « indignes de vivre », tels que les handicapés physiques

et mentaux, les homosexuels, les tsiganes et certaines popula-
tions slaves.

En 1949, dans la Jehenn, lorsque l'Adversaire se débarrassa
d'Hitler et de ses principaux conseillers – dont Himmler –,
la SS était parvenue à éradiquer la presque totalité de la
population juive européenne, soit environ neuf millions de
personnes. De 1950 à 1955, la chasse aux Juifs se poursuivit
sur les autres continents contrôlés par les forces de l'Adversaire, jusqu'à ce que l'empereur lui-même décrète que l'extermination systématique n'était plus une affaire de race, mais
de traîtrise et de faiblesse. Seuls les forts et les loyaux étaient
désormais considérés comme « dignes de la vie ». À partir de
ce moment, les officiers et soldats humains de la SS et de la
Waffen-SS furent intégrés à l'armée régulière, la Wehrmacht.
Ils furent remplacés au sein de l'ordre noir par des anges déchus
de la première heure, ceux qui avaient accompagné Satan dans
sa rébellion contre Dieu. En 1960, le commandement de la
SS fut donné à la lignée d'Archontes Raum, et la branche armée
fut rebaptisée Waffenengel, pour armée d'anges, mais conserva
néanmoins son appellation usuelle de Waffen-SS.

Les officiers supérieurs de la SS, par l'entremise du Conseil
de l'ordre, furent appelés à jouer un rôle de conseillers
auprès de l'empereur. Quant à la Waffenengel, elle devint
l'armée personnelle de l'Adversaire et de ses Archontes. Une
armée d'élite, prête à affronter tous les plus grands périls afin
de protéger ses chefs. Arborant fièrement leur insigne à tête
de mort, les anges déchus de la Waffen-SS étaient triés sur le
volet. Disciplinés et entraînés à toutes les formes de combat,
ils étaient craints dans tout l'Imperium. On les disait cruels
et sans pitié, et c'est avec un zèle ardent qu'ils entretenaient

cette réputation. Eux-mêmes ne bénéficiaient d'aucune clémence : dès le premier signe de vulnérabilité, l'ange déchu pris en faute se voyait exécuté par ses propres frères d'armes.

Tout comme au temps d'Hitler, la Waffen-SS de l'Adversaire servait d'instrument de répression et de terreur. Personne n'osait s'opposer à ses soldats, et la majorité des humains préféraient baisser les yeux plutôt que d'affronter leurs regards froids et impitoyables. Disposant d'un permis de tuer, les anges déchus de la SS et de la Waffen-SS semaient effroi et destruction partout sur leur passage. Mieux valait ne pas se frotter à un SS de l'ordre noir. L'issue était presque toujours la même : la mort.

Ayant infiltré tous les niveaux de la société, de la politique à l'économie, de la police aux services de renseignements et des Jeunesses loyalistes à l'armée régulière, les anges déchus appartenant à la SS ne se montraient loyaux qu'envers leurs seuls et uniques maîtres : l'Adversaire et ses Archontes.

« Non, répondit Peter en feignant l'indifférence, je ne vais pas avec toi, Wendy. »

J.M. Barrie (*Peter Pan*)

40.

— Pourquoi es-tu ici ? demanda Wendy à Samuel.

— Pour te surprendre. J'ai réussi ?

— C'est toi qui as trahi Joseph ?

— Évidemment que c'est moi.

Samuel l'avait menée en bateau. Sans doute était-il de mèche avec Ada. Une fois de plus, Wendy s'était laissée duper comme une véritable idiote.

— Tu as fait ça par jalousie ?

Samuel la fixa pendant un bref moment, puis éclata de rire.

— Par jalousie ? Tu as vraiment cru que j'étais tombé amoureux de toi ?

Wendy ne dit rien, mais la réponse était oui, à un moment, elle y avait vraiment cru.

— C'est en disant «Tu crois que j'aurais choisi de déchoir juste par caprice?» que je t'ai convaincue, n'est-ce pas? demanda Samuel. Allez, sois honnête!

— Quelle sorte de monstre es-tu?

— Un déchu, dans la plus pure tradition. Désolé de te décevoir, mais tu n'es pour rien dans mon changement de carrière. Ange rebelle, je le suis depuis plusieurs années déjà. Heureusement que le secret était bien gardé. Même Joseph n'en savait rien. Tu veux un autre scoop? Ce n'est pas Dantay qui a tiré sur Juliette pendant la fusillade. Cet idiot a fait quelques blessés, certes, mais c'est moi qui ai abattu la cible principale.

Samuel s'en était pris à Juliette? Il avait volontairement tiré sur elle? Wendy ne pouvait pas le croire. Il le fallait pourtant, car, pour arriver à le détester, elle devait se convaincre qu'il était capable de ces atrocités.

— Où est Ada?

— En ce moment? Elle est sûrement en train de discuter avec les sentinelles du poste de garde. Une de tes servantes se serait endormie dans ton lit, paraît-il. C'est strictement interdit, tu le savais?

— Laisse Juliette en dehors de ça!

— En dehors de ça? se moqua Samuel. C'est impossible, Wendy. Elle est notre police d'assurance, l'as-tu déjà oublié? Satan a besoin de toi, mais surtout, il a besoin de ta loyauté, et ne pourra l'obtenir que si tu crains pour la vie de ton amie.

Satan ? Alors, Samuel était maintenant au service de l'Adversaire ? Peut-être l'a-t-il toujours été, se dit Wendy. Avait-il poussé l'odieux jusqu'à trahir également les Archanges ?

— Cette petite sieste dans la chambre de sa maîtresse causera certainement son renvoi du château, poursuivit Samuel, parlant toujours de Juliette, mais l'empereur, dans son incommensurable générosité, la recrutera peut-être pour son palais. Il pourrait même en faire sa servante personnelle, qu'en dis-tu ? Comme promotion, on voit rarement mieux, n'est-ce pas ?

— Espèce de salaud !

Le message était clair, quoique pas très original : l'Adversaire et ses suppôts allaient se servir de Juliette pour forcer Wendy à leur obéir. Ils avaient piqué l'idée de l'Archange Michaël.

— Je ferai tout ce que vous voudrez, mais laissez Juliette tranquille, d'accord ? Et Joseph aussi. Ils n'ont rien à voir avec cette histoire.

— Je ne suis pas ici pour négocier avec toi, Wendy. Et de toute manière, je n'en ai pas le pouvoir.

— Pourquoi, Samuel ? Pourquoi fais-tu ça ?

Encore une fois, l'ange se mit à rire.

— Tu crois que je vais perdre du temps à t'expliquer ? J'ai autre chose à faire pour l'instant. Quelque chose de beaucoup plus important.

— Tu comptes me tuer ?

— J'aimerais bien, mais je te l'ai dit : l'empereur a besoin de toi. Et vivante, si possible.

— Qu'attend-il de moi au juste ?

— Il a besoin de toi pour retrouver… l'Ange noir.

L'Ange noir ? se répéta Wendy, surprise. Ce nom ne lui était pas étranger.

— Tu m'excuseras, reprit Samuel, mais il est temps d'aller chercher mes petits copains. Ton père sera très attristé d'apprendre que tu as essayé de faire évader son prisonnier. Ça lui brisera le cœur, tu sais.

— Non, Samuel, ne fais pas ça, l'implora Wendy. Joseph a besoin de soins…

— Ce n'est pas la peine, Wendy. Joseph va mourir, que tu le veuilles ou non. Il ne nous sert plus à rien désormais. Satan a obtenu de lui tout ce qu'il désirait.

— Je ne te laisserai pas prévenir ces SS.

— C'est déjà fait, ma pauvre.

Wendy jugea inutile d'ajouter quoi que ce soit. Il fallait agir vite. Motivée à la fois par son instinct de survie et par son envie de sauver Joseph, la jeune femme se jeta sur Samuel. Elle avait sous-estimé la force et l'agilité de son adversaire, cependant. Le déchu agrippa solidement Wendy par les épaules avant qu'elle ne puisse l'atteindre d'un seul de ses coups, puis la gifla et la repoussa sauvagement au sol. Alors qu'elle tentait de se relever, Samuel lui adressa un sourire doublé d'un clin d'œil, puis fit demi-tour. Il s'apprêtait à regagner le passage menant aux sentinelles SS lorsqu'un sifflement aigu retentit. Il se retourna au même moment que Wendy, et tous les deux regardèrent vers le fond de la salle, là où se tenait Joseph. Autant l'un que l'autre furent surpris de découvrir Hänsel aux côtés du jeune ange enchaîné. C'était le sous-chef qui avait sifflé pour attirer leur attention. Cela fait, il s'adressa à eux :

— À la fin d'Hänsel et Gretel, c'est bien la méchante sorcière qui aboutit dans le four, non ? railla Hänsel avec une surprenante arrogance. Dis-moi, Samuel, faut-il plumer les anges avant de les mettre au feu ?

Wendy ne tarda pas à comprendre ce qu'il voulait insinuer par là : pendant que Samuel et la jeune femme discutaient, le sous-chef s'était glissé auprès de Joseph et l'avait libéré de ses entraves. Wendy vit l'ange déchu qui ramenait ses bras libres vers l'avant, tout en serrant les poings. Une lueur meurtrière brillait dans ses yeux.

— Le temps du châtiment est venu, Samuel, grogna Joseph, pendant que deux grandes ailes noires se déployaient dans son dos.

L'ange déchu autrefois connu sous le nom d'Asfaël était enfin libre.

Et il était en colère.

« Qui apaise la colère éteint un feu ; qui attise la colère sera le premier à périr dans les flammes. »

Hazrat Ali

41.

Les ailes s'inclinèrent soudain vers l'avant, afin de recouvrir entièrement Joseph. Lorsqu'elles s'ouvrirent à nouveau, Wendy constata que Joseph s'était volatilisé. Il avait été remplacé par une énorme panthère noire. Non, il s'agit bien de Joseph, se ravisa la jeune femme sans pouvoir quitter la bête des yeux. Il s'est métamorphosé, exactement comme Dantay Sterling.

Lorsque les grandes ailes noires eurent disparu à leur tour, la version féline de Joseph se dressa sur ses pattes arrière et s'élança vers Samuel. Avec la grâce et l'agilité du grand fauve qu'il était devenu, il bondit sur son ancien compagnon et emprisonna la gorge de ce dernier entre ses puissantes mâchoires de carnassier. D'un mouvement brusque de la tête, l'animal projeta ensuite Samuel contre la paroi rocheuse, celle où s'ouvrait le passage. L'impact fut terrible, au point de faire trembler le sol et les murs. En un éclair, Joseph reprit forme humaine et fila en direction de sa victime. Une fois sur elle, il lui asséna plusieurs coups au visage. Samuel n'avait pas le temps de se défendre, encore moins de riposter. Joseph le martelait sans relâche, ne lui donnant aucun répit.

— Heureusement qu'il se remet vite, votre copain, observa Hänsel, sa fascination surpassant son inquiétude. Le truc de la panthère, c'était plutôt réussi…

Wendy ne trouva rien à répondre. Elle-même s'étonnait de la nouvelle vigueur déployée par Joseph ; il se montrait drôlement robuste pour quelqu'un qui, à peine quelques instants plus tôt, se trouvait à l'article de la mort.

— Ne vous en faites pas, mademoiselle Wendy, c'est normal, lui expliqua Hänsel. Les déchus sont comme ça : ils deviennent plus forts en présence les uns des autres. Votre petit copain, il est en train de lui sucer son énergie, à ce plumeau !

La jeune femme ignorait ce qu'elle ressentait. Elle était à la fois horrifiée et inquiète. Il y avait lieu de se demander si Joseph était lui-même tant il se montrait violent et impitoyable. On aurait dit qu'il agissait par instinct, que cette férocité le dépassait, qu'elle était plus forte que lui, comme si sa survie en dépendait. Sa survie, vraiment ? se demanda Wendy. Voyait-elle les choses de manière objective ou tentait-elle seulement de rationaliser la conduite du jeune déchu ? À ce moment-là, elle n'aurait su le dire ; tout allait trop vite.

Joseph cessa enfin de frapper Samuel. Il attrapa ce dernier par la gorge et le souleva de terre, sans aucune précaution et sans le moindre effort. À présent, Joseph tenait sa victime à bout de bras devant lui et posait sur elle un regard aussi intense que méprisant.

— C'est… c'est impossible… balbutia Samuel, encore surpris par l'attaque éclair de Joseph. Tu étais… trop mal en point.

Comment avait-il pu se mouvoir aussi rapidement et avec autant d'agilité? Hänsel avait raison : Joseph lui avait probablement soutiré une partie de son énergie vitale et continuait de le faire. Le réalisant, Samuel l'implora d'arrêter :

— Ne fais pas ça… Si tu n'arrêtes pas, je… je vais mourir.

Samuel commença par s'agiter. Modérément, au début, puis avec de plus en plus de vigueur. Il tenta de se débattre, d'échapper à la prise de son agresseur, mais ses efforts se révélèrent inutiles : sa gorge demeura enserrée dans la solide poigne de Joseph, qui n'avait pas l'intention de le laisser se dérober.

— Tu as toujours été le plus faible d'entre nous, gronda Joseph avec une hargne non dissimulée. De corps comme d'esprit. Tu m'as trahi, Samuel. Tu nous as tous trahis. Maintenant, il est temps d'en payer le prix.

Il s'interrompit un moment, puis ajouta, beaucoup plus solennel :

— Je te rends à Dieu, Samuel.

— Non! Écoute, tu… tu es mon ami, Asfaël. Souviens-toi : nous avons grandi ensemble… Dantay, toi et moi. On formait un sacré trio. Nous étions aussi proches que des frères. Donne… Donne-moi une autre chance, Joseph, d'accord? Allez, tu es d'accord?

— Tu oublies qui je suis.

Joseph se montrait implacable.

— Attends ! le supplia Samuel. Non, pas tout de suite…
Pas comme ça, je…

Mais il n'eut pas le temps de terminer sa phrase. L'instant
d'après, Joseph enfonçait son poing libre dans la poitrine de
Samuel, le traversant de part en part. Lorsque la main de Joseph
ressortit de l'autre côté, elle tenait le cœur encore battant de
Samuel. Quelques spasmes animèrent le corps de ce dernier,
puis il s'éteignit. Joseph dégagea son bras du cadavre ensanglanté et laissa tomber la carcasse par terre, dans la poussière.

Lorsque Joseph se tourna vers Wendy, le cœur ne battait
plus dans sa main. Il remit doucement l'organe à sa place,
dans le corps de Samuel. L'ange replia ensuite ses grandes ailes
noires et s'avança vers Wendy et Hänsel.

Le sang dont Joseph était couvert, celui de Samuel, se dis-
sipait à mesure qu'il approchait de Wendy. Il n'en restait plus
une seule goutte lorsqu'il s'arrêta enfin. Ce n'était pas la seule
chose qui avait disparu : il n'y avait plus la moindre trace de
blessures sur son corps. Sa chair était parfaitement intacte,
et ne subsistait plus rien sur ses traits de cette rage qu'il avait
manifestée un peu plus tôt. Le Joseph Heywood qui se tenait
devant Wendy à présent n'avait plus rien de la bête furieuse
qui s'en était prise à Samuel, qui l'avait battu, puis lui avait
arraché le cœur. La jeune femme devait-elle lui en vouloir de
s'être comporté ainsi ? Bien sûr que non, se dit Wendy. Après
tout, il n'avait jamais prétendu être autre chose qu'un ange
rebelle. La jeune femme avait ressenti un profond malaise

en assistant à la mise à mort de Samuel. Elle avait découvert un côté de Joseph qu'elle ne connaissait pas, et qu'elle allait craindre, sans doute, mais pas suffisamment pour qu'elle s'éloigne à jamais de son protecteur. L'attirance qu'elle éprouvait envers lui était toujours aussi forte. Et dans un monde comme la Jehenn, conclut-elle après réflexion, n'est-il pas préférable d'avoir un ange déchu qui veille sur vous ? Aucune personne sensée ne pouvait renoncer à ça.

— Wendy, je suis désolé, lui dit Joseph en baissant la tête. J'aurais préféré que tu n'assistes pas à ça. Ce que tu as vu, je…

Il était conscient que sa récente démonstration n'avait rien eu de très gracieux, et souhaitait apparemment s'en excuser auprès de Wendy. La jeune femme ne lui en laissa toutefois pas le temps.

— Non, c'est inutile, s'empressa-t-elle de le rassurer. Tu n'as pas à te justifier. Tu as fait ce que tu devais faire.

Joseph acquiesça, mais sans grande conviction. Il était reconnaissant à Wendy de vouloir l'épargner. Ce qu'elle avait vu ne s'oubliait cependant pas aussi aisément. Il faudrait du temps à Wendy pour comprendre et assimiler tout ça. Et qu'en ressortirait-il à la toute fin ?

— Laisse-moi te regarder, dit-il.

Joseph lui adressa un sourire, l'un des plus beaux que Wendy ait jamais vu.

— Nous n'avons pas beaucoup de temps, ajouta-t-il. Je dois partir bientôt.

— Partir ? Non, Joseph, tu ne peux pas m'abandonner.

— Les Archanges ont besoin de toi, lui révéla le déchu alors que son sourire s'évanouissait doucement. Pour leur être utile, tu dois épouser Patrick Müller. C'est pour cette raison que je dois disparaître.

— Je ne veux pas me marier avec Patrick Müller…

— Il le faut, insista Joseph, si tu veux retrouver l'Ange noir.

— Encore cet Ange noir ? s'impatienta Wendy. Pourquoi devrais-je le retrouver ? N'est-ce pas ce que souhaite également l'Adversaire ?

C'est du moins ce qu'avait prétendu Samuel.

— Je ne comprends pas, Joseph, lui avoua-t-elle. Je croyais que nous étions justement ici pour contrecarrer ses plans…

— Je n'ai pas le temps de t'expliquer, mais fais-moi confiance.

— Jamais je n'épouserai Patrick, répéta Wendy.

— Tu le feras, si je ne suis plus là.

La jeune femme secoua lentement la tête. Il ne la convaincrait pas aussi facilement.

— Tu te trompes, dit-elle. Les humains sont trop ennuyants, je préfère les anges déchus. Enfin… pas tous, mais certains plus que d'autres.

Joseph esquissa un autre sourire, puis se pencha vers Wendy pour l'embrasser. Au même moment débarquaient une dizaine de Waffen-SS dans la salle. Ils étaient accompagnés de Charles Wagner, de sa fille Ada et de leur invité de marque, l'ange déchu Abaddon.

Hänsel fut le premier à réaliser la gravité de la situation.

— Eh merde… lança-t-il en levant les bras en l'air. On se calme, les gars. Ne tirez pas ! Ne tirez surtout pas !

Lorsque Joseph releva la tête en direction des Waffen-SS et d'Abaddon, il tenait toujours Wendy dans ses bras.

— Toujours aussi épris de cette jeune humaine, à ce que je vois, ricana Abaddon. Pauvre Asfaël, je te plains, tu sais. Allez, il est temps de vous séparer à présent, même si c'est difficile. Vous serez de nouveau réunis au moment de l'exécution, Asfaël, c'est une promesse.

« La conquête est un hasard qui dépend peut-être encore plus des fautes des vaincus que du génie des vainqueurs. »

Madame de Staël

42.

Au cours des décennies qui suivirent, surtout grâce au développement de ses industries aéronautiques et technologiques, l'Imperium devint l'État le plus prospère d'Europe. Plusieurs autres pays du continent, dont l'Angleterre et l'Espagne, qui se trouvaient isolés depuis plusieurs années, manifestèrent leur envie de se joindre à l'empire. Puis vint le tour des pays d'Asie et d'Afrique du Nord. L'Imperium devint une véritable force économique, qui n'avait désormais pour rivale que les États-Unis d'Amérique, et encore : les États-Unis de la Jehenn ne devinrent jamais aussi puissants que leur contrepartie de l'Éden, que ce soit au point de vue militaire, politique ou encore économique. Leur influence fut beaucoup moins importante que celle de l'Adversaire et de son gigantesque empire. Vingt ans seulement après la guerre, le monde entier vivait au rythme de l'Allemagne nazie et de l'Imperium. C'était le Mal qui avait maintenant prise sur la Jehenn, et tous les hommes, ou presque, se laissaient aisément corrompre par lui.

L'idéologie nazie servit bien l'Adversaire, qui l'utilisa entre autres pour justifier l'épuration sociale qu'il exerça dans son royaume à partir des années 1960. Malades chroniques, handicapés physiques et mentaux, vieillards, itinérants, opposants au régime, toutes ces personnes étaient dorénavant éliminées. Certains étaient euthanasiés, d'autres étaient exécutés sommairement, soit par les Waffen-SS, soit par la police d'État. Selon les représentants de l'Adversaire, ces mesures visaient à assurer la prospérité et l'avenir de l'Imperium. L'Adversaire laissa tomber la hiérarchie des races, que prônaient Hitler et ses nazis, afin de promouvoir un nouveau concept, que les plus riches de la planète s'empressèrent d'appuyer : celui de l'infériorité des plus faibles. Comme dans le règne animal, les plus faibles devaient être éliminés par les plus forts, pour garantir la survie du royaume. On ne s'attaquait donc plus aux Sémites, aux Noirs, aux Slaves et à toutes ces races qu'Hitler considérait comme inférieures, mais seulement aux faibles et à ceux qui tentaient en vain de les protéger, c'est-à-dire les quelques rares défenseurs du Bien qui osaient encore s'indigner des méthodes de l'Adversaire.

« On respecte la brutalité. Les gens ont besoin d'une peur salutaire. Ils veulent craindre quelque chose. Ils veulent que quelqu'un les effraie, que quelqu'un les soumette et les fasse trembler. »

Ernst Röhm,
capitaine de l'armée allemande

43.

Wendy était épuisée. Sa tête lui faisait mal, mais pas autant que sa nuque. Ses genoux étaient repliés et sa tête était appuyée sur l'un des murs en béton, ce qui expliquait les raideurs dans son cou. Elle avait l'impression que le reste de ses membres étaient paralysés, comme dans les cauchemars. Elle ne pouvait pas s'enfuir, elle était prise au piège.

— Alors, mademoiselle Wendy, on apprécie le confort des cachots ? demanda Hänsel.

Le sous-chef occupait la cellule voisine de la sienne. Tous les deux se trouvaient dans les cachots du château Wagner, ceux que Wendy avait entraperçus dans la cave avant de s'engager dans le passage de gauche, qui l'avait conduite à Joseph. Il régnait une odeur fétide dans cet endroit. Des effluves nauséabonds, mêlant humidité et pourriture, montaient aux narines de la jeune femme et lui donnaient la nausée. Abaddon avait ordonné qu'on les enferme ici, dans ce trou pourri, en attendant « l'exécution ». Les Waffen-SS avaient obéi, mais auparavant, ils avaient dû s'assurer que Joseph Heywood ne représentait plus aucune menace. Malgré les protestations de Wendy, ils s'étaient empressés de ramener le jeune déchu jusqu'à son mur. Sans délicatesse aucune, les SS lui avaient remis ses entraves, tout en s'assurant de la solidité des chaînes. Une fois les bracelets de fer passés à ses poignets et à ses chevilles, Joseph avait lancé un dernier regard en direction de Wendy. Un regard à la fois triste et tendre. Puis, lentement, tandis que Wendy et Hänsel étaient emmenés par les Waffen-SS vers les cachots, il avait baissé la tête, comme s'il se résignait à ne plus jamais revoir la jeune femme.

— Reste fort, mon ami, murmura Wendy, comme pour elle-même. Je te fais confiance…

Hänsel eut un petit rire.

— Vous savez, je n'ai jamais fait autant d'effet à une fille, observa Hänsel qui savait très bien à qui la jeune femme faisait allusion. Il sait s'y prendre avec les dames, votre Joseph. C'est quoi son truc ?

Plutôt que de répondre, Wendy grimaça de douleur. Sa migraine empirait, sans parler de sa nuque et de son cou qui la faisaient toujours autant souffrir. Voyant qu'elle ne lui accordait que peu d'intérêt, Hänsel retourna s'étendre sur son lit de fortune et fixa le plafond crasseux de sa cellule.

— Ada était avec votre père et Herr Abaddon, déclara le sous-chef, songeur. Cette petite chipie nous a vendus, j'en mettrais ma main au feu.

Bien sûr qu'Ada était responsable de leur capture. Elle avait alerté les déchus de la Waffen-SS, d'accord, mais pour quelle raison ? Et pourquoi lui avait-on demandé, en premier lieu, de conduire Wendy à la cave ? À qui obéissait-elle ? De qui recevait-elle ses consignes ? Sans savoir pourquoi, Wendy était convaincue que tôt ou tard, elle finirait par obtenir des réponses à ses questions.

— La pause est terminée ! annonça soudain une voix que la jeune femme n'eut aucune peine à reconnaître.

Elle orienta son regard vers l'entrée des cachots et repéra sans tarder les hommes qui s'approchaient de leurs cellules. Le premier, c'était son père, Charles Wagner. Le deuxième homme n'en était pas vraiment un ; il s'agissait plutôt de l'ange déchu nommé Abaddon. Ce dernier était escorté par une demi-douzaine de gardes Waffen-SS aux traits durcis et aux regards sombres. C'était lui qui avait parlé, et il ne tarda pas à reprendre la parole.

— Nous y voilà enfin ! lança le déchu alors qu'il parcourait les derniers mètres le séparant de la cellule de Wendy.

Charles Wagner s'était arrêté. Il se tenait bien droit dans le couloir, affichant un air grave. Il portait un magnifique costume trois-pièces, de couleur grise, et des chaussures bien cirées. Abaddon devait être âgé d'une trentaine d'années. Ses mains semblaient douces et ses ongles étaient parfaitement manucurés. Il avait un petit nez fin et des yeux tellement noirs qu'il était impossible d'en distinguer la pupille. Vêtu d'une chemise bleue et d'un complet noir, il portait une cravate impeccablement nouée. Pas un cheveu ne poussait sur son crâne lisse. Il avait le teint hâlé, et un tatouage en forme de gazelle se voyait sur sa tempe droite.

— On m'appelle Abaddon, seizième du nom, dit le chauve d'une voix neutre. Je suis le conseiller personnel de l'empereur. Et lui, ajouta-t-il en désignant Charles Wagner, je n'ai pas besoin de te le présenter, je pense.

— C'est mon père.

— Le seul et l'unique ! s'exclama Abaddon avec enthousiasme.

Après un bref silence, le déchu reprit son sérieux et poursuivit :

— Si je suis le seizième à porter le nom d'Abaddon, c'est que Satan est plutôt difficile à satisfaire. Maintenant que la technologie est disponible, surtout grâce aux nazis et à leurs expérimentations, l'empereur préfère cloner ses conseillers plutôt que d'en choisir un nouveau chaque fois que l'un d'entre nous est, disons, « endommagé ». On n'arrête pas le progrès, n'est-ce pas ?

— Fascinant… répondit Hänsel sur un ton las, à la place de Wendy.

— Trêve de plaisanterie, rétorqua Abaddon sans se soucier du sous-chef. Dis-moi, chère Wendy, croyais-tu sérieusement pouvoir faire évader ce traître de Heywood ?

— Je le croyais, oui, répondit Wendy avec aplomb.

— Désolé de te l'apprendre, mais tu as échoué. Bientôt, tu devras payer le prix de ta témérité… ou de ta naïveté.

— Nous sommes ici pour te dévoiler ton châtiment, Wendy, lui révéla son père.

— Un châtiment? Vous n'allez tout de même pas…

— Te tuer? la coupa Abaddon. Mais bien sûr que non, tu es beaucoup trop précieuse.

Wendy hésita un moment, puis décida de se lever. Elle prit son courage à deux mains et s'approcha des barreaux.

— Vous me croyez beaucoup plus importante que je ne le suis en réalité.

Abaddon la fixa pendant quelques secondes, puis éclata d'un rire gras et sonore, qui résonna dans toute la cave.

— Qu'elle est délicieuse! se moqua le déchu tout en détaillant la jeune femme de la tête aux pieds. Un jour, il faudra bien le faire, tous les deux…

— Faire quoi?

— Mêler nos âmes, répondit le déchu. Tu n'as pas idée à quel point le mal est envoûtant.

— Et le mal, c'est vous?

— On peut dire ça, en effet.

Le déchu s'approcha des barreaux, attrapa le visage de Wendy entre ses mains et colla un baiser humide sur sa bouche.

— Nom de Dieu ! s'écria Wendy. Mais qu'est-ce qui vous prend ?

La jeune femme détourna la tête tout en le suppliant d'arrêter, mais Abaddon fit la sourde oreille et continua de l'embrasser.

— Ne me touchez pas, sale monstre ! cria Wendy lorsqu'elle trouva enfin la force de le repousser.

Abaddon s'esclaffa de plus belle, contrairement à Charles Wagner, qui restait de marbre.

— J'avais bien raison ! ricana le déchu. Elle est délicieuse !

— Vous êtes répugnant ! vociféra Wendy en allant se réfugier au fond de sa cellule.

Pourquoi son père n'était-il pas intervenu ? Comment pouvait-il laisser cet ignoble démon s'en prendre ainsi à sa propre fille ? Wendy ne comprenait pas. À moins qu'il sache, songea soudain la jeune femme. Oui, ça ne peut être que ça. Samuel avait certainement prévenu Abaddon et les Wagner que Wendy n'était pas la véritable Wendy – enfin, pas celle de la Jehenn. Voilà pourquoi Charles Wagner ne manifestait pas la moindre pitié à son égard. Pour lui, cette Wendy-là n'était qu'une simple copie de sa fille, une sorte de jumelle, originaire d'un autre monde, et dont la venue ici mettait en danger la vie de sa véritable enfant.

Toute sa vie durant, Wendy s'était sentie seule au monde. Mais jamais autant que ce jour-là.

— Ne désespère pas, ma chérie! lui lança Abaddon entre les barreaux. Tu apprendras à m'apprécier! Ce baiser discret, c'était juste un avant-goût!

« Je voudrais que l'intelligence fût reprise au démon et rendue à Dieu ».

Jean Cocteau

44.

Charles Wagner ne bronchait pas. Il jetait des regards en direction des déchus Waffen-SS qui patientaient derrière lui, attendant ses ordres, puis revenait à Wendy. Il observait la jeune femme en silence. Elle lui jeta un regard implorant.

— Sortez-le d'ici ! supplia-t-elle en désignant Abaddon.

Toujours aucune réaction du côté de son père.

— Père ! insista Wendy.

— Ça suffit maintenant ! s'écria alors Charles Wagner, qui manifestait son impatience pour la première fois.

Un horrible rictus se dessina alors sur les traits reptiliens d'Abaddon. Le déchu s'adressa de nouveau à Wendy.

— Petite idiote, siffla-t-il comme le serpent qu'il était. Comment peux-tu croire qu'il se portera à ton secours ? Pour ça, il faudrait qu'il soit vraiment ton père !

— Partez d'ici ! leur dit-elle cette fois à tous les deux. Partez, je vous en prie !

Nouveau rire sardonique de la part d'Abaddon. Puis, d'un mouvement brusque, le déchu arracha le verrou de la cellule, ouvrit la porte et entra. Vif comme l'éclair, il se précipita sur Wendy et la saisit à la gorge.

— Une fillette, voilà ce que tu es ! hurla-t-il d'une voix d'ogre qui déchira les tympans de la jeune femme.

Wendy était au bord du gouffre. Elle sentait la mort s'approcher à grands pas. Elle cessa de réfléchir et laissa son instinct de survie prendre le dessus. La peur qui lui tenaillait les entrailles depuis l'arrivée des deux hommes s'estompa d'un coup et fut aussitôt remplacée par la colère. Elle ne voulait pas mourir. Pas après tout ce qu'elle venait de traverser.

— Lâ… Lâchez-moi, articula-t-elle avec difficulté. Lâchez-moi ou… ou je jure de vous tuer !

L'air commençait à lui manquer.

— Pas question ! rugit Abaddon. Tu restes là où tu es !

— Doucement, suggéra une voix derrière le déchu.

C'était Charles Wagner qui avait parlé. Du coin de l'œil, Wendy le vit qui s'approchait à son tour. Il déposa une main amicale sur l'épaule d'Abaddon, ce qui fut suffisant pour le convaincre de lâcher prise. Ce dernier libéra Wendy et la repoussa brusquement vers le fond de la cellule. En silence, Abaddon s'éloigna et laissa place à Charles Wagner.

— Chère enfant, déclara ce dernier une fois devant Wendy. Dis-moi, je suis curieux : pourquoi as-tu choisi de sauver cet ange déchu ?

Il parlait de Joseph, assurément.

— Alors ?

Wendy ne pouvait pas lui répondre. Pas pour l'instant, du moins. Elle devait tout d'abord reprendre son souffle; Abaddon lui avait carrément broyé la gorge, la privant non seulement de sa voix, mais aussi d'oxygène. À un moment, elle avait même craint de perdre connaissance.

— Parce que… parce qu'il ne mérite pas d'être ici, père, dit-elle d'une voix rauque lorsque son larynx commença enfin à se dilater.

— Et qui es-tu pour en décider ?

Wendy se massa la gorge une nouvelle fois. La douleur était persistante.

— Laissez-le partir, père…

— Il est trop tard, ma fille. Le châtiment a été décidé. Joseph sera exécuté ce soir.

— Père, non ! Joseph et moi ne souhaitons que votre bien !

Charles Wagner secoua la tête.

— Arrête de mentir, Wendy. Nous savons que tu es une espionne au service des Archanges.

— Quoi?

— Joseph et toi êtes ici en mission, ajouta Charles Wagner. Vous devez découvrir l'identité de celui ou de celle qui renseigne l'empereur. L'Archange Michaël nous a tout raconté, ma chérie.

La mâchoire de Wendy se décrocha à ce moment précis. Elle était incapable de prononcer le moindre mot. Michaël?... L'Archange Michaël leur avait tout dit?

— Alors... Alors c'est lui, le traître? bredouilla-t-elle, incapable d'y croire vraiment. C'est Michaël qui renseigne l'Adversaire?

— Michaël et Samuel, confirma son père. Ils nous ont tout dévoilé concernant l'Éden.

Wendy suffoquait. Cette annonce venait d'anéantir le peu d'espoir qu'il lui restait.

— Michaël a conclu un pacte avec l'empereur, expliqua Charles Wagner. En échange de ce qu'il savait, Satan lui a offert de régner à ses côtés dans l'Éden. Lorsque le passage sera ouvert entre les deux mondes, plusieurs anges rebelles seront envoyés là-bas pour asservir les humains, comme l'a prévu l'empereur. Ces déchus serviront alors sous les ordres de Michaël. J'ai essayé de prévenir Satan, de lui faire comprendre que c'était un prix beaucoup trop élevé à payer, mais il n'a rien voulu entendre. Michaël s'est détourné de Dieu. Il refuse toute autorité, on ne peut pas lui faire confiance. Mais notre maître le considère comme son frère.

Alors, Michaël était le complice de Satan ? Et sous la promesse de gouverner l'Éden, il était prêt à trahir son dieu, ses frères, les anges célestes, ainsi que l'humanité tout entière ? Quelle sorte d'Archange était-il donc ?

— Un Archange déchu, railla Abaddon depuis l'entrée de la cellule. Ils sont plutôt rares, mais ils existent.

Aucun doute que le déchu arrivait à lire dans les pensées de Wendy. Avant leur départ de l'Éden, Samuel lui avait révélé que certains anges détenaient ce pouvoir.

La jeune femme devait s'asseoir, sans quoi elle craignait de s'effondrer. C'était beaucoup trop d'émotions pour une seule journée. Une fois assise par terre, elle réaffirma son innocence, sans véritablement croire que ça lui servirait à quoi que ce soit.

— Je n'ai rien d'une vraie espionne, murmura-t-elle assez fort pour que son père et l'ange déchu entendent. Je ne suis pas… Jazzman.

Avant de partir pour la Jehenn, Wendy avait promis à Samuel de se faire passer pour ce Jazzman si un jour elle était prise. Croyant avoir capturé le véritable espion, l'Adversaire et ses fidèles ne le chercheraient plus. La couverture de Jazzman serait ainsi épargnée. Mais comme Samuel et Michaël l'avaient tous les deux trahie, Wendy en conclut que Jazzman était sans doute de mèche avec eux. Elle ne retirerait aucun bénéfice à le protéger, bien au contraire.

— Je sais que tu n'es pas Jazzman, répondit Charles Wagner. Samuel nous a prévenus. Jazzman est l'espion de Gabriel et de Raphaël. À part ces deux Archanges, personne ne connaît sa véritable identité. Mais tôt ou tard, nous finirons par lui mettre la main dessus, et ni toi ni personne ne pourra empêcher cela.

Abaddon était de retour auprès d'eux. C'est lui qui parla cette fois.

— Écoute-moi bien, chérie, dit-il en s'adressant à Wendy. On ne t'accuse pas seulement d'espionnage, mais aussi d'avoir fait évader un détenu. Joseph Heywood et ton copain Hänsel sont condamnés à la peine de mort, et l'un de tes châtiments sera d'assister à leur exécution. Pour le reste, ça dépendra de l'empereur.

Wendy resta sans mots, contrairement à Hänsel qui, depuis sa propre cellule, avait suivi toute la conversation.

— Alors, j'y passe, moi aussi? s'indigna le sous-chef. Tout ça parce qu'elles voulaient manger de la glace!?

« Quand tu seras le maître des hommes, souviens-toi
que tu as été faible, pauvre et souffrant comme eux. »

Fénelon

45.

Voici ce qu'écrivit Laurence Rees, un historien diplômé d'Oxford, au sujet de la vision du monde d'Hitler : « Un univers sombre d'où toute pitié est exclue, et où la vie se résume à une lutte darwinienne dans laquelle les faibles méritent de souffrir – car tel est leur destin. »

Dès l'avènement de l'Imperium, cette vision fut aussi celle de l'Adversaire, hormis qu'Adolf Hitler et ses Aryens ne représentèrent plus ladite « race supérieure ». La seule race supérieure admise sous le règne de l'empereur fut celle des anges déchus. Au début des années 1980, l'Adversaire fit la promotion d'un nouvel ordre mondial et parvint à convaincre les pays d'Amérique et d'Océanie – dont le Canada, les États-Unis et l'Australie – d'abandonner tout pouvoir politique et toute souveraineté territoriale et de se rallier au Grand Imperium. À partir de mai 1984, il n'y eut plus qu'un seul gouvernement qui dirigea le monde : celui de l'Adversaire. C'est dans ce contexte et sous cette influence malveillante qu'évoluèrent les peuples humains dans la Jehenn.

Les gens vivaient constamment dans la peur et la paranoïa. Comme au temps des nazis d'Hitler, les gens se surveillaient entre eux, afin de s'assurer que leurs voisins, leurs amis, et même les membres de leur famille respectaient bien les lois et les enseignements de l'Adversaire. Ne pas se conformer aux préceptes de l'Imperium représentait une faute grave. Les châtiments infligés allaient de l'emprisonnement à la torture, et pouvaient même aller jusqu'à la peine de mort. Les dénonciations furent nombreuses : des hommes dénonçaient leurs femmes parce qu'elles refusaient de remettre leur bébé handicapé à l'Imperium ; des enfants dénonçaient leurs parents parce qu'ils cachaient chez eux de pauvres vieillards ; des employés dénonçaient leurs patrons parce qu'ils aidaient des malades ou soutenaient des organisations rebelles. Ces actes de délation étaient, pour la plupart, motivés par de simples doutes ; les gens en accusaient d'autres sans avoir la moindre preuve de ce qu'ils avançaient, seulement parce qu'ils avaient des soupçons. Les troupes de choc de la police d'État, et parfois des Waffen-SS, intervenaient alors et embarquaient les suspects pour interrogatoire. Certains d'entre eux survivaient et retournaient dans leur famille après deux ou trois jours de rude détention, mais la majorité de ces personnes disparurent sans laisser de trace. Une rumeur prétendit qu'ils étaient envoyés dans des camps de travail, au nord, mais ces allégations ne furent jamais prouvées.

*« Le jazz est la révolte de l'émotion contre la répres-
sion. »*

Joel A. Rogers

46.

L'heure du châtiment était venue. Ils amenèrent tout
d'abord Hänsel, puis revinrent chercher Wendy une heure
plus tard. Charles Wagner accompagnait les deux déchus SS
chargés de conduire la jeune femme au peloton d'exécution.

— Vous allez tuer Hänsel ? lui demanda Wendy tout en
marchant.

Ses poignets se trouvant enserrés dans des menottes, elle
devait garder ses bras devant son corps.

— Tout comme le SS-*untersturmführer* Tophnar, renchérit Charles Wagner sur un ton neutre. Il s'est montré
négligent.

— Ada et moi l'avons manipulé, père. Tout comme Hänsel.
Inutile de les punir.

— Ce n'est pas à toi d'en décider, Wendy.

— Et Ada ? Que va-t-il lui arriver ?

— Rien, répondit Wagner. Elle cherchait à prouver que j'avais tort de te faire confiance, et elle a bien réussi. Elle mérite une récompense, et non une sanction. Sans elle, ajouta-t-il en regardant tour à tour les deux gardes qui les accompagnaient, je ne suis pas certain que j'aurais eu la force de t'abandonner à l'empereur.

— Alors, c'est ce que vous allez faire ? Nous envoyer, Juliette et moi, au palais de Satan ? C'est le diable, père, le réalisez-vous ?

Charles Wagner fit mine de ne rien entendre.

— Wendy a toujours été ma préférée, déclara-t-il plutôt que de répondre à la question. Enfin, pas toi, mais celle qui se trouve dans l'Éden à l'heure actuelle. Celle qui occupe ton corps malade.

— Michaël vous a parlé de ça aussi ?

— Je te le répète : il nous a tout dit à ton sujet.

— Il n'y a rien à dire à mon sujet. Je suis tombée dans un piège, comme la parfaite idiote que je suis. Je croyais venir ici pour vous empêcher de découvrir l'existence de l'Éden, mais vous saviez déjà tout.

Charles Wagner s'arrêta, forçant ainsi les deux gardes SS à faire de même.

— Nous avons besoin de toi et de Patrick Müller pour retrouver l'Ange noir. En fait, ce n'est pas à vous directement qu'incombera cette tâche, mais à votre fille. Selon les oracles divins, elle naîtra d'une mère originaire de l'Éden et d'un jeune prince ayant vécu dans la Jehenn.

Il avait bien dit « votre » fille ? Osait-il sous-entendre qu'elle allait avoir un bébé avec Patrick ? C'est aussi ce que soutenait le mystérieux Carnivean dans son cauchemar : « Tu es à nous maintenant, Wendy Wagner ! disait-il. Tu es celle qui rendra possible notre retour dans l'Éden ! C'est la raison pour laquelle tu existes ! Mais pour ça, tu dois demeurer dans ce lit ! N'oublie pas que tu portes en toi la fille de Patrick Müller, la seule enfant qui pourra identifier l'Ange noir ! »

— Qui est cet Ange noir ?

— C'est le gardien du passage entre l'Éden et la Jehenn, expliqua Charles Wagner. Il est le seul, à part les Sept Archanges célestes, qui soit en mesure de faire apparaître ce portail et de le déverrouiller.

— Écoutez, Charles… Je peux vous appeler Charles ?

Wendy ne voyait plus l'utilité de l'appeler « père ». L'homme hocha la tête, acquiesçant ainsi à sa demande.

— Écoutez-moi bien, Charles : je n'aurai jamais d'enfant avec Patrick Müller, vous m'entendez ? Alors votre Ange noir, vous pouvez faire une croix dessus !

— On t'y obligera, Wendy. Tu n'auras pas le choix.

D'un signe, Charles Wagner fit comprendre aux deux déchus SS qu'il était temps de reprendre la marche. D'une poussée, l'un des gardes força la jeune femme à avancer.

— Vous allez menacer de tuer Juliette, c'est ça ? Par pitié, changez de disque ! Pourquoi ne pas vous éviter tous ces problèmes et demander à Michaël d'ouvrir ce stupide passage pour vous ?

— Les Archanges peuvent faire voyager des âmes de l'Éden à la Jehenn, mais l'inverse est impossible. On ne peut pas quitter la Jehenn, à moins que notre corps physique se trouve déjà dans l'Éden, comme c'est le cas pour Juliette et toi. Pour ouvrir un passage à partir d'ici, l'accord des Sept Archanges est nécessaire, mais jamais Gabriel et Raphaël n'accepteront de soutenir un tel projet. L'empereur n'a donc aucun autre choix que de faire appel à l'Ange noir. Mais pour retrouver sa trace, nous aurons besoin de votre fille.

Non, il ne pouvait pas être sérieux.

— Comment savez-vous que c'est ma fille qui le trouvera ? Et, pour commencer, qui vous dit que j'aurai une fille ? Vous êtes devin ?

— L'empereur n'est pas aussi puissant que Dieu, mais il a sous ses ordres des déchus qui disposent de pouvoirs fort utiles, dont celui de voir dans le futur. C'est le cas d'Asmoday, un Archonte ; il ne voit pas tout, parfois seulement quelques bribes, mais cela suffit. Vous aurez une fille.

Pour rejoindre l'extérieur, là où devait se dérouler l'exécution, ils n'eurent pas à remonter jusqu'au rez-de-chaussée ni à traverser le château. Une sortie prévue à cet effet avait été spécialement aménagée à la cave, non loin des cachots. Ils effectuèrent le trajet en moins de cinq minutes.

Une fois dehors, Wendy accueillit avec soulagement la brise fraîche du soir. L'air était bon et pur. Elle n'en pouvait plus de l'odeur putride des cachots. Son bonheur fut de courte durée, cependant. Charles Wagner et les deux gardes l'entraînèrent sans tarder vers une construction en pierre, de forme rectangulaire, située à l'écart du château. Elle ne ressemblait pas à une maison, ni même à un garage, plutôt à un entrepôt. La remise des jardins, supposa alors Wendy. Le bâtiment était entouré de buissons de roses. Ils longèrent l'un de ses flancs, pour ensuite se retrouver à l'arrière. C'est en dépassant l'angle de la remise que Wendy les aperçut tous les trois : Joseph, Hänsel et Tophnar, alignés, bien droits, le long du mur. Libres de tous liens, ils attendaient, résignés, le moment de leur exécution. Devant eux, à quelques mètres, se tenait le peloton d'exécution : trois anges déchus de la Waffen-SS, tous armés de fusils-mitrailleurs. Armes bien en main, prêts à faire feu, les fusiliers SS attendaient l'ordre officiel avant de tirer leur salve en direction des condamnés. Légèrement en retrait se trouvaient Los, le chauffeur de Charles Wagner, ainsi qu'Abaddon, seizième du nom.

— Où est Juliette ? demanda Wendy, ne la voyant nulle part.

En réalité, elle était plutôt soulagée que son amie n'assiste pas à ce triste spectacle.

— Elle est en train de ranger ma chambre, répondit Abaddon. Et après, ta mère l'enverra nettoyer les cellules

330 Wendy Wagner, Tome 1 – Mort imminente

des cachots. Plutôt risqué comme corvée. Avec tous ces déséquilibrés…

— Retirez-lui ses menottes ! ordonna soudain Charles Wagner, avant de se joindre à Los et Abaddon.

Les gardes s'empressèrent d'obéir et de libérer Wendy de ses entraves, avant d'aller retrouver leurs confrères du peloton d'exécution. Ce dernier était dorénavant composé de cinq tireurs, et non plus de trois.

— Nous utilisons toujours six tireurs ! annonça brusquement Abaddon.

Qui sera le sixième tireur ? se demanda Wendy. Los se rapprocha d'elle à ce moment-là. Il empoigna la jeune femme par le bras et obligea celle-ci à le suivre jusqu'à ce que tous les deux se retrouvent face à Joseph. Los déposa ensuite une arme dans sa main, puis retourna auprès d'Abaddon et de Charles Wagner.

— C'est un véritable Luger P08 que tu tiens là, lui dit Abaddon. Il date de la Seconde Guerre mondiale et fonctionne encore très bien. Tu comprends que, pour des raisons de sécurité, nous ne pouvons te confier un fusil-mitrailleur. Ce Luger fera l'affaire. Attention, le cran de sureté est relevé. L'arme est prête à faire feu. Il n'y a qu'une seule balle dans le chargeur, mais ce sera suffisant pour mener à bien la tâche qu'il te faut accomplir.

Wendy savait ce qu'ils attendaient d'elle : ils espéraient tous qu'elle se serve de cette arme et de cet unique projectile pour abattre Joseph. À cette distance, elle ne pouvait pas le manquer.

— Lève ton arme et appuie l'embout du canon sur son front ! lui ordonna Abaddon.

— Non, je ne peux pas.

Le regard de Wendy était fixé à celui de Joseph. Lentement, sans cesser de regarder le jeune ange, elle fit non de la tête. L'arme émettait de petits cliquetis métalliques dans sa main tremblante.

— Vous savez ce qui serait bien, mademoiselle Wendy ? demanda Hänsel, qui se tenait à la gauche de Joseph. Que votre petit ami nous refasse le coup de la panthère. Il pourrait sauver sa vie et les nôtres par la même occasion.

— Et tu crois qu'ils le laisseraient faire ? répondit Tophnar à la place de Joseph. Au cas où tu ne l'aurais pas remarqué, il y a tout un régiment de déchus ici. Chacun d'eux est de force égale ou supérieure à Joseph. Ils n'en feraient qu'une bouchée, de ton copain !

— Hé ! Ce n'est pas mon copain, répliqua Hänsel. Les déchus n'ont pas de copains. Mais tu es bien placé pour le savoir, hein, Tophnar ?

Joseph fut le premier à baisser les yeux, rompant ainsi le contact avec Wendy.

— Tu dois le faire, Wagner.

— Joseph, non…

— Il a raison, tu sais! s'écria Abaddon de sa position. Tu pourrais lui offrir une mort rapide et sans douleur, à ton amoureux, et lui éviter de terribles souffrances. Mais ça doit se passer ici et maintenant, chère Gwendolyn, sinon je devrai faire appel aux autres déchus. Crois-moi, ils se feront un réel plaisir de torturer ton beau Joseph. N'est-ce pas, soldats?

— Oui, monsieur! répondirent les cinq SS à l'unisson.

— Un cœur rempli d'amour dégage une telle énergie, se moqua Abaddon, il serait dommage d'en priver ce pauvre Joseph, qu'en dis-tu?

La menace était claire : si Wendy ne tuait pas Joseph sur-le-champ, les fusiliers SS allaient lui arracher le cœur, comme lui-même l'avait fait avec Samuel. Les anges déchus semblaient retirer un certain plaisir de ce rituel, comme si le fait d'assassiner l'un des leurs leur procurait une sorte d'extase, une exaltation mystique. En tuant Samuel, Joseph s'était nourri de son énergie vitale et avait réussi à se guérir. Sa colère était tombée tout de suite après, et il avait émané de lui une parfaite sérénité.

Sans réfléchir davantage, Wendy leva son bras et posa le canon du pistolet sur le front de Joseph. Sa main tremblait horriblement. Était-ce causé par la nervosité, par le désespoir ou par les sanglots refoulés qui secouaient son corps? Joseph releva alors les yeux. Il sourit à Wendy, tendrement, puis hocha la tête, pour signifier à la jeune femme qu'elle avait fait le bon choix, que c'était l'unique chose à faire.

— Ne crains rien, murmura-t-il. Je dois disparaître, c'est écrit.

Le temps semblait s'être arrêté. Wendy sentit des larmes rouler sur ses joues, alors que son doigt se faisait un peu plus insistant sur la détente. Allait-elle réellement faire feu sur son ange gardien ?

— Je voudrais pouvoir te dire que je t'aime, Wendy Wagner. Mais je suis un ange déchu, et je ne ressens plus ce genre d'émotions depuis longtemps.

Ce furent les dernières paroles prononcées par Joseph. Wendy ferma les yeux et s'apprêtait à appuyer sur la détente lorsqu'elle s'interrompit.

— Je n'en crois rien, Joseph, murmura la jeune femme.

Elle retira le canon de l'arme du front de Joseph et le posa sur sa propre tempe. Non, elle n'allait pas faire feu sur Joseph. C'est elle-même qu'elle allait tuer. C'est elle, Wendy Wagner, qui méritait de disparaître. N'était-ce pas son destin de mourir ? Si elle était demeurée dans l'Éden, il y a longtemps qu'elle aurait exhalé son dernier souffle. En agissant ainsi, elle remédiait à plusieurs problèmes : Juliette était sauvée, le mariage avec Patrick était évité, le secret du passage vers l'Éden était préservé et elle quittait définitivement ce monde sans être devenue la meurtrière de Joseph Heywood.

— Arrêtez-la ! cria soudain Charles Wagner. Empêchez-la de se tuer !

Entre le moment où Wendy appuya sur la détente et celui où le projectile sortit du canon, il s'écoula une demi-seconde, peut-être moins, mais cela fut suffisant pour que la jeune femme se souvienne de ce que sa mère répétait sans cesse, la nuit, dans sa chambre de l'institut psychiatrique : « Nica espère ton retour. Reviens-lui, Bird, reviens-lui… »

« Le sacrifice est le seul domaine aussi fort que celui du mal. »

André Malraux

47.

Le coup de feu retentit, mais ne toucha pas Wendy. La main de Joseph s'était abattue sur le Luger bien avant que la balle n'atteigne sa tempe. Elle survécut, mais les conséquences n'en furent pas moins graves : suite au coup de feu, les fusiliers s'énervèrent et commencèrent à tirer. Les impacts répétés des projectiles projetèrent violemment Tophnar et Hänsel contre le mur derrière eux. Leurs deux corps meurtris s'effondrèrent au sol, évitant de justesse la seconde rafale. Quant à Wendy, elle s'entêtait à servir de bouclier humain à Joseph. En se plaçant devant lui, elle évitait qu'il ne soit atteint par un projectile ; les tireurs avaient reçu l'ordre d'épargner la jeune femme, de ne pas lui faire de mal. L'empereur la voulait vivante. Bien sûr, tant de salves furent tirées que Wendy et Joseph auraient pu attraper une balle perdue, ou simplement se trouver dans une mauvaise trajectoire. Malgré cela, les deux jeunes gens parvinrent à s'en sortir indemnes, ou presque.

— Elle ment constamment, souffla une voix défaillante. Ada… elle fait chanter tous les domestiques du château… C'est un monstre.

C'était Hänsel. Il avait réussi à se redresser et à s'appuyer contre le mur de pierre. Il était gravement blessé et devait être soigné de toute urgence, sans quoi il risquait de ne pas s'en sortir. Tophnar, de son côté, était parvenu à ramper jusqu'à un buisson de roses, laissant une longue traînée de sang derrière lui. À bout de force, cependant, il s'écroula avant de pouvoir se glisser derrière l'arbrisseau.

— Je ne l'ai pas fait… continua Hänsel entre deux quintes de toux. Il ne s'est jamais rien passé entre Ada et moi. J'espère… J'espère que vous n'en avez pas douté. Elle a inventé ce mensonge pour me forcer à satisfaire tous ses petits caprices.

— Cessez le feu ! cria soudain Abaddon.

Les déchus obéirent aussitôt et arrêtèrent de tirer. Les décharges de fusils-mitrailleurs firent de nouveau place au silence de la nuit.

— Écarte-toi de lui ! ordonna ensuite Abaddon à Wendy.

Ce qu'il espérait, c'était qu'elle s'éloigne de Joseph, qu'elle cesse de le protéger, mais il n'en était pas question : elle était bien décidée à ne pas bouger, pas même d'un centimètre. Jamais elle n'aurait pu offrir Joseph en pâture à ces monstres.

— Je t'ai pourtant informée des conséquences, poursuivit Abaddon sur un ton sévère. Tu es incapable de le tuer ? Alors nous le ferons à ta place, mais dans des conditions beaucoup moins *civilisées*. Les humains ont leurs façons de faire. Les déchus aussi.

— Ne lui faites pas de mal, supplia Wendy.

D'instinct, elle fit un pas vers l'arrière, pour se rapprocher davantage de Joseph, mais ce dernier fut prompt à réagir : très vite, il appuya sa main contre l'épaule de la jeune femme et la poussa avec assez de force pour l'éloigner de lui.

— Joseph, non ! s'écria alors Wendy, en sachant très bien ce que le jeune ange essayait de faire. Je t'interdis de te sacrifier pour moi ! Tout le monde m'a abandonnée, ne le fais pas à ton tour !

Maintenant qu'elle n'était plus là pour lui servir de bouclier, Joseph se trouvait à découvert. Il était vulnérable aux attaques des fusiliers.

— Laissez tomber vos armes, mes amis, s'esclaffa Abaddon, et faites-vous plaisir !

Sans plus attendre, les déchus SS se débarrassèrent de leurs fusils-mitrailleurs et se dirigèrent d'un pas rapide vers Joseph. Leurs regards s'excitaient à mesure qu'ils approchaient. Ils souhaitaient lui régler son compte, c'était leur unique envie. Après s'être métamorphosés en panthères, ils se jetteraient sur lui, comme une bande de prédateurs affamés, et planteraient leurs crocs acérés dans sa chair, puis le tailladeraient avec leurs griffes et le dépèceraient, pour ensuite lui arracher le cœur et se nourrir de son énergie. Wendy avait perdu tout espoir, lorsque la voix de sa mère résonna de nouveau en elle : « Nica espère ton retour. Reviens-lui, Bird, reviens-lui… »

C'est à ce moment que Wendy se rappela d'un détail inscrit dans le dossier des services sociaux, celui qui relatait la vie de ses parents et qui contenait les photos de son père. Lorsque les psychiatres de l'institut l'avaient informée que sa mère répétait sans cesse cette même phrase : « Nica espère ton retour. Reviens-lui, Bird, reviens-lui… », Wendy avait tout d'abord cru que Veronica Mavis parlait d'elle-même et qu'elle implorait le retour de son mari, Charles Wagner, qu'elle surnommait Bird en raison de l'admiration qu'il avait pour Charlie Parker. En lisant la dernière partie du dossier, Wendy avait toutefois compris qu'il y avait plus encore. On y mentionnait que Parker était décédé le 12 mars 1955 à l'âge de trente-quatre ans, dans l'appartement d'une amie, la baronne Pannonica de Koenigwarter. Cette dernière était surnommée Nica par ses proches. Bird et Nica : comme dans la phrase répétée par Veronica. Mais le détail qui revint subitement à l'esprit de Wendy était le suivant : Charles Bird Parker était musicien, et jouait si bien de sa musique qu'on le considérait toujours aujourd'hui comme une véritable légende. Plus encore, le dossier affirmait qu'il était un musicien réputé de jazz. À vrai dire, il est l'un des jazzmen les plus célèbres au monde et Charles Wagner lui vouait un véritable culte. La musique de cet homme était sa grande passion.

— Jazzman est mon père ! lança Wendy alors que les déchus SS s'apprêtaient à bondir sur Joseph, mâchoires béantes, prêts à mordre.

Au même moment, elle vit Charles Wagner sortir un étrange pistolet de son veston. Jamais auparavant elle n'avait vu d'arme semblable. Los, le garde du corps de Wagner, s'empressa d'imiter son patron et dégaina le même type de pistolet. Tous deux se mirent aussitôt à tirer en direction des fusiliers SS et les abattirent l'un après l'autre avant qu'ils ne puissent se changer en grands carnassiers. Abaddon était trop surpris pour réagir. Charles en profita pour lui asséner un coup de crosse en plein visage. Wendy n'avait encore aucune idée de la puissance d'Abaddon, mais en conclut qu'il valait mieux le mettre K.O. avant qu'il n'ait le temps de se servir de ses pouvoirs, ce qu'avait fait son père.

Les coups de feu n'avaient duré que quelques secondes. Maintenant, tout était terminé. Les déchus SS étaient tous morts, et Abaddon gisait par terre, au bord de l'inconscience. Wendy ne s'était pas trompée : Charles Wagner était bien l'espion infiltré au sein de l'Imperium, portant le nom de code Jazzman. S'il était intervenu pour sauver Wendy et Joseph, c'est qu'il se trouvait toujours du bon côté : le leur. Il était peu probable qu'il soit complice avec l'Archange Michaël, pas après ce qu'il venait de faire.

— Merci… Jazzman, murmura simplement Wendy.

Charles Wagner hocha la tête, pour lui signifier qu'il appréciait ses remerciements, mais aussi pour confirmer qu'elle avait vu juste. Wendy s'avança alors vers lui. Entre eux, une demi-douzaine de cadavres jonchaient le sol : ceux des SS, et le corps inanimé de Tophnar. Mais d'autres allaient bientôt s'ajouter, Wendy le comprit en voyant Charles Wagner pointer son arme sur Abaddon.

— Wagner… grogna Abaddon en tentant de reprendre ses esprits. Tu n'auras pas assez de ta misérable existence pour…

Un coup de feu retentit, empêchant l'Archonte de terminer sa phrase. Sachant que les anges déchus n'étaient pas immortels, contrairement à leurs frères célestes, Charles Wagner l'avait abattu d'une simple balle dans la tête.

Après le coup de feu, il y eut un silence qui dura de longues secondes, jusqu'à ce qu'il soit interrompu par une plainte sonore. C'était Tophnar. Il était finalement parvenu à se réfugier derrière le rosier, mais ses nombreuses blessures continuaient de le faire souffrir.

— Sors de là ! lui ordonna Charles Wagner.

Blessé et affaibli, Tophnar s'exécuta lentement, avec prudence, ne sachant pas trop ce qui l'attendait. Il fit quelques pas, mais se figea lorsque Wagner braqua le canon de son arme dans sa direction.

— Je… je suis désolé, monsieur, gémit-il, le visage couvert de sueur.

Il était salement amoché, mais Charles Wagner ne broncha pas. Son pistolet demeurait pointé sur le SS.

— Ne le tuez pas, implora Wendy.

Charles Wagner se tourna vers sa fille, tout en s'assurant de garder Tophnar dans sa ligne de mire.

— Les règles sont différentes dans ce monde, expliqua Wagner. La pitié n'y a pas sa place. Pour l'instant, il faut se débarrasser des témoins, sans quoi ma couverture risque d'être compromise. Les Archanges Gabriel et Raphaël ne disposent d'aucun autre agent dans la Jehenn. Je suis le seul qui ait réussi à infiltrer la haute hiérarchie de l'Imperium. Mon identité ne doit pas être connue ; le sort de l'Éden en dépend.

La seconde d'après, sans même attendre la consigne de son maître, Los fit feu sur Tophnar. Il lui logea trois balles dans la poitrine, qui s'additionnèrent à celles reçues lors de la première salve des fusiliers. Le corps ensanglanté du déchu bascula vers l'arrière et alla se prendre dans les épines du buisson de roses. Los se dirigea ensuite vers Hänsel, l'arme à la main. Ses intentions étaient claires.

— Quoi? fit le sous-chef entre deux toussotements. Vous... vous voulez me descendre, alors que je viens de survivre au peloton d'exécution? C'est un billet de loto qu'il faut m'offrir, pas une balle dans la tête!

Sa toux reprit de plus belle. Ses poumons étaient probablement atteints, car en plus de tousser, il crachait du sang.

— Il faut le conduire à l'hôpital, déclara Wendy.

Mais son père n'était pas d'accord.

— On ne peut pas, Wendy. On ne sera jamais assez rapides. Il va mourir au bout de son sang.

— Ça manque... d'optimisme ici, se plaignit Hänsel. Autant me passer le Luger, que je me flambe moi-même la cervelle. Ça réglerait votre problème de témoins... mais vous auriez un cadavre de plus à enterrer.

— On peut demander à Joseph, proposa Wendy en se retournant vers l'ange déchu. Il lui suffirait de prendre son envol et de transporter Hänsel jusqu'à...

Mais Joseph avait disparu, Wendy ne le voyait plus. La panique s'empara alors d'elle. Cette histoire de Jazzman et toutes ces exécutions sommaires lui avaient fait perdre la boussole. Tout s'était passé beaucoup trop vite. Quelle idiote ! songea-t-elle. Pas un seul instant Wendy n'avait pensé à regarder derrière elle, pour s'assurer que Joseph allait bien. Elle était certaine qu'il n'avait pas été blessé. Dans son esprit, le jeune déchu était si fort, si robuste. Elle le croyait invincible.

— Il s'est envolé peu après que votre père a abattu les fusiliers, lui expliqua Hänsel. Il vous savait entre bonnes mains, j'imagine. J'aimerais pouvoir en dire autant, ajouta le sous-chef en lançant un regard méfiant en direction de Los.

— Joseph ! cria Wendy alors qu'Hänsel était pris d'un autre accès de toux. Joseph, où es-tu ? Reviens ! Reviens vers moi, je t'en supplie !

« Tu dois épouser Patrick Müller, avait dit l'ange déchu. C'est pour cette raison que je dois disparaître. »

Disparaître ?

— Non, ne me laisse pas seule, Joseph !

— Il est parti, ma fille, soupira Charles Wagner. Et ce carnage, nous devrons malheureusement lui en faire porter la responsabilité… pour nous sauver.

> *« Il arrive à chacun de se croire un surhomme tant qu'il ne s'est pas aperçu qu'il est en même temps mesquin, impur et perfide. »*
>
> Ernesto Sabato

48.

Créée par Heinrich Himmler en 1935, la société Lebensborn (Lebensborn Eingetragener Verein) avait pour but d'aider les jeunes mères célibataires de race aryenne à accoucher dans l'anonymat, sans que leur entourage ne soit mis au courant. Si elles le souhaitaient, elles pouvaient ensuite « léguer » leur enfant à la SS, qui se chargeait de l'adopter et de l'éduquer selon l'idéologie nazie. Au début, il ne s'agissait que de simples pouponnières, mais la société Lebensborn changea rapidement de vocation. Certains bâtiments furent utilisés comme lieux de rencontre, afin de permettre à des femmes considérées comme des « Aryennes pures » de s'accoupler avec des officiers de la SS et d'engendrer une lignée de super Aryens. L'objectif suprême était de former une élite du futur pour l'Empire de mille ans qu'entrevoyaient Hitler et ses sbires de la SS.

La pureté de la race aryenne dépendait de plusieurs critères. Différents degrés de pureté existaient donc. On retrouvait le degré le plus élevé dans les pays nordiques. L'envoûtement des nazis pour la race aryenne les incita à ouvrir des centres

Lebensborn en Norvège et dans d'autres pays scandinaves.

Entre 1939 et 1948, on kidnappa plus de cinq cent mille enfants dans les pays du Nord et de l'Est. Ces derniers correspondaient aux critères raciaux aryens : la plupart étaient grands, costauds, blonds et avaient les yeux bleus. Des opérations d'enlèvement orchestrées par la SS retiraient sans permission des enfants à leur famille. Des milliers d'enfants furent ainsi envoyés dans des centres Lebensborn afin d'y être conditionnés. Là-bas, on les obligeait à renier leurs parents naturels. Les infirmières SS s'efforçaient de les convaincre que leurs parents les avaient abandonnés. Ceux qui résistaient à la germanisation étaient transférés dans des camps pour y être euthanasiés. Les autres, moins récalcitrants, étaient adoptés par des familles nazies.

Plusieurs de ces établissements furent créés en Allemagne avant la Seconde Guerre mondiale. Après la victoire des nazis, le nombre de centres Lebensborn continua de s'accroître partout au pays, puis sur tout le reste du continent européen. L'Adversaire et son Imperium obligèrent tous leurs alliés à établir de tels centres sur leur territoire. Certains servaient au conditionnement, d'autres à la recherche médicale. On n'y pratiquait plus l'eugénisme, cependant, mais bien le clonage d'anges rebelles.

En somme, les objectifs de l'Adversaire n'étaient pas tellement différents de ceux d'Hitler. Plutôt que de se servir des femmes et de leur utérus pour engendrer une super race aryenne, Satan les utilisa pour recevoir et mener à terme ses embryons de clones de déchus créés en laboratoire.

Au tout début des expériences, les scientifiques de l'Adversaire se montrèrent pessimistes quant à leurs chances de réussite, mais ils comprirent rapidement que si le clonage d'un être humain était possible, celui d'un ange rebelle l'était tout autant. Comment étaient-ils arrivés à cette conclusion ? Tous se rappelèrent qu'une fois exclus du paradis céleste, les déchus se voyaient privés de leur immortalité. Ils conservaient certes leur puissance et leur agilité, mais devenaient en partie humains. Contrairement à ce que croyaient la plupart des déchus, ce nouvel état ne comportait pas que des inconvénients (le principal étant une vulnérabilité accrue de l'organisme). Il procurait aussi quelques avantages, dont un nouvel attribut : un génome « humain », qu'il devenait possible de décoder et de reproduire en laboratoire. Le nouveau matériel génétique inclus dans l'ADN des déchus permit aux scientifiques d'identifier et de prélever des cellules viables chez leurs sujets et de les utiliser pour fabriquer des clones en série. Cette technique de reproduction, bien que révolutionnaire, demeura cependant exclusive aux humains et aux déchus. On ne pouvait espérer s'en servir pour cloner des créatures plus puissantes, tels que l'Adversaire ou encore les anges célestes, dont le patrimoine génétique demeurait en grande partie inaccessible, parce que surnaturel.

Dès leur naissance, les clones étaient placés sous la protection de la Waffen-SS. Soumis à un sommeil artificiel, ils étaient entreposés dans un incubateur secret, à Germania, où ils atteignaient leur pleine maturité. On ne les libérait qu'à la demande explicite de l'empereur. Le plus souvent, leur rôle était de seconder ou même de remplacer un exemplaire de leur propre lignée. Ces clones d'anges déchus produits en série furent baptisés les Archontes. Un tatouage en forme de gazelle sur leur tempe droite indiquait qu'ils étaient la propriété exclusive de l'Adversaire.

La première lignée de ces Archontes à voir le jour fut celle des Abaddon. Vint ensuite la série des Raum, puis celle des Carnivean et des Asmoday. La génération qui servirait le plus fidèlement l'Adversaire, selon les oracles divins, perpétuerait quant à elle le nom d'Asfalès. Cette lignée, disait-on, ne verrait le jour qu'après l'arrivée de Wendy Wagner dans la Jehenn.

Étonnamment, le terme Lebensborn est un mot forgé à partir des termes *leben,* qui signifie « vie », et *born,* qui veut dire « fontaine ». Certains le traduisent en français par « fontaines de vie ». Ironique, quand on pense que ces fontaines de vie contribuèrent à répandre la terreur et la mort partout dans la Jehenn.

« Il faut avoir des amis pour nous apprendre notre devoir et des ennemis pour nous forcer à le faire. »
Plutarque

49.

Charles Wagner raccompagna Wendy jusqu'au château, laissant Hänsel aux bons soins de Los.

— Qu'allez-vous faire de lui ? demanda Wendy alors que son père et elle traversaient le grand hall.

Ils s'engagèrent ensuite dans un long et vaste couloir, qui semblait mener à une pièce unique.

— J'aurais bien envie de le laisser mourir, cet idiot, maugréa Wagner en marchant d'un pas aussi rapide que déterminé. Ce serait mieux pour nous tous. Il en sait beaucoup trop.

— Mais vous ne le ferez pas, hein ? Dites-moi que vous le ferez soigner.

Charles Wagner attendit d'avoir atteint l'extrémité du couloir pour lui répondre :

— S'il survit à ses blessures, il n'aura d'autre choix que de se joindre à la résistance. S'il refuse, je le ferai disparaître. Personne ne doit découvrir la vérité à propos de ce qui s'est passé ce soir. La version officielle est celle-ci, et tâche de t'y conformer : Joseph Heywood est responsable de tout. C'est lui qui a descendu nos fusiliers SS et qui s'en est pris ensuite à Abaddon. Los et moi lui avons échappé de justesse avant qu'il ne parvienne à s'enfuir.

— Mais tout ça est faux, protesta Wendy, et vous le savez très bien.

— L'important n'est pas ce que je sais, mais ce que les autres savent. Allez, entre dans mon bureau, commanda Wagner en ouvrant l'unique porte du couloir. Nous devons éclaircir certaines choses.

Wendy pénétra dans la pièce et ne put s'empêcher d'être impressionnée par ses dimensions, ainsi que par la richesse de son décor. Les murs et le plafond étaient recouverts de lambris de chêne, magnifiquement sculptés. Une gigantesque bibliothèque, aussi longue que large, s'étalait sur l'un des murs perpendiculaires. Certains des livres reposaient si haut sur leur tablette qu'il fallait une échelle pour les atteindre. L'âtre profond d'une cheminée en pierre occupait l'entière surface du mur opposé. Devant le foyer, Wendy remarqua la présence d'une petite table de lecture. Elle était flanquée de deux immenses fauteuils en cuir. Sur la table reposait un livre ouvert, ainsi qu'une coupe de vin et une paire de lunettes aux montures légères. Le bureau de Charles Wagner, situé au centre de la pièce, était façonné dans un bloc de marbre bleu. Sur sa surface lisse et sombre, on retrouvait un téléphone ancien, un sous-main garni de papier buvard, ainsi qu'une série de plumes noires arborant l'emblème du parti nazi. Un drapeau rouge sur lequel on retrouvait la croix gammée entourée du cercle blanc était d'ailleurs fixé au mur du fond, entre deux toiles aux paysages apocalyptiques. Ça gâche tout le reste, songea Wendy, qui fit une moue de dédain à la vue du drapeau et des tableaux.

— Vous êtes un… nazi? demanda la jeune femme à son père.

Ce dernier la dévisagea un moment.

— Pas du tout, répondit-il en soupirant. Mais je dois donner l'impression d'en être un, si je souhaite demeurer dans les bonnes grâces de l'Adversaire. J'ai dû faire des choses horribles pour qu'il m'accorde sa confiance. Je n'en suis pas fier, mais c'était nécessaire.

Il s'arrêta un moment, puis reprit, sur un ton plus conciliant :

— Tu sais, Wendy, je ne pensais jamais que tu retournerais l'arme contre toi. La balle était destinée à Joseph. Il devait disparaître, c'était prévu.

— Pourquoi l'avoir gardé en captivité alors? Pourquoi ne pas avoir abrégé ses souffrances?

— Commençons par le début, d'accord?

Charles Wagner proposa ensuite à Wendy de se diriger vers l'âtre de la cheminée et de prendre place dans un des fauteuils en cuir. Ils y seraient beaucoup plus à l'aise pour discuter. Lorsque tous les deux furent enfin installés, Wagner prit la coupe de vin sur la table de lecture et en avala une gorgée. Le père et la fille se trouvaient face à face, à présent, et s'évaluèrent l'un l'autre pendant quelques secondes avant que Charles Wagner ne commence ses explications.

— Je suis ton père, Wendy. Ton vrai père. J'ai eu deux autres enfants dans la Jehenn, Ada et Erik, mais ils ne sont pas comme nous. Ils sont mauvais, comme tout ce qu'il y a ici.

— Mon père est mort, affirma Wendy.

Charles fit non de la tête.

— J'ai habité l'Éden, moi aussi. Nous sommes tous les deux originaires du même monde. Ta mère et moi avons bien fait ce braquage. Nous avons été pris, puis incarcérés, mais les Archanges Raphaël et Gabriel sont venus me visiter en prison. Ils m'ont proposé de venir ici, dans la Jehenn, pour leur servir d'informateur. Ils soupçonnaient déjà la présence d'un traître parmi eux, mais étaient incapables de l'identifier. Ils ont découvert en même temps que nous qu'il s'agissait de Michaël.

— Alors, c'est pour les aider que tu as quitté l'Éden pour la Jehenn?

Et moi? se priva-t-elle d'ajouter. Tu ne crois pas que j'avais besoin de ton aide, papa?

— J'ai refusé leur offre au début, répondit Charles Wagner, mais ils sont parvenus à me convaincre lorsqu'ils ont mentionné que tu y irais toi-même un jour. J'ai préparé le terrain pour ton arrivée, Wendy. Je ne voulais pas que tu sois seule dans ce monde. Une rumeur a circulé, prétendant que je m'étais suicidé en prison. C'est faux. Depuis toutes ces années, mon corps repose au Mercy Hospital de Portland. Bien qu'inanimé, il demeure sous la protection constante des Archanges, tout comme ton propre corps et celui de Juliette. La prison de l'État du Maine m'a fait transférer d'urgence dans cet hôpital lorsqu'un couple de gardiens a retrouvé mon corps inerte dans la cafétéria. Ils ont tout d'abord cru à un règlement de compte, puis le médecin de la prison a constaté que j'étais entré dans un profond coma, qu'il a immédiatement attribué à ma maladie.

— Les anges t'ont donné le cancer à toi aussi? demanda Wendy.

— Ça n'a pas été nécessaire, lui confia Charles Wagner après une brève hésitation. J'étais déjà mourant. Le sida.

Wagner marqua un temps, puis reprit :

— Il a suffi d'une seule injection, d'une seule seringue souillée. Ta mère et moi menions une vie plutôt chaotique dans l'Éden. Si nous avons volé cette banque, c'est que nous avions besoin d'argent pour acheter notre drogue.

Wendy se renfrogna.

— Et ça valait la vie d'une caissière et de deux policiers?

— Nous étions jeunes. Et nous avons commis beaucoup d'erreurs. La première fut de te délaisser. En acceptant de venir dans la Jehenn, j'ai eu le sentiment de me racheter. Mais ça n'a pas duré. Mes fautes sont impardonnables, je le sais, et je n'aurai pas assez de ma vie pour rembourser ma dette, mais ce qui importe pour le moment, c'est toi, ma fille.

Il fit une pause, puis ajouta, sur un ton de regret :

— À l'époque, je n'ai pas pu m'occuper de toi, je n'ai pas su, et aujourd'hui je m'en veux terriblement. Si je parviens à assurer ta sécurité, si grâce à moi ta vie est préservée, alors j'aurai le sentiment d'avoir fait ce qui était nécessaire. Pour ce faire, je dois à tout prix conserver ma couverture intacte, je n'ai pas le choix, et pour y parvenir, je suis prêt à tout.

— Prêt à tout ? C'est pour cette raison que tu as laissé Abaddon me traiter ainsi dans les cachots ? Ce monstre m'a embrassée et tu n'as rien fait pour l'en empêcher !

— Je l'aurais tué sur place si j'avais pu, se défendit-il, mais je ne pouvais rien tenter, à cause des gardes Waffen-SS. Ils étaient aux aguets, Wendy, et seraient intervenus bien avant que je réussisse à dégainer mon arme. Je devais attendre le bon moment.

Wendy serra les lèvres, en espérant que cela l'aiderait à contenir ses larmes. Elle sentait monter les sanglots. Pourquoi cette soudaine envie de pleurer ? Que ressentait-elle en ce moment ? De la tristesse ou de la colère ? Elle n'aurait su le dire.

— Comment… Comment va ta mère ? demanda Charles en détournant brièvement le regard.

Il faisait référence à la Veronica de l'Éden, la vraie mère de Wendy. La jeune femme soupçonnait son père d'avoir volontairement retardé ce moment. S'il avait attendu avant de lui poser la question, c'était sans doute qu'il s'en voulait d'avoir abandonné sa femme, autant qu'il s'en voulait d'avoir abandonné sa fille. « Comment va ta mère ? » Souhaitait-il vraiment connaître la réponse ? Et Wendy se sentait-elle prête à la lui donner ?

— Elle ne va pas bien, lui avoua enfin la jeune femme.

Malgré ses yeux humides, Wendy restait de marbre.

— On l'a internée, précisa-t-elle. Elle ne s'est jamais remise de ton suicide. Enfin, de ton départ.

Charles Wagner hocha la tête, lentement, puis tenta de se justifier :

— J'ai… J'ai voulu lui en parler, tout lui expliquer, mais ils ne m'en ont pas laissé le temps et…

L'homme s'interrompit, troublé par ses remords. Wendy eut pitié de lui et jugea préférable de changer de sujet. Visiblement, l'évocation de cette femme était aussi douloureuse pour elle que pour son père.

— Qu'est-ce qui m'attend maintenant ? demanda-t-elle, la gorge encore nouée.

Charles eut un bref sourire, amer et résigné. Sa femme et sa fille avaient terriblement souffert de son départ, et il ne pouvait plus rien y faire à présent. Et se confondre en excuses n'aurait servi à rien. Les dommages étaient irréparables. Mieux valait se concentrer sur l'avenir.

— Pour l'instant, aucun mal ne te sera fait, dit-il à Wendy. L'Adversaire ne le tolérerait pas, car il sait que tu porteras un jour en toi l'enfant qui saura identifier l'Ange noir. Tu es en sécurité, du moins jusqu'à ce que ta fille soit née. Ensuite, ce sera risqué, car Satan voudra se débarrasser de toi avant que tu ne tues l'Ange noir.

— Tuer l'Ange noir ? répéta Wendy, stupéfaite. Et puis quoi encore ?

Ça ne faisait pas partie du contrat, se dit-elle. Elle n'avait pas l'intention de tuer qui que ce soit, et encore moins cet Ange noir, car avant de le tuer, il lui faudrait tout d'abord se mesurer à lui, et juste à son nom, on sentait bien qu'il ferait un redoutable adversaire. Wendy Wagner contre l'Ange noir… songea la jeune femme. C'est perdu d'avance, ma pauvre.

— C'est ta véritable mission, insista cependant Charles Wagner. C'est pour cette raison que Raphaël et Gabriel ne sont pas intervenus pour empêcher Michaël de t'envoyer ici. Comme tu le sais déjà, l'Ange noir est le seul qui puisse ouvrir un passage reliant la Jehenn à l'Éden. Une fois que ta fille aura découvert son identité, il faudra que tu l'élimines avant qu'il n'ouvre le passage. Cette porte entre les deux mondes doit être scellée à tout jamais, c'est vital pour la survie de l'Éden. Tuer l'Ange noir est la seule façon d'y arriver.

— Je ne comprends pas, fit Wendy. Si Raphaël et Gabriel m'avaient empêchée de venir ici, dans la Jehenn, leur problème serait déjà réglé, non ?

En demeurant dans l'Éden, il devenait impossible pour la jeune femme de faire un enfant avec Patrick Müller. Sans cette enfant, l'Adversaire ne pouvait retrouver l'Ange noir. En tout cas, c'est ce qu'elle avait cru comprendre.

— Satan percera le mystère de l'Ange noir grâce à ta fille, c'est ce que les oracles divins prédisent, mais le futur reste toujours en mouvement. Les oracles ont pu se tromper : et si l'Adversaire y arrivait sans elle ? Raphaël et Gabriel ne veulent prendre aucun risque et souhaite profiter du seul avantage à leur disposition : grâce à toi et à ton enfant, ils sauront exactement quand l'Ange noir sera découvert. Leur seule chance de se débarrasser de lui était donc de t'envoyer ici.

— Pourquoi Joseph ne m'a rien dit ?

— Michaël lui a fait croire que son unique boulot serait de te protéger. En fait, si l'Archange tenait tant à ce que Joseph t'accompagne dans la Jehenn, c'était pour exaucer le souhait de l'Adversaire : Satan prévoit se servir de Joseph pour engendrer une nouvelle lignée de clones Archontes. Voilà pourquoi ils ne l'ont pas tué tout de suite. Abaddon a prélevé des échantillons de tissus sur son corps avant de le conduire au peloton d'exécution.

Wendy comprenait maintenant les paroles de Samuel, celles qu'il avait prononcées dans la cave : « Joseph va mourir, que tu le veuilles non. Il ne nous servira plus à rien désormais. Satan a obtenu de lui tout ce qu'il désirait. »

— Le fait que Joseph soit toujours vivant nous aidera à justifier la mort des déchus et d'Abaddon, ajouta Charles Wagner.

— Pourquoi lui faire porter le blâme pour cette tuerie ?

— L'Adversaire ne tardera pas à nous envoyer un autre Abaddon pour se rendre compte de la situation et faire enquête, répondit Charles Wagner. Il faudra lui expliquer que Joseph est parvenu à se libérer et qu'il a tué les déchus ainsi qu'Abaddon le seizième avant de prendre la fuite. Ils perdront un temps fou à le pourchasser, et du temps, c'est exactement ce qu'il nous faut.

Wendy voulut protester, répondre qu'elle ne laisserait personne causer ainsi du tort à Joseph, mais elle n'en eut pas le temps. Un autre homme entra dans le bureau, sans même prendre la peine de cogner.

C'était Patrick Müller.

Nerveux, il jeta un coup d'œil en direction de la jeune femme, puis s'adressa à Charles Wagner :

— Herr Kazbiel, le lieutenant d'Abaddon, vous attend dans le grand salon. Il a informé l'Adversaire de ce qui s'est passé. Ce dernier attend des explications. Il veut savoir comment Joseph a pu nous échapper aussi facilement.

Charles acquiesça :

— Tout à fait compréhensible, répondit-il. C'était à prévoir. Je m'en occupe.

S'en occuper ? se moqua intérieurement Wendy. De quelle façon ? En faisant porter le chapeau de cet échec à Joseph ? Vraiment trop facile.

— Wendy, tu restes ici avec Patrick, ajouta son père. Il est avec nous.

Wagner abandonna son fauteuil et se dirigea rapidement vers Patrick. Il s'entretint brièvement avec le jeune homme, puis sortit par la porte encore ouverte du bureau et prit soin de la refermer derrière lui. Charles avait quitté la pièce sans même un regard pour Wendy. Apparemment, il ne craignait pas de laisser sa fille seule en compagnie de Patrick Müller.

« Il est avec nous », avait-il dit.

« La volupté unique et suprême de l'amour gît dans la certitude de faire le mal. Et l'homme et la femme savent de naissance que dans le mal se trouve toute volupté. »

Charles Baudelaire

50.

À son arrivée dans la Jehenn, Dantay fut de nouveau surpris de constater que l'Archange Michaël avait bel et bien respecté sa part du marché. Dantay n'avait pourtant rien à voir avec l'attentat contre Juliette Foster. Cette dernière avait bien été blessée par balle durant la fusillade, mais Dantay n'y était pour rien ; c'était plutôt Samuel, le laquais de Michaël, qui s'était chargé d'abattre leur cible. Depuis, Juliette était maintenue artificiellement dans le coma à l'hôpital d'Havilah, et selon les dernières informations recueillies par Dantay, on allait bientôt la transférer à l'hôpital de Portland. Elle reposait entre la vie et la mort, autre façon de dire qu'elle se trouvait dans la Jehenn, se dit Dantay.

Le déchu s'était bien rendu à l'école secondaire d'Havilah, en compagnie de Samuel. Ce dernier portait un masque afin d'éviter que Juliette ne le reconnaisse plus tard. La fusillade avait débuté par une demi-douzaine de coups de feu, tirés en l'air. Dantay avait ensuite blessé quelques étudiants, afin de disperser la foule en panique. Grâce à cette initiative, Samuel et lui avaient pu se frayer un chemin jusqu'à Juliette, mais au moment opportun, au moment décisif, Dantay n'avait pu faire feu sur la jeune femme. Devant l'hésitation du déchu, Samuel n'eut d'autre choix que de prendre la relève. Il abattit Juliette d'un seul coup de feu, en prenant soin de la blesser grièvement, mais sans la tuer. Si Dantay avait hésité à tirer sur Juliette, c'est que la jeune femme lui en rappelait une autre : Laurence McMahon, sa bien-aimée, celle qui lui avait été enlevée injustement par Dieu. La similitude entre leurs deux visages était frappante. La jeune Foster était sans doute une cousine de Laurence, ou encore une proche parente. Dantay avait été subjugué par la ressemblance au point d'en perdre tous ses moyens. Il avait laissé Samuel s'en prendre à la jeune femme, et s'en voulait presque de ne pas être intervenu pour l'en empêcher. Dantay n'avait pas seulement manqué à son engagement, il regrettait de l'avoir contracté.

Voilà pourquoi il était étonné de se retrouver malgré tout dans la Jehenn.

Il lui fallut attendre un peu plus de deux jours après l'hospitalisation de la jeune Juliette avant de revoir Michaël. Il fut convoqué par l'Archange au même cimetière où avait eu lieu leur première rencontre. Dantay s'était attendu à des remontrances, mais ce fut tout le contraire : Michaël le félicita sans réserve. L'Archange le transporta ensuite de l'Éden à la Jehenn, sans que Dantay ait le loisir d'ajouter quoi que ce soit, ne serait-ce que pour demander des explications. N'ayant aucun fardeau à transporter (âmes humaines ou autres passagers), le voyage du déchu dura à peine plus d'une seconde. En l'espace d'un battement de cils, le paysage de l'Éden disparut, puis fut remplacé par l'obscurité. Lorsque la lumière revint, Dantay réalisa qu'il se trouvait dorénavant dans la Jehenn.

Trop facile, songea le déchu. Que je réussisse ou pas, on souhaitait m'expédier ici de toute façon.

Un examen rapide de sa personne lui permit de découvrir qu'il portait de nouveaux vêtements : un chic costume trois-pièces de couleur sombre sous un long imperméable de cuir noir. Une autre surprise de ce bon Michaël, en déduisit Dantay. Ma foi, je ressemble à un gangster des années 1920. Ne manque que le chapeau de feutre sur la tête !

— C'est ainsi que sont vêtus les membres de la police secrète d'État, lui dit une voix. Vous en faites maintenant partie, Herr Sterling.

Dantay se retourna et vit que deux anges déchus de grande taille se tenaient derrière lui. Tous deux vêtus de l'uniforme noir des haut gradés SS, ils arboraient fièrement l'insigne à tête de mort, ainsi que le brassard rouge sur lequel était imprimé un svastika noir au centre d'un cercle blanc. Eux-mêmes se présentèrent comme des Archontes SS-*oberstgruppenführer*, qui signifiait « général d'armée » : Carnivean, sixième du nom, et Asmoday, douzième du nom. Apparemment, on avait confié à ces généraux Archontes la tâche d'accueillir Dantay en ces lieux. Tous les deux avaient le crâne rasé, et sur leur tempe droite se trouvait un tatouage de couleur noire représentant une gazelle, signe qu'ils appartenaient à Satan et uniquement à lui. De fidèles serviteurs, prêts à donner leur vie pour leur maître, ce qui était le cas de la plupart des anges rebelles.

— Moi, un agent de police ? s'étonna Dantay. C'est le comble de l'ironie. Vous ne trouvez pas, les gars ?

Les Archontes demeurèrent de glace.

— Nous nous trouvons dans le palais de l'empereur, l'informa Asmoday, celui-là même qui s'était adressé à lui un peu plus tôt. Dans l'illustre cité impériale de Germania.

— Oh… fit Dantay, que rien n'impressionnait vraiment.

Carnivean et Asmoday lui demandèrent de les accompagner. Ils souhaitaient le conduire dans la grande salle impériale, afin d'y rencontrer le chef souverain de l'Imperium. Apparemment, Dantay était sur le point d'être présenté à Satan, le premier infidèle, maître suprême de la Jehenn, auquel la majorité des anges déchus vouaient une vénération sans borne. Il avait souvent entendu parler de celui que Dieu lui-même surnommait *ha-satan* ou « l'Adversaire », mais ne l'avait jamais rencontré. À la naissance de Dantay, la guerre contre les enfers avait déjà été remportée par les Archanges, et l'Adversaire et ses déchus avaient depuis longtemps quitté leur royaume pour se réfugier dans la Jehenn.

L'angoisse et la peur étaient des sentiments étrangers à Dantay, mais il commença néanmoins à redouter le moment de cette rencontre; il craignait de ne pas être la hauteur. Que dirait-il à Satan une fois devant lui? Peut-être pourrait-il lui parler de Laurence et de la promesse que Michaël lui avait faite concernant la jeune femme? L'Archange et Satan étaient de connivence, Dantay l'avait deviné dès son arrivée dans la Jehenn. Sinon, comment expliquer le fait que Michaël l'avait expédié ici même, dans le palais de l'Adversaire? Connaissant les ambitions de l'Archange, cela ne le surprenait guère. Michaël avait probablement conclu un pacte avec Satan; un pacte lui permettant non seulement de renforcer ses pouvoirs, mais aussi d'en acquérir de nouveaux – comme si ceux dont il disposait déjà n'étaient pas suffisants ! Mais pour ce faire, l'Archange avait nécessairement trahi Dieu, son Seigneur et père, et avait tout dévoilé à Satan au sujet de l'Éden. Si Michaël avait pu se détourner ainsi du Créateur, alors les autres Archanges en étaient également capables. L'avenir ne s'annonçait pas très prometteur pour les forces célestes.

Dantay et les deux généraux Archontes traversèrent plusieurs pièces et couloirs, tous plus majestueux les uns que les autres. Entre les statues grandeur nature et les bustes représentant les membres de la famille impériale, on trouvait accrochés aux murs des tableaux de peintres nazis, tels qu'Arthur Kampf, Ferdinand Staeger et Hans Jacob Mann. L'aigle allemand et la croix gammée apparaissaient çà et là, parfois gravés sur des meubles ou peints sur des vases. À l'extrémité de l'un des couloirs, une grande sculpture en bronze montrait un svastika surplombé d'un bouc aux dents étrangement longues et acérées. Le millénium du national-socialisme allemand, pensa Dantay, revu et corrigé par Satan lui-même.

Lorsqu'ils furent enfin arrivés enfin à destination, deux anges déchus en uniforme de la Waffen-SS leur ouvrirent le large portail donnant sur la salle impériale. D'un pas hésitant, Dantay y pénétra, suivi de ses deux chaperons.

L'empereur les attendait tout au fond de la pièce, installé sur un large fauteuil ressemblant à un trône. Le jeune déchu ne put s'empêcher d'éprouver de la déception à la vue de celui qu'on décrivait parfois comme le Prince du mal; Dantay s'était attendu à autre chose. Il avait imaginé Satan tel un colosse de plusieurs mètres de taille. Un grand homme costaud, plutôt charmant et séducteur, à la chevelure sombre et au regard de feu. Mais en réalité, son maître était plutôt petit et chétif. Ses cheveux blonds, presque blancs, étaient clairsemés et son regard terne lui semblait évasif. Ses traits, disgracieux, inspiraient davantage la répulsion que le respect ou même la peur.

Trois autres fauteuils étaient disposés de part et d'autre de Satan : deux à sa gauche et un à sa droite. Sur le premier de gauche était assise une belle femme à la mine austère. Sans doute s'agissait-il de Lilith, l'impératrice, l'épouse de l'Adversaire. Le deuxième fauteuil accueillait Nisilis, la fille de l'empereur. Sur celui de droite se trouvait un jeune homme. Azazel, en conclut Dantay, le fils chéri de Satan.

— Bienvenue dans mon palais, voyageur, déclara Satan. Viens, approche, n'aie pas peur.

Carnivean et Asmoday s'arrêtèrent à mi-chemin, laissant Dantay s'avancer seul vers son hôte. Une fois parvenu devant le trône, Dantay s'immobilisa, puis s'agenouilla.

— Relève-toi ! lui commanda aussitôt Satan. Ici, tout le monde m'obéit, mais personne ne se soumet aveuglément à moi. Et je ne sonde aucun esprit, alors tu es libre de formuler tes propres pensées. Elles ne seront jamais connues que de toi.

Dantay commença par relever la tête, puis se remit debout. Ainsi donc, Satan pouvait lire dans les pensées, mais refusait d'exercer ce pouvoir. Ce n'était pas Dantay qui allait s'en plaindre. Depuis son entrée dans la salle impériale, le jeune déchu n'avait ressenti aucune intrusion psychique. L'empereur ne mentait donc pas.

Ce dernier poursuivit :

— Je vois que Michaël a trouvé un moyen de te faire traverser ! Je m'en réjouis, Dantay.

— Maître, je…

— Je sais ce qu'il t'a promis, fils, le coupa Satan, mais le moment n'est pas encore venu de réclamer ton dû.

Dantay comprit alors qu'il parlait de Laurence. Visiblement, ses retrouvailles avec la jeune femme devraient attendre, à son grand déplaisir.

— Où est-elle ? demanda-t-il à Satan, en sachant très bien que cette question était un affront au grand maître.

— Je la détiens dans mes prisons, répondit l'empereur avec calme. Elle y restera tant que tu n'auras pas accompli ce que j'attends de toi.

Dantay fronça les sourcils.

— Et qu'attendez-vous de moi ?

Cette fois, c'est Lilith, l'épouse de Satan, qui prit la parole. Sa voix était douce et posée.

— Tu dois nous rendre un autre petit service, expliqua-t-elle. Ton ami Asfaël se trouve aussi dans la Jehenn. Nous l'avions fait prisonnier, mais il est parvenu à s'échapper. Nous voudrions que tu le retrouves et que tu le tues, pour nous.

Lilith avait bien mentionné la Jehenn? Une preuve supplémentaire que Satan et sa famille connaissent l'existence de l'Éden, se dit Dantay, et qu'ils sont au courant du piège tendu par Dieu. Le déchu ne s'était pas trompé : l'Archange Michaël avait réellement changé de camp et avait tout raconté à ses nouveaux alliés.

— Pourquoi moi? demanda Dantay.

— Parce que tu le connais bien, répondit Lilith. À une époque, Asfaël et toi étiez frères d'armes, non? Vous êtes nés le même jour et avez été formés par les mêmes Puissances. Tu sais ce qu'il fera et comment il réagira.

Lilith fit une pause, puis ajouta :

— À moins que je me trompe?

— Réfléchis bien avant de répondre, s'empressa d'ajouter Satan. Le sort de Laurence McMahon en dépend.

Dantay n'avait d'autre choix que d'accepter la proposition. Il aurait été déraisonnable, voire suicidaire, de refuser. Il était convaincu que les deux Archontes avaient pour ordre de le réduire en poussière s'il osait seulement se plaindre. Et c'était sans compter Satan, qui pouvait certainement l'anéantir d'un simple claquement de doigts, ou peut-être même pire : lui faire endurer d'éternelles souffrances ou encore l'enfermer pour toujours dans le Sheol. Non, il valait mieux se montrer coopératif.

— Je retrouverai Asfaël pour vous, mes maîtres, déclara finalement Dantay sur un ton à la fois résolu et discipliné. Je le traquerai comme une bête et l'éliminerai.

Un sourire illumina les traits stoïques de l'empereur :

— Bien, fit-il. Nous savions que nous pouvions compter sur toi.

Pour l'instant, du moins… songea Dantay en voyant les images de Laurence et de Juliette se superposer dans son esprit. Il savait que Juliette Foster n'était pas Laurence, même si toutes les deux se ressemblaient beaucoup. Mais qui était cette jeune femme alors ? Et pourquoi avait-il l'impression qu'elle ne se trouvait pas dans la Jehenn par hasard ?

*« Souvent, pour deux époux, l'art d'être heureux,
c'est l'indulgence. »*

Barthélémy Imbert

51.

Patrick s'approcha du fauteuil laissé vide par Charles Wagner.

— Je peux ? demanda-t-il à Wendy en indiquant la place libre.

La jeune femme l'étudia un moment, avant de finalement acquiescer. Patrick la remercia d'un sourire et s'installa sur le fauteuil. Tous les deux s'observèrent quelques secondes, sans mot dire, puis Patrick brisa enfin le silence :

— Je ne suis pas celui que tu as connu dans l'Éden.

— Je sais, rétorqua sèchement Wendy. Ce Patrick-là était mon ami.

— Ton ami, j'aimerais bien le devenir.

— Pour cela, il faudrait que je te fasse confiance, ce qui n'est pas le cas.

— Ton père me fait confiance, lui.

— Je me demande bien pourquoi.

Patrick se mit à rire.

— Parce qu'il m'a éduqué comme un fils.

Wendy ne comprenait pas.

— Mes parents sont morts quand j'étais très jeune, poursuivit Patrick. Mon père est tombé malade le lendemain de ma naissance. Une grave encéphalite. L'espérance de vie des malades et des handicapés n'est pas très élevée dans la Jehenn. Mon père a été dénoncé par un membre de sa famille et fut emmené par les forces d'épuration. On ne l'a plus jamais revu. Deux ans plus tard, ma mère fut accusée de subversion pour avoir proféré des menaces contre l'empereur. Elle avait changé depuis ma naissance ; il lui arrivait de défier les autorités, et de protester publiquement contre l'enlèvement de mon père et sa possible réclusion, mais jamais elle n'aurait osé menacer ouvertement l'empereur. Tout ça n'était qu'une machination des Archontes, qui souhaitaient se débarrasser d'elle depuis longtemps.

Il fit une pause, puis ajouta :

— Mary Anderson Müller, ma mère, fut exécutée trois jours après son arrestation, sans avoir droit au moindre procès.

Quelle triste histoire, songea Wendy. Mais à condition qu'elle soit vraie. Peut-être que Müller lui racontait tout ça pour dissiper sa méfiance, en espérant qu'elle abaisse sa garde et se laisse attendrir? Elle ne savait plus.

— Je n'en ai jamais rien su, reprit Patrick, jusqu'à ce que ton père me dévoile la vérité. Après la mort de ma mère, c'est ton père, Charles Wagner, qui m'a recueilli et s'est occupé de moi. J'ai grandi auprès d'un homme bien, qui s'est assuré de m'inculquer les valeurs de l'Éden et non celles de la Jehenn. Je lui dois beaucoup, Wendy. Je lui demeurerai fidèle en toute circonstance, et à toi aussi, sa fille. Tu peux donc me faire… confiance.

Wendy se demanda comment elle devait réagir. Ne venait-elle pas d'apprendre que son père s'était dévoué corps et âme pour un orphelin qui lui était étranger, alors qu'il avait abandonné sa propre fille?

— La confiance, ça vient avec le temps, répondit Wendy, toujours aussi froide.

Ce n'était pas ce soir-là que Patrick Müller allait la convaincre de sa bonne foi. Pas après tout ce qu'elle venait de vivre. Sa confiance, elle ne l'accorderait plus aussi facilement désormais.

— Wendy, je te jure que…

Mais Wendy ne le laissa pas terminer.

— Et qu'en est-il de Los? s'empressa-t-elle de le couper, afin de réorienter la conversation. Lui aussi est sous les ordres de mon père, n'est-ce pas? Pourquoi? Pourquoi aider un humain? Je croyais que tous les déchus de la Jehenn étaient des disciples de l'Adversaire.

— Franchement, je n'en ai aucune idée, avoua Patrick. Los n'est pas comme les autres déchus.

Ça lui fait un point commun avec Joseph, se dit Wendy.

— Il a un secret. Los souhaite la défaite de Satan autant que nous, mais j'ignore pour quelle raison. Seul ton père connaît la vérité. D'après ce que j'en sais, les déchus sont beaucoup plus libres que les célestes. Ils n'obéissent pas toujours qu'à un seul maître.

— Et Juliette? fit Wendy. Où se trouve-t-elle en ce moment?

— Elle a regagné le quartier des domestiques.

La jeune femme secoua vivement la tête.

— Non, il faut la rappeler. Elle doit demeurer auprès de moi en tout temps.

— C'est à ton père de décider. Si elle revient, Ada et Erik risquent de lui faire des misères. Ils ne t'épargneront pas non plus, tu sais.

— Ils sont au courant de tout?

— Non, mais je suis certain qu'ils n'hésiteront pas une seconde à vous dénoncer à la police d'État, ton père et toi, s'ils découvrent un jour la vérité. Ada et Erik font partie des JLI, les Jeunesses loyalistes de l'Imperium. Les Archontes de la SS obligent les parents à inscrire leurs enfants dans les JLI, afin de les endoctriner dès leur plus jeune âge et de s'assurer ainsi de leur loyauté. Ils deviennent les yeux et les oreilles de l'Imperium. On ne compte plus le nombre d'enfants qui ont dénoncé leurs parents à la police. Ce sont des accusations sans fondement, dans la plupart des cas. Bien souvent, un seul soupçon suffit à faire arrêter et emprisonner un membre de votre famille. Des millions de gens ont disparu sans laisser de trace, envoyés dans des camps de travail, de conditionnement ou d'extermination. L'Adversaire et ses Archontes se font un devoir d'entretenir ce climat de constante paranoïa, dans le but évident de maintenir leur régime d'oppression et de terreur absolue.

— Des gens osent se prononcer contre l'Adversaire ? s'étonna Wendy. Il y a encore des gens qui font la différence entre le bien et le mal dans la Jehenn ?

Bien sûr que si, se dit-elle. Et la jeune femme en avait peut-être la preuve devant elle en ce moment même. Le Patrick Müller de la Jehenn ne semblait pas aussi redoutable qu'elle l'avait tout d'abord cru. Et Hänsel, le sous-chef, n'est pas si mal non plus, conclut-elle.

— Les gens ne naissent pas mauvais, Wendy, répondit Patrick. Même dans la Jehenn. On les a *rendus* mauvais, ajouta-t-il. Pour y arriver, Satan a usé de tous les moyens à sa disposition, allant des plus horribles aux plus subtils. C'est ce qu'il considère comme sa plus grande réussite, malheureusement.

Wendy acquiesça en silence. Au bout de quelques secondes, elle demanda :

— Tu crois sincèrement qu'Ada et Erik seraient capables de nous trahir ? De trahir leur… père ?

— Ils jalousent votre relation depuis longtemps, expliqua Patrick. Ta jumelle de la Jehenn a toujours été la préférée de Charles Wagner. Ce que veulent ta sœur et ton frère, c'est avant tout te discréditer aux yeux de votre père. C'est pourquoi Ada t'a conduite à la cave. Samuel a simplement profité de l'occasion.

— Me discréditer aux yeux de mon père? répéta Wendy, qui avait peine à croire qu'on pouvait être aussi envieux. Et que se passera-t-il si ça ne fonctionne pas?

Patrick baissa les yeux, craignant de toute évidence que sa réponse ne plaise pas à Wendy. Réalisant qu'il ne souhaitait pas affronter son regard, la jeune femme n'en fut que plus inquiète.

— Patrick, réponds-moi, insista-t-elle, sans être totalement convaincue de vouloir qu'il le fasse. Que se passera-t-il si Charles Wagner continue de me protéger d'une quelconque façon?

— Alors…

Il hésita.

— Alors, j'ai bien peur qu'Ada et Erik ne mettent tout en œuvre pour se débarrasser de vous, déclara finalement Patrick. Et en particulier de toi.

Wendy inspira profondément. Décidément, il n'y avait rien de facile ce soir. Non mais, pourquoi avoir accepté de venir ici, dans la Jehenn, et pourquoi avoir accepté d'échanger un cauchemar pour un autre? La délivrance de la mort aurait sans doute été plus douce. Non, se dit Wendy. Rien n'est pire que la mort. Rien n'est pire que le néant éternel. Tu as fait le bon choix, ma vieille. Même si c'est difficile. Et puis, il y a Joseph. Il est ici, lui aussi.

— Je ne suis pas ton ennemi, Wendy, déclara soudain Patrick en relevant les yeux, ce qui tira la jeune femme de ses pensées.

Elle reporta son attention sur lui, tout en soupirant.

— Ah non? Et qui es-tu alors?

— Ton fiancé.

Wendy éclata de rire.

— Je suis sérieux, insista Patrick. Nous devons nous marier et avoir un enfant.

— Tu es fiancé avec ma jumelle de la Jehenn, le corrigea aussitôt Wendy, et non pas avec moi.

— La Wendy de la Jehenn est mauvaise, affirma Patrick. Pas toi. Dès que j'ai posé les yeux sur toi, j'ai su.

— Tu as su quoi?

— Que tu étais celle-là. Celle qu'il me fallait.

— Je ne te connais pas, Patrick Müller. Du moins, je ne connais pas cette version de toi. Je n'ai jamais été amoureuse du Patrick de l'Éden, alors comment peux-tu seulement imaginer qu'il existe un avenir pour nous deux, hein?

— Je n'imagine rien. Je sais.

— J'aime bien les gens optimistes, mais là, tu pousses un peu, non ?

— Je ne suis pas le Patrick Müller de l'Éden. Nous n'avons rien en commun, lui et moi. Tu m'aimeras un jour, Wendy, je peux te l'assurer. Pas tout de suite, mais ça viendra. Au fait, je suis curieux : es-tu amoureuse de quelqu'un en ce moment ?

Wendy hésita avant de répondre.

— Ça ne te regarde pas.

— Allez, dis-moi.

— Une chose est certaine : si je le suis, ce n'est pas de toi.

Patrick la fixa avec un sourire en coin.

— J'adore relever de nouveaux défis, lui confia-t-il sur un ton amusé.

Wendy faillit lui avouer, avec une pointe d'ironie, qu'elle admirait sa confiance. Elle préféra toutefois se taire. Elle avait suffisamment brusqué le garçon depuis son arrivée, inutile d'en rajouter maintenant.

Patrick se leva de son fauteuil, puis s'éloigna.

— Où vas-tu ? lui demanda Wendy.

— Trouver une façon de te séduire.

Elle s'esclaffa bruyamment.

— Bonne chance, répliqua-t-elle en se calant dans son fauteuil.

Elle fixait le foyer à présent, et n'accordait plus la moindre attention à Patrick Müller, l'ignorant délibérément.

— Je t'attends depuis longtemps, Wendy Wagner, déclara le jeune homme. Et je ne laisserai personne te faire du mal. Quoi que tu en penses, je promets de te chérir et de te protéger. Un jour, tu seras amoureuse de moi, c'est inévitable, car c'est dans l'amour que doit être conçu notre enfant. Si ça n'arrive pas, alors nos deux mondes sont perdus…

Wendy ne se retourna pas. Patrick espérait une réponse, qui ne vint jamais. Au bout d'un moment, le jeune homme quitta sa position et se dirigea vers l'autre extrémité de la pièce, là où se trouvait la sortie. Pas question de le saluer, se dit Wendy. Ce serait lui accorder beaucoup trop d'importance.

— La gouvernante te raccompagnera à ta chambre, la prévint Patrick avant de quitter le bureau pour le couloir. Bonne nuit… et à demain.

Wendy tentait par tous les moyens de détester ce garçon. Elle cherchait une raison de le mépriser, et même de le craindre, mais n'en trouvait pas. Étrangement, la profonde antipathie que lui avait inspirée Patrick Müller dès leur première rencontre au château s'était… dissipée.

« Au Ciel, un ange n'a rien d'exceptionnel. »
George Bernard Shaw

52.

Au tout début, il n'y avait que le bien.

Puis Dieu créa les anges, au nombre de 301 655 722. Il les hébergea dans son premier royaume, celui des neuf cieux. Les neuf cieux étaient divisés en cent quatre-vingt-seize provinces, que peuplaient les anges. Ces derniers étaient classés selon neuf ordres hiérarchiques : les anges (les esprits divins, messagers de Dieu), les Archanges (les principaux conseillers de Dieu), les Principautés (les gardiens de la religion), les Puissances (les soldats du Seigneur), les Vertus (les dispensateurs de miracles), les Dominations (l'autorité des anges, les régulateurs), les Trônes (par qui Dieu exerce sa justice sur Terre), les Chérubins (les sentinelles de l'Éden), et finalement, les Séraphins (les protecteurs de l'amour, de la lumière et du feu, ceux qui entourent le trône divin).

Parmi les Séraphins, l'ordre le plus haut placé dans la hiérarchie céleste, on retrouvait les sept premiers anges créés par Dieu : Uriel, Gabriel, Raphaël, Michaël, Raguel, Zerachiel et Sammael. Ces sept Archanges étaient les préférés de Dieu ;

sept frères à qui Dieu accordait en tout temps chaleur, regard et audience. Le plus fidèle d'entre eux, Sammael, dirigea les neuf cieux avec justice et diligence, jusqu'à l'arrivée des humains. Lorsque Dieu créa l'homme et décréta que celui-ci était fait à son image, les Séraphins en furent indignés. Ils dépêchèrent Sammael auprès de Dieu pour qu'il lui demande des explications.

Une fois agenouillé devant son maître suprême, Sammael lui demanda :

— Comment ces créatures peuvent-elles être à votre image, Seigneur ? Vos anges fidèles et dévoués ne sont-ils pas supérieurs à ces pauvres mortels ?

— Quelle arrogance, Sammael ! le réprimanda sévèrement Dieu. Qui es-tu pour juger mes créatures ? Les hommes sont mes enfants, et je suis leur père !

— Les anges ne sont-ils pas vos fils, eux aussi ? Ne sont-ils pas les préférés de Dieu ?

— Plus maintenant, Sammael. Le temps des anges est révolu.

— Mais Seigneur…

— Tais-toi, serviteur ! Dès le prochain lever du soleil, tes frères et toi vous agenouillerez devant les hommes. Puisqu'ils sont miens, vous les vénérerez autant que vous me vénérez, moi !

— Mon maître adoré, n'exigez pas cela de nous. Par pitié, je vous en implore.

— J'ai parlé, répondit Dieu. À toi maintenant d'écouter. Allez, va et obéis !

Mais Sammael ne bougea pas.

— Jamais, affirma-t-il en serrant les poings. Jamais je ne m'abaisserai à servir les hommes comme je sers mon père.

— Que dis-tu ? Oses-tu me défier, *ha-satan* ?

Le grand Archange se remit debout, tout en déployant ses douze ailes. Il releva la tête, avec défi, et s'avança vers son maître. Cet affront lui coûterait cher, il le savait, mais il était prêt à en subir les conséquences.

Il s'arrêta uniquement lorsqu'il fit face à Dieu.

— Désormais, mon Seigneur, je suis votre adversaire.

Dieu acquiesça. Sa colère semblait avoir disparu.

— Je savais que ce jour viendrait, fils. L'équilibre devait être atteint. À partir d'aujourd'hui, tu porteras le nom de Satan. Je te condamne à l'exil, dans les territoires éloignés du Troisième Ciel, endroit qui deviendra ton royaume et qui sera un jour connu sous le nom d'enfer. Emmène avec toi tous ceux qui refuseront de se plier à ma volonté, et disparaissez à jamais. Pour toujours, vous serez privés de ma chaleur et de mon regard. Une terre brûlante vous attend. Une terre de souffrance éternelle.

Satan fixa son maître avec mépris. Ce sentiment de haine lui était étranger. Pourtant, il s'en imprégna et le savoura. À partir de ce moment, il était libéré.

— Un jour, je reviendrai, répondit Satan.

Dieu hocha la tête avec tristesse.

— Je sais, mon fils, je sais.

Satan quitta l'ordre des Séraphins et fut remplacé par Remiel, futur parrain de Dantay, Samuel et Asfaël. Pendant les neuf jours qui suivirent, 133 306 668 anges se rebellèrent contre Dieu et suivirent Satan jusque dans les ténèbres de l'enfer. Michaël fut tenté de se rallier à son frère, mais Raphaël, Gabriel et Uriel parvinrent à le convaincre de demeurer à leurs côtés et de rester fidèle au Grand Créateur.

— Michaël, tu es le plus puissant de mes anges, lui dit Dieu après l'avoir convoqué. Tu as maintenant le devoir de défendre notre royaume et celui des hommes contre les forces du mal. En signe de ma gratitude, je t'offre les territoires du Quatrième Ciel. Là-bas, tu vivras en compagnie de Shamshiel, qui te fera connaître les hommes et l'Éden, je l'espère.

— Les humains ne méritent pas tout cet amour que vous leur portez, maître.

— Me fais-tu confiance, Michaël ?

— Bien sûr, mon père.

— Alors écoute-moi, comme tu le fais toujours si bien : l'homme n'est pas notre ennemi. L'ennemi, c'est ton frère. Et il viendra nous combattre ici et sur la Terre. Es-tu prêt à l'affronter ?

— Sammael et moi étions très proches, déclara Michaël.

— C'est ce qui rendra ta victoire encore plus glorieuse, mon fils.

— Père, je ne souhaite pas la mort de Sammael. Pourquoi avoir choisi de protéger les hommes plutôt que votre fils chéri ? Pourquoi l'avoir condamné à cet exil ?

— Satan a préféré se révolter. Cet univers est amour, Michaël. Sans cet amour, ma création risque de sombrer. Ne me fais pas défaut, prince des anges. Je crois en toi, comme tu crois en moi. Ensemble, côte à côte, nous verrons la fin de ces jours malheureux. Ensemble, comme père et fils, nous assisterons à la victoire du bien. C'est la seule conclusion possible.

Malgré toute sa bonne volonté, Michaël ne parvint jamais à aimer les hommes. En cela, il n'était pas différent des autres anges célestes. Ceux-ci n'appréciaient guère les humains, qu'ils trouvaient stupides et brutaux, mais demeurèrent néanmoins fidèles à leur serment envers Dieu. Si leur maître exigeait qu'ils protègent ou assistent les hommes, alors soit, c'est ce qu'ils feraient. Parmi les plus dévoués, on trouvait Gabriel et Raphaël. Quant à Michaël, il ne se considérait pas comme aussi malléable que ses frères et entretenait toujours une certaine admiration pour Satan, jugeant que ce dernier avait fait preuve d'audace et de courage en s'élevant ainsi contre Dieu.

Ce fut tout de même Michaël qui prépara et mena la guerre contre l'Adversaire et les anges rebelles, à la demande de Dieu. Au dernier jour des affrontements, Michaël se trouva confronté à Satan et, bien qu'il ne le souhaitât pas, dut se mesurer à son frère. L'Archange sortit vainqueur du combat, mais refusa de tuer Satan, préférant le laisser s'échapper vers la Jehenn, cet autre monde que Dieu avait créé pour leurrer son rival. Plusieurs années plus tard, lorsque Dieu détourna son regard des humains et des anges, Michaël interpella son frère et lui dévoila la vérité au sujet de la Jehenn. À la fois humilié et offensé de s'être ainsi laissé berner par Dieu, Satan manifesta son intention d'envahir l'Éden. Il fit un pacte avec Michaël. En échange de son aide, Satan lui accorderait une partie du royaume terrestre.

— Les hommes sont des animaux, mon frère, lui dit Satan pour achever de le convaincre. Eux-mêmes ne s'agenouilleraient pas devant un singe pour le vénérer. Si Hitler est parvenu à rallier toute une nation à sa cause, si illégitime soit-elle, imagine ce que nous pourrions accomplir ensemble, toi et moi. Je contrôle déjà tous les peuples de la Jehenn. Les humains sont si cupides qu'ils sont prêts à suivre n'importe qui, pourvu qu'ils en retirent quelque chose. Caïn, le fils d'Adam, a tué son frère Abel par jalousie. C'est de lui que sont issus tous les hommes, Michaël. Le père de l'humanité était un vulgaire meurtrier.

Satan prit alors Michaël dans ses bras et le serra contre lui.

— Ne comprends-tu pas, mon frère ? lui glissa-t-il à l'oreille. Dieu nous a trompés : nous sommes supérieurs aux mortels, et malgré tout, il nous a abandonnés. Ce sont les hommes qui doivent servir les esprits divins que nous sommes, et non le contraire.

Michaël demanda à son frère ce qu'il attendait de lui. Satan lui expliqua qu'il y avait une façon d'ouvrir un passage entre l'Éden et la Jehenn. Mais pour cela, Michaël devait lui envoyer une jeune humaine qui n'était pas encore née. Prénommée Gwendolyn, qui signifie « pureté », elle aurait pour parents deux criminels.

Pour accomplir cette mission, Michaël devait choisir trois jeunes anges parmi les meilleures recrues de l'ordre des Puissances. Il les envoya sur la Terre et orchestra leur déchéance en mettant sur leur chemin de jeunes humaines, pressentant qu'ils en tomberaient amoureux. Dantay fut le premier à succomber, mais il se révolta contre Dieu et les Archanges lorsque Michaël fit assassiner sa promise. Inutile d'espérer une quelconque collaboration de sa part. Ensuite vint le tour de Samuel, qui tomba amoureux, mais qui se remit rapidement de la disparition de sa douce amie. Aux yeux de Michaël, il faisait le meilleur candidat. Le plus difficile à corrompre fut Asfaël, le digne protégé de l'Archange Remiel. Michaël tenta à plusieurs reprises de le soumettre à l'amour, mais rien ne réussissait. Le jeune ange finit tout de même par rejoindre le clan des déchus, le jour où Michaël provoqua une rencontre physique entre Wendy Wagner et lui, à Rochdale, une ville du nord-ouest de l'Angleterre.

« Toute la misère du monde n'est rien à côté d'un adieu. »

Daniel Balavoine

53.

La gouvernante attendait Wendy à l'extérieur du bureau. C'était une grosse femme à l'air sévère. En guise de salutation, elle ne lui adressa qu'un signe de tête discret, puis la conduisit avec empressement vers le hall. Alors qu'elles s'apprêtaient toutes les deux à gravir le grand escalier menant aux étages supérieurs, Wendy et son chaperon aperçurent Ada et Erik Wagner qui faisaient leur entrée dans le hall. Les deux jeunes gens marchaient côte à côte, d'un pas lent mais assuré, tout en toisant avec méfiance leur « sœur » aînée. La gouvernante s'arrêta, de même que Wendy. Cette dernière fixa silencieusement Ada et Erik, avec un air de défi. Aucune parole ne fut échangée ; le mépris ressenti de part et d'autre s'exprimait à travers de simples regards. Ada n'avait aucune idée que Wendy était originaire de l'Éden, alors pourquoi l'avait-elle piégée ainsi dans la cave ? Pour la discréditer aux yeux de leur père, comme l'avait prétendu Patrick Müller ? Non, il y avait plus que cela. Ada et Erik soupçonnaient quelque chose. Il ne s'agissait pas seulement de jalousie ou d'une simple rivalité entre membres d'une même fratrie. Cette haine que les jumeaux manifestaient à son endroit découlait d'une hostilité encore plus profonde.

« Ils n'hésiteront pas une seconde à vous dénoncer à la police d'État, ton père et toi, s'ils découvrent un jour la vérité », avait affirmé Patrick. Et en cet instant, il était impossible d'en douter.

Lorsqu'ils croisèrent Wendy au pied de l'escalier, Ada et Erik la gratifièrent d'un petit sourire mesquin, dont la signification était claire : « On n'en a pas terminé avec toi, chère sœur. » Wendy songea alors que ses problèmes ne faisaient que commencer. Cette confrontation ne serait pas la dernière, Wendy en était convaincue. Dorénavant, elle devrait se tenir sur ses gardes. De nouveaux ennemis dont il faudra me méfier, songea-t-elle, excédée.

Une fois que les jumeaux eurent quitté le grand hall, la gouvernante pressa Wendy de monter à sa chambre. Ceci fait, Wendy congédia la grosse femme, et fut heureuse de se retrouver enfin seule. Aucune nouvelle de Juliette, cependant. Elle aurait bien aimé retrouver son amie. Épuisée, elle passa une robe de nuit qu'elle trouva dans le placard, puis s'étendit sur son lit.

Quelques instants plus tard, on cogna à la porte. C'était une autre domestique. Lorsqu'elle entra, Wendy remarqua qu'elle portait un plateau sur lequel étaient posés un bol de soupe chaude ainsi qu'un panier de fruits.

— Qui vous a demandé de m'apporter ceci ? s'enquit Wendy.

— Herr Müller, madame.

— Patrick Müller ?

— Il a cru que vous auriez peut-être faim.

Wendy acquiesça, puis demanda à la jeune servante de poser le plateau sur sa table de nuit. Un message accompagnait le repas, sans doute glissé là par Patrick. Les mots, sur la petite carte, étaient de Paul Verlaine, le poète français : « Nous avons tous trop souffert, anges et hommes, de ce conflit entre le Pire et le Mieux. »

Le Pire et le Mieux… songea Wendy. La Jehenn et l'Éden. L'horrible et le supportable. Mais à quand le Bien, et seulement le Bien ?

Elle laissa la soupe de côté et mangea quelques fruits, tout en fixant la lune à travers la porte vitrée de sa chambre. Ses paupières ne tardèrent pas à s'alourdir et elle ferma les yeux avec l'intention de les rouvrir un peu plus tard, mais n'y parvint pas. Elle commença par somnoler puis finit par s'endormir, au bout d'une minute à peine.

À l'extérieur, une lune pleine et ronde brillait toujours dans le ciel. La silhouette d'un grand oiseau se découpa soudain sur la surface luminescente. Elle traversa le ciel dans un doux sifflement, à peine audible, puis vint se poser sur le balcon de la chambre.

La silhouette n'avait plus la forme d'un oiseau lorsqu'elle toucha le sol, mais celle d'un homme. Ce dernier ouvrit les deux larges battants de la porte vitrée et pénétra dans la chambre de Wendy en prenant soin de ne pas faire de bruit.

C'était Joseph Heywood.

Il s'approcha du lit, lentement, et posa un baiser sur le front de Wendy, qui dormait toujours.

— Je veillerai sur toi, lui dit-il alors qu'il la regardait dormir.

Wendy inspira tout doucement, mais ne s'éveilla pas.

— Ne pars pas, murmura-t-elle dans son sommeil.

Attendri par ces paroles, Joseph lui caressa délicatement les cheveux. Il les trouva si soyeux…

— Ne t'en fais pas, je ne serai pas loin, dit-il d'une voix douce pour ne pas la réveiller.

— Où iras-tu ? Dis-moi comment te retrouver…

— Deuxième étoile à droite, Wagner, chuchota l'ange déchu, ensuite tout droit jusqu'au matin.

Lorsque Wendy ouvrit les yeux, Joseph n'était plus là. Avait-elle rêvé ou était-il vraiment venu la visiter ? En regardant vers le balcon, la jeune femme eut sa réponse : elle vit l'ange s'éloigner dans le ciel, ses grandes ailes noires déployées, mais immobiles, comme s'il se laissait porter par le vent. Quelque part au fond d'elle-même, Wendy entendait encore la chanson de Martha Tilton : « *Silver waves that break on some undiscovered shore. Suddenly, I see it all change. We kiss, and the angels sing. And leave their music ringing in my heart…* »

Le regard de la jeune femme fixait le ciel dans l'attente d'un signe de sa part. Cependant, rien ne venait. Ne me laisse pas, Joseph Heywood ! aurait-elle voulu crier, mais elle se retint. Ce sentiment gonfla son cœur au point de lui serrer la poitrine. La gorge nouée, elle resta silencieuse, mais son regard demeura fixé à Joseph, qui s'éloignait vers l'horizon.

REMERCIEMENTS

Je tiens tout d'abord à remercier Marie-Josée Lacharité et Jacques Fortin.

Merci de m'avoir offert cette chance unique.

Merci également à toute l'équipe de Québec Amérique.

Merci à Mylaine Lemire et Geneviève Brière.

Merci à Nathalie Caron pour la couverture.

Merci à Élyse-Andrée, comme toujours, pour la révision et les judicieux conseils.

Ma plus grande reconnaissance va à Stéphanie Durand, mon éditrice, sans qui ce roman ne serait pas ce qu'il est.

Merci Stéphanie pour ta patience et ton talent.

BIBLIOGRAPHIE

Davidson, Gustav. *Le Dictionnaire des Anges*, Paris, Le jardin des Livres, 2005.

Dick, Philip K. *Le maître du Haut Château*, Paris, J'ai lu, 2001.

Harris, Robert. *Fatherland*, Paris, Pocket, 1998.

Hillel, Marc. *Au nom de la race*, Paris, Fayard, 1975.

Rees, Laurence. *Ils ont vécu sous le nazisme*, Paris, Les Éditions Perrin, 2008.

Roth, Philip. *Le complot contre l'Amérique*, Paris, Éditions Gallimard, 2006.

Schnetzler, Bernard. *Les erreurs stratégiques du IIIe Reich pendant la Deuxième Guerre mondiale*, 3e édition, Paris, Economica, 2006.

AUTRE TITRE DE MICHEL J. LÉVESQUE

Tout le monde l'appelle Olivier, mais lui clame haut et fort qu'il se nomme Samuel. Il prétend être tombé d'un canot d'écorce en courant la chasse-galerie. Enfermé dans le service psychiatrique d'un hôpital, est-il victime d'une psychose ou d'un pacte passé avec le diable ?

GARANT DES FORÊTS
INTACTES | L'impression de cet ouvrage sur papier recyclé a permis de sauvegarder l'équivalent de 138 arbres de 15 à 20 cm de diamètre et de 12 m de hauteur.